一笑

古龍 甲四署

盛期之風貌

臥龍生作品 帶動武俠風潮

《飛燕驚龍》開一代武俠新風

《飛燕驚龍》（1958）為臥龍生成名作，共48回，約120萬言。此書承《風塵俠隱》之餘烈，首倡「武林九大門派」及「江湖大一統」之說，更早於香港武俠巨匠金庸撰《笑傲江湖》（1967）所稱「千秋萬世，一統」達九年以上。流風所及，臺、港武俠作家無不效尤；而所謂「武林盟主」、「江湖霸業」等新提法，竟成為社會大眾耳熟能詳的流行術語了。

《飛燕》一書可讀性高，格局甚大。主要是寫江湖群雄為覬覦傳說中的武林奇書《歸元秘笈》而引起一連串的明爭暗鬥；再以一部假秘笈和萬年火龜為餌，交插敘述武林九大門派（代表正派）彼此之間的爾虞我詐，以及天龍幫（代表反方）網羅天下奇人異士而與九大門派的對立衝突。其中崑崙派弟子楊夢寰偕師妹沈霞琳行道江湖，卻如夢似幻地成為巾幗奇人朱若蘭、趙小蝶之絕世武功技驚天龍幫，而海天一叟李滄瀾復接連敗於沈霞琳、楊夢寰之手；致令其爭霸江湖之雄心盡泯，始化解了一場武林浩劫云。

在故事佈局上，本書以「懷璧其罪」（與真、假《歸元秘笈》有關）的楊夢寰屢遭險難，卻每獲武林紅妝垂青為書膽（明），又以金環二郎陶玉之嫉才害能，專與楊夢寰作對（暗）為反派人物總代表。由是一明一暗交織成章，一波未平，一波又起，極盡波譎雲詭之能事。最後天龍幫冰消瓦解，陶玉帶著偷搶來的《歸元秘笈》跳下萬丈懸崖，生死不明，卻予人留下無窮想像空間。三年後，作者再續寫《風雨燕歸來》以交代陶玉重出江湖，為惡世間，則力不從心，當屬狗尾續貂之作。

在人物塑造方面，臥龍生寫男主角楊夢寰中看不中用，固然乏善可陳，徹底失敗；但寫其他三名女主角如「天使的化身」沈霞琳聖潔無瑕，至情至性，處處惹人憐愛；「正義的女神」朱若蘭氣質高華，冷若冰霜，凜然不可犯；「無影女」李瑤紅則刁蠻任性，甘為情死等等，均各擅勝場。乃至寫次要人物如「賓中之主」海天一叟李滄瀾之雄才大略，豪邁氣派；玉簫仙子之放蕩不羈，為愛痴狂；以及八臂神翁聞公泰之老奸巨猾，天龍幫軍師王褒湘之冷傲自負等，亦多有可觀。

摘自 葉洪生、林保淳著
《台灣武俠小說發展史》

與 武俠小説

台港武俠文學

流行天王

臥龍生

臥龍生是台灣最著名的武俠小說作家之一，自然也是海外新派武俠小說家中的重要一員。

在台灣武俠小說界，臥龍生曾獨領風騷被稱為「台灣武俠泰斗」。後來司馬翎、諸葛青雲脫穎而出，才與臥龍生並稱台灣俠壇的「三劍客」。那時候古龍還默默無聞。後來古龍名氣漸大，躋身高手之林，與「三劍客」合稱「台灣武俠小說四大家」，但臥龍生仍是深受讀者歡迎的武俠小說作家。

陳墨

臥龍生

武俠經典珍藏版
25

岳小釵
(一)

卧龍生 精品集㉓

岳小釵(一)

武俠長卷的大轉折與大波濤

——《岳小釵》映現奇異命運

知名文學評論家 秦懷冰

《岳小釵》接續《金劍雕翎》，是臥龍生創作成熟期的扛鼎大作之完結篇。

在前篇《金劍雕翎》悉心鋪陳了一代英俠蕭翎從少年時身罹暗疾、全無武功，懵懵懂懂地被捲入自己毫不理解的江湖風暴之後，一路披荊斬棘，捨死忘生，居然逐漸成長為有資格捍衛武林正義的中流砥柱之士，受到武林中不少心懷俠義的血性人物或明或暗的支持。但話雖如此，在蕭翎和已然隱隱操縱江湖大局的曠代梟雄沈木風對抗時，仍不免處於劣勢，左支右絀。

這自然是因為沈木風城府深沉，籌謀已久，暗中累積的實力自非蕭翎這邊臨時糾合而成、缺乏統一指揮體系的人馬所能抗衡。於是，千里拚搏、輾轉衝刺下來，蕭翎一方處境自是愈來愈艱險。

兩條伏線的啓動

驚心動魄的武林霸主爭奪戰，常是臥龍生用以設計故事、推展情節的一條主軸；藉由爭奪武林霸主的連番鬥智鬥力之役，來展示江湖風險、人心詭譎，並鋪墊一層又一層、一波又一波的陰謀與背叛，更是臥龍生武俠作品的特色所在。於是，隨著蕭翎在江湖上逐漸成長的歷程，以沈木風爲首的闇黑高手集團機謀百出，武林各大門派紛紛遭到臥底人物的顛覆，包括武當派、丐幫、蜀中唐門等指標性勢力都陷入風雨飄搖的困境，江湖道義眼看將要蕩然無存，使得已蒙名師精心淬煉可堪撐持局面的蕭翎義無反顧，必須以一步一腳印的承擔和抵抗，來與原先所謂義結金蘭的盟兄沈木風周旋到底。

作者在前書所佈的兩大伏線，一是「禁宮之鑰」的秘密，一是岳小釵的下落，隨著情節的推展，讀者當然會發現，這兩條伏線恰恰正是這番武林爭霸之戰的勝負關鍵所在。首先，沈木風集團既已藉由多年來潛伏的臥底人物，藉調配的藥物或掌握的隱私暗中操控了各大門派，蕭翎一方自不可能從江湖上現有的勢力中汲取抗爭的資源，故所能期望的只有出奇制勝，而藉由「禁宮之鑰」以取得如今儼然已傳爲武林神話的禁宮奇珍、武功秘笈，看看其中是否有可用來對付強敵的籌碼，便成爲無可奈何中的一線生機。其次，在千里轉戰中每逢蕭翎陷入絕境，往往獲得出乎意料的奧援，諸般蛛絲馬跡顯示，似是岳小釵遣人暗助。

006

禁宮之秘的滄桑

「禁宮之鑰」其實只是引子，幾經波折，蕭翎一方終於進入禁宮，但跟蹤而至的沈木風及以「世外隱士」宇文寒濤爲代表的第三方勢力介入爭奪，幾番爭鬥下卻發現：當年在此比鬥爭取天下第一之名的十大高手互相殘殺之餘皆已身亡，所遺奇珍亦早經搜括，稍有價值者只剩一柄金劍及「簫王」張放的武功手冊。臥龍生在揭開禁宮之秘時施展他擅長的「迴筆倒插」寫法，讓蕭翎等人警覺到原來當年進入禁宮的十大高手中，號稱「巧手神工」的包一天其實並未殞身，反而是他巧布絕命機關，暗算了其他九人。至此，包一天的去向也成爲牽動武林大局的重要變數，而因氣味相投，沈木風一方勢將爭取到包一天的加盟，殆屬必然。

值得注意的是，臥龍生著力抒寫宇文寒濤以「螳螂捕蟬，黃雀在後」的陰謀家行徑進入禁宮，企圖利用蕭、沈雙方勢不兩立的機會攫取漁人之利；接著，卻又回溯包一天暗算九大高手謀奪禁宮奇珍的軼事，其情其景，隱喻的意味簡直呼之欲出，不啻在呈現人性的貪婪與陰暗今昔雷同，從而採取不可告人的闇黑手段，亦是如出一轍。由此可見，臥龍生筆下的江湖爭霸情節，其實有相當一部份是在刻劃及挖掘人性的陰暗面與複雜面。而經過了波譎雲詭的禁宮之爭後，蕭翎當然領悟到，若想力抗來勢洶洶的強權，捍衛自己一方的尊嚴，主要是憑不屈不撓的自主意志，以及有情有義的俠者情操；奇珍、秘笈等等，得之固然可喜，卻不可能操之在己，畢竟只能是輔助的資源而已。

爭霸之戰的關鍵

就在強敵咄咄逼人，情勢岌岌可危的時刻，岳小釵不但神出鬼沒地介入蕭、沈門爭的格局中，而且終於現身與蕭翎相見。然而，岳小釵失蹤期間曾受「簫王」張放嫡孫「玉簫郎君」張俊救助，並引進已遁入空門、但與張家淵源甚深的忘情師太門下。其間，張俊及同門高手藍玉棠均不可遏抑地愛上了岳小釵，卻因岳小釵掛念蕭翎而心生妒忌；故而，在蕭、沈雙方轉戰千里的漫長過程中，張、藍對蕭翎的敵意使得整個局面更有利於沈木風集團。所幸蕭翎一方雖然屢次處於劣境，但因世外巨擘「北天尊者」之女百里冰始終信任蕭翎，而「毒手藥王」之女南宮玉亦因蕭翎屢次放自己的血拯救她而心懷感恩；因此，沈木風拉攏此二巨擘未果，以致蕭翎一方得以傾而不墜，苦苦支撐。

情節進展至此，作者的佈局是以岳小釵情歸何處，作為蕭、沈之戰最終成敗的關鍵，已是昭然若揭。但在岳小釵作出抉擇後，蕭翎仍需賴身在沈木風陣營的金花夫人反戈一擊，避不露面的北天尊者暗中壓陣，及默默窺視的毒手藥王對偏向敵營的超級高手包一天施毒嚇阻，才得以反敗為勝。這顯示，岳小釵與蕭翎的悲歡離合這條伏線，雖是卧龍生佈局此書的主線，卻仍有分岔而出的諸多旁枝。

生具媚骨與命犯桃花

事實上，岳小釵持身端莊、冷若冰霜，卻仍引得青年高手張俊、藍玉棠如醉如痴地迷戀，究其原委，正是臥龍生所強調的乃因她「生具媚骨」之故，並非她刻意展佈色相招蜂引蝶所致。而蕭翎之所以在不知不覺間引得岳小釵鍾情，更惹起百里冰、南宮玉、乃至金花夫人的垂青眷戀，亦即一般所謂「命犯桃花」，也正是臥龍生作品中用以推展情節時相當鮮明的招數。

除了臥龍生在書中作過命理學的註釋外，若從當代醫學、心理學，尤其腦神經科學的角度而言，亦可解釋爲岳小釵、蕭翎等少數特定人物，因具有某種易吸引異性的「費洛蒙」，故而特別容易激發一些和其「費洛蒙」有共振的異性趨之若鶩。

從《金劍雕翎》到《岳小釵》，臥龍生可謂施盡渾身解數，將他的武俠寫作推向「集大成」的境域。從「生具媚骨」到「命犯桃花」，臥龍生的作品精髓是以男女情感的悲歡離合及情慾的起伏升沈，來融化武林爭霸、江湖風雲的種種闇黑鬥爭。至此，臥龍生在台灣武俠小說發展史上的特質和定位，難道不是已有目共睹？

一　出奇制勝

幾度夕陽照殘山，幾度曉風拂明月。

此刻天上無月，但室中有燈。

一燈如豆，蕭翎正對著孤燈出神。

與當代梟雄沈木風鬥智鬥力至此，雖未全面落敗，但確已居於下風。

金花夫人抱傷而去，狀似無情卻有情。

她依附沈木風，不肯離開百花山莊，是真的貪生怕死呢？還是為了要幫助蕭翎？蕭翎想了

很久、很久，仍然不能肯定。

孫不邪緩步行了進來，道：「怎麼，小兄弟，你一直沒有坐息？」

蕭翎輕輕歎息一聲，道：「我在想……」

緊隨在孫不邪身後的無為道長接道：「蕭大俠，可是在為那金花夫人擔心？」

蕭翎道：「我受她的太多，卻無法回報萬一。」

無為道長道：「來日方長，以後咱們找機會報答她就是……」

回顧了孫不邪一眼，接道：「蕭大俠完全沒有休息，讓他坐息一下再去吧。」

孫不邪歎了口氣，道：「小兄弟，要你坐息一下，養養精神，你卻在想心事，金花夫人有什麼好想的，她心狠手辣，殺人無數，真要死了，江湖上就少了一個禍害，何況她足智多謀，滿身俱是毒物，想殺她，還真不是一件容易的事，用不著再替她擔心了。」

蕭翎道：「我、我……」

孫不邪接道：「無為道長不放心留在山上的武當弟子，但又怕你大傷初癒，不宜過分勞累，讓你休息一下，唉，想不到啊！你卻在瞪著眼睛想心事。」

蕭翎霍然站起，道：「對！應該去看看他們，小弟傷勢已癒，精神好得很。」

無為道長道：「不用急在一時，蕭大俠，還是坐息一陣再說吧！」

蕭翎道：「不用了，此刻情勢詭異，波譎多變，不能再有差錯，咱們走吧！」熄去燈火，當先行出房門。

仰首望天，曉色已現。

商八、杜九、司馬乾等，早已在室外等候。

無為道長放步而行，道：「貧道帶路。」

蕭翎緊隨其後。

行到一處山崖之下，無為道長突然停下腳步，回顧了蕭翎一眼，黯然說道：「也許咱們來

晚了一步了。」

蕭翎道：「可是有了什麼變故？」

無為道長道：「他們如不是已撤離此地，可能早已有了意外之變。」

蕭翎心中暗道：這話倒是不錯，如若這懸崖之下，還有武當弟子，縱然不來迎接他們的掌門人，亦該在懸崖之下，布有守望之人才是。

這時，孫不邪、中州二賈、司馬乾等，都有著一種不尋常的感覺，覺出了情勢有些不對。

無為道長加快腳步，奔向一座茅舍。

蕭翎緊隨在無為道長身後，暗自運功戒備。

他連番經歷凶險，閱歷大增，口雖不言，心知隨同無為道長來此之人，大都是武當門下武功高強的人物，一派精銳，盡集於斯。

如有了什麼慘變，武當所受的打擊，實是非同小可。

忖思之間，已然奔近茅舍。

無為道長突然停了腳步，回顧了蕭翎一眼，緩緩伸出左手，按在木門之上。

他雖力持鎮靜，但蕭翎瞧出他的手在微微發抖，似是這一扇木門，有著千鈞以上之力，無為道長必須用盡全身的力氣，才能推開這扇木門。

蕭翎暗暗歎息一聲，突然行進一步，守在無為道長的身側。

他心知無為道長此刻心情，沉重無比，反應不如平常迅快，這座茅舍中，可能橫著武當門

下弟子的屍體，也可能潛伏著強敵，是以守在無為道長身側，以便能及時保護。

只聽木門呀然而開，目光下，室中景物盡現。

一切都未在幾人的預料之中，室中既無橫陳屍體，亦無潛伏的強敵。

只見雲陽子居中盤膝而坐，在他兩側，分坐著六個道袍揹劍的武當弟子。

似是七人都受了很重的內傷，正在盤坐調息。

蕭翎早已掌心蓄勁，準備隨時出手，但是室中既無大變，頓時放下心中一塊重鉛，長長吁一口氣，散去蓄在掌心的內力。

無為道長輕歎一聲，道：「師弟無恙嗎？」舉步向屋中行去。

只見雲陽子睜開雙目，望了無為道長和蕭翎一眼，重又閉上雙目，默然不言。

無為道長輕輕歎息一聲，道：「師弟內傷很重嗎？」緩步行了過去。

蕭翎緊隨無為道長身後，行入室中。

雲陽子重又啟開雙目，望了無為道長一眼，微微頷首。

無為道長道：「師弟傷在何處？快給為兄瞧瞧。」

急步奔向雲陽子。

雲陽子仍然是靜坐不動，直待無為道長行到身側時，突然一躍而起，駢指如戟，點向無為道長的肋間大包穴。

無為道長正在感傷悲痛之際，作夢也未料到雲陽子會向自己下手，微一怔神間，雲陽子的

指尖，已然觸及道袍。

突起意外，匆忙間一吸真氣，向旁側讓去。

雲陽子出手奇快，變招更是迅如電火，眼看無爲道長避開大包要穴，立時一伸右腕，點向京門要穴。

無爲道長雖然有著過人的武功，但在驚痛恍惚之中，毫無戒備之下，再也無法避開這迅如奔雷、變化莫測的突襲，竟被對方一指點中穴道，頓感半身麻木。

但他究是一代掌門之才，武功成就極高，當下冷哼一聲，反掌切出，擊向雲陽子右腕脈門。

就在雲陽子突起施襲，攻向那無爲道長的同時，分坐在雲陽子兩側六個道人，也陡然一齊躍起，向蕭翎撲去。

六人似是早已分定攻襲的方位，十二隻手掌，不約而同一齊遞出，分攻向蕭翎十二處部位。

猝然驚變，禍起肘腋，蕭翎亦是毫無戒備，眼看一片掌影，分由四面八方湧來，心知已難在一招之間，拒擋住四面八方的攻襲，當下雙掌齊起，護住要穴，身子斜向一側閃去。

只聽砰砰兩聲，左肩、後背，各中一掌。

那道人發掌雖重，但因蕭翎練習的玄門正宗內功，乾清罡氣，已有小成，雖未來得及運氣護身，但他本能的反應，護住了中掌之處，傷而不重。

015

六個道人眼看蕭翎中掌之後，竟然沒有倒下，擊中蕭翎的兩個道人，反覺手腕麻木，各自後退了一步，心中大是驚駭！

但聞左側一個道人，道：「拔劍，以六合劍陣圍住他！」語聲甫落，室中劍光連閃，一片劍影，湧向蕭翎。

蕭翎身中兩掌，受傷雖然不重，但因自己毫無防備，故被打得血氣翻湧，一時間，竟無法運氣反擊。

直待六個道人拔出長劍，四面圍來，蕭翎才緩過一口氣，大喝一聲，疾發四掌，以擋四面來勢，反腕拔出長劍，一招「雲氣瀰空」，湧起一重劍氣，護住身子。

但聞一陣金鐵交鳴的脆響，六柄攻向蕭翎的長劍，盡被震盪開去。

六個道人，似是亦知遇上了從所未遇的勁敵，長劍被蕭翎震開之後，不再急進建功，發動六合劍陣，以佳妙絕倫的配合，把蕭翎團團圍困在六合劍陣之中。

蕭翎心中怒火高漲，長劍出鞘，展開快攻，希望能先傷幾人，以消心頭之火，哪知對方六合劍陣，佳妙無比的配合，竟然把蕭翎快速的劍勢，給封了起來。

蕭翎連攻十幾劍，都給對方側襲而至的長劍及時封架開去，才知被困於變化奇奧的劍陣之中，不敢再莽撞出手，劍勢一變，改採守勢。

他昔年學藝三聖谷中，曾聽恩師莊山貝談論過劍陣的妙用，奇奧的劍陣，並非一加一成二的威力，而是每一方，都是有著組陣之人的全部力量，劍劍相因，一體連鎖，合則相因相成，

分則各具妙用。

六個人組成的六合劍陣，雖然已把蕭翎生生困住，但蕭翎得自莊山貝所授奇奧的劍法，改持守勢之後，有如光幕繞體，森嚴無比，任他六合劍陣威勢驚人，也無法傷得蕭翎分毫。

但無為道長卻已被鬥得險象環生，在雲陽子一招快過一招的迫攻之下，顯得手忙腳亂。

原來，他穴道受制，半身麻木不靈，運掌轉動之間，力難從心，被那雲陽子掌、指並施的攻勢，迫得難以兼顧，招招都在間不容髮之中避過。

蕭翎雖然瞧出那無為道長的危險處境，但自身被困於六合劍陣中難以突圍而出，心中大為焦急，暗道：孫不邪等都是江湖經驗豐富之人，怎的拖延這久不來？

忖思之間，突聞砰的一聲大震，無為道長身軀搖了兩搖，摔倒在地上。

雲陽子右手疾伸，點了無為道長的穴道。

蕭翎見勢心中大急，暗道：孫不邪等久久不來，只怕亦被強敵所阻，看情形是無法等到他們來支援了。

心念轉動，劍勢隨著一變，左掌右劍，全力施為。

他同時施出了莊山貝、南逸公，兩大奇人高手的絕藝，威勢的凶猛，有如驚濤裂岸，洪流潰堤，整個的六合劍陣，都被他迫得團團亂轉。

六合劍陣的威勢，雖被蕭翎的劍勢壓了下去，但蕭翎一時之間，也無法破圍而去。

只見那雲陽子點了無為道長的穴道之後，伸手從懷中摸出一條絲帶，竟把無為道長結結實

實地捆了起來。

蕭翎眼看著無為道長被人捆起，自己卻無法相救，一股怨恨之氣，直沖而上，右手長劍連出三招絕學，灑了一片劍花，左手疾快無比地套上了一隻蛟皮手套。

他默察情勢，如若不用心機，不出奇兵，單憑武功，想闖出這六合劍陣，仍需一段很長時間的搏鬥，必得設法，使出出人意外的手法，才可一舉間破了強敵。

這時，蕭翎雖然還未能完全了然這六合劍陣的變化，但已隱隱覺出他們的劍路，當下劍勢微斂，故意露出一個破綻。

六個人被蕭翎狂風急雨一般的反擊之勢，迫得幾乎亂了陣法，心中暗自驚駭，但六人心中明白，六合劍陣不散，還可拒擋一時，如是陣法亂去，六人各自為戰，那將無法拒擋蕭翎十回合以上，是以各出全力，維持著六合劍陣。

眼看蕭翎急攻之後，突然露出破綻，不暇多思，兩柄長劍，乘隙攻入，如若蕭翎回劍來救，縱然能把這兩柄長劍封架開去，另外四柄劍，都將乘虛由四方攻入，那才是致命的一擊。

哪知蕭翎左手探出，竟向劍上抓去。

那執劍人冷笑一聲，劍勢故意一緩，讓蕭翎五指抓住長劍，心中暗道：就算你練過金鐘罩、鐵布衫的武功，也難擋我劍鋒橫轉再削之勢，怎敢如此狂妄。

忖思之間，手中的長劍已被蕭翎抓住，當下暗中運氣一轉，發出內勁，推動劍勢，劍鋒由內向外削去。

這是一種巧勁，一個人總是血肉之軀，不論他練成什麼武功，凡是能夠避刀避劍的，大都是憑藉著一股勁氣，那道人讓蕭翎抓住了劍勢之後，再做轉動，這正是破解勁氣的方法，準備一下削斷蕭翎的手指。

但他卻不知蕭翎手中已套上了可避刀劍的千年蛟皮手套。

那道人一劍推削過去，未能削下蕭翎手指，蕭翎卻趁機猛然向內一收，那道人遂身不由己地向前一傾。

方位離動，六合劍陣整個的變化，突然受阻。

蕭翎飛起一腳踢了過去，正中那道人左膝之上。

只聽那道人悶哼一聲，左膝生生被蕭翎踢斷，一跤跌坐地上。

六合劍陣，失去了一人，全陣的奧妙變化，效用頓失。

蕭翎借勢反擊，長劍連連現出奇招，劍芒閃動中，響起了兩聲慘叫，又有兩個道人重傷在蕭翎的劍下。

這時，那雲陽子已然捆好無為道長，眼看蕭翎擊潰了六合劍陣，勇不可當，立即拔劍衝上，大聲喝道：「你們給我退開！」

六人傷三人，餘下的三人，亦被蕭翎凌厲的劍招迫得團團亂轉，傷亡不過頃刻間事，聞得喝聲，一齊收劍而退。

蕭翎已由那喝聲中辨出，不是雲陽子的聲音，當下平劍橫胸，冷冷喝道：「你是何人？假

019

冒武當中人，豈算得英雄行徑？」

雲陽子冷然一笑，舉手在臉上一抹，眉髯盡脫，露出一張削瘦的長臉，緩緩說道：「你就是那蕭翎了？」

蕭翎道：「不錯，閣下何人？」

那人淡淡一笑，道：「你聽過南海五聖的大名嗎？」

蕭翎沉吟了一陣，道：「在下未曾聽過南海五聖，不過卻聽人提過南海五凶之名。」

那人淡然一笑，道：「五聖也好，五凶也好，反正就是咱們兄弟五人。」

蕭翎目光一掠躺在地上的三個道人，道：「就是閣下和這幾位嗎？」

那人冷然一笑，道：「南海五凶如若這般輕易爲人所傷，豈不是有負五凶之名了？」

蕭翎道：「這六位僞裝武當門下弟子的，又是何人？」

那人道：「百花山莊中的劍手。」

蕭翎冷笑一聲，道：「想不到大名鼎鼎的南海五凶，竟然也是百花山莊中的爪牙。」

那人毫不動氣，仍然是淡淡說道：「這倒不用閣下多管了。」

蕭翎心中暗道：此人看上去十分陰沉，不知在南海五凶中排行第幾？

心中念轉，口中說道，「閣下可是五凶之首？」

那人冷冷一笑，道：「區區在我們兄弟之中排行最小，冷手秀士田中元，就是在下。」

蕭翎故意和他攀談，希望借著一點閒暇時光，查看一下外面情勢。

哪知孫不邪和中州二賈，有如沉海砂石一般，竟不見幾人追來茅舍，亦不聞呼喝之聲。

冷手秀士田中元亦似在等待什麼，雙目凝視在蕭翎身上，凝神傾聽。

蕭翎突然一揮手中長劍，道：「你南海五凶，想必都在這裏了？」

他想到孫不邪和中州二賈久久不聞消息，不是遇上強敵惡鬥，就是遭了暗算，是以心中大為焦急。

田中元道：「這個嘛，在下不願回答。」

蕭翎突然高聲說道：「閣下等假扮武當門下，可是奉那百花山莊沈木風之命而來嗎？」

田中元冷冷說道：「這個也不勞閣下多問。」

蕭翎怒聲喝道：「你們南海五凶，都爲那沈木風效力，難道是白白的效力嗎？」

田中元淡然一笑，道：「那倒不是，南海五凶向來不做蝕本買賣，豈肯白白爲人效力。」

蕭翎道：「那沈木風給了你們兄弟何等代價，你們南海五凶竟然肯爲他賣命？」

冷手秀士田中元淡淡一笑，道：「姓蕭的，你不覺著問得太多了嗎？」

蕭翎道：「沈木風能夠請得你們南海一派，在下自然是也能請得了。」

田中元一揮手中長劍，冷冷說道：「閣下這等語無倫次，在下得先教訓你一頓了。」長劍一閃，直向前胸刺去。

蕭翎揮劍擋開田中元的劍招，心中暗暗忖道：沈木風派遣南海五凶來此，布下天羅地網，只怕還有後援高手趕到，目下之策，只有先把此人生擒之後，再行逼問……

就這一念在心，使蕭翎很多精妙的劍招都難以發揮出來，因為他生恐一劍把田中元刺死。

蕭翎心中受了束縛，絕技難以發揮，反而成了招架之勢。

雙方激鬥了四、五十回合，仍然是保持個不勝不敗之局。

蕭翎心中漸感焦急，暗道：這樣打下去如何能有制勝的機會，說不得，只好施下毒手。

心念再轉，突然把自己由束縛中解救出來，長劍疾變，展開反擊，劍劍都攻向田中元致命所在。

蕭翎這一毫無顧慮的放手施為，使場中形勢突然大變。

田中元久聞蕭翎之名，是以，和他動手之時亦是特別小心，出劍十分謹慎，搏鬥到二十回合後，心中大感奇怪，覺得蕭翎的劍招中，似是含勁未出，每一劍的威力，似是都未發揮出來。

初動手時，田中元心中懷疑甚重，不知蕭翎劍招何以會如此奇怪，動手二十餘回合之後，才逐漸的習慣，攻勢也逐漸凌厲。

蕭翎雖然不能放手施展，但因他劍術本身奇奧，那田中元攻勢增加一分威力，蕭翎的防守之力，也自然加強，始終保持個平衡之局。

直待蕭翎放手展開反擊，田中元才覺出遇上了勁敵，要待收劍而退，已是勢所難能，被蕭翎長劍湧起的重重劍影困了起來。

雙方又惡鬥了十餘回合，田中元已呈不支狀態，蕭翎奇招突出，一劍拍在田中元的右腕之

卧龍生 精品集

上，擊落了田中元手上兵刃，冷笑一聲，道：「閣下認輸了嗎？」

田中元雙目中凶光一閃，道：「蕭大俠果然名不虛傳，在下領教了。」

只見人影一閃，一個道人，手執長劍，疾奔而來。

蕭翎目光微轉，回手掃出一劍。

這一劍擊出的時間，恰當無比，那道長剛反握劍尖，把手中長劍遞向田中元時，蕭翎的長劍卻及時而至。

只聽嘶的一聲，血光迸流，那道人半條右手臂帶著手中長劍，一齊跌落地上。

田中元冷笑一聲，突然發出一掌，擊向蕭翎前胸。

蕭翎左手突起硬接一掌，雙方掌力接實，田中元被震得退後一步。

田中元本可藉機逃出茅舍，但他卻靜靜地站著不動。

蕭翎一則擔心父母的安危下落，二則想從田中元的口中，探得一些消息，是以不願傷他，希望能把他生擒活捉，但他自和田中元動手之後，亦知對手武功非同小可，必得想出一個方法，一擊而中。

雙方默默相對，過了一盞熱茶工夫，田中元突放聲而笑，道：「蕭大俠不該接我一掌。」

蕭翎微微一怔，道：「為什麼？閣下的掌力，並無驚人之處。」

田中元冷然說道：「我已在指間暗藏毒針，閣下接我一掌，卻在不覺間已中了劇毒，那毒性發作甚快，閣下這般凝立不動，不肯乘勝追襲，定然是已經感覺到了。」

蕭翎先是一呆，暗道：這人如此惡毒。

轉念一想，自己左手早已套上了千年蛟皮手套，利劍尚且不怕，區區毒針又能算得什麼，當下冷笑一聲，道：「在下百毒不侵。」

田中元冷冷說道：「南海五凶的毒針，除了我們兄弟自製的解毒藥物之外，天下恐再無藥物能夠解得。」

這些時日，蕭翎在江湖上走動，長了不少見識，當下說道：「閣下如是不信，那就再等著瞧瞧。」

田中元暗中估計藥物時效此時已快發作，但只見蕭翎仍然靜靜地站在旁側，面帶微笑，肅立不動。

田中元瘦長的臉上，突然間變了顏色。

他呆呆地望著蕭翎，茫然說道：「閣下當真沒有中毒嗎？」

蕭翎微微一笑，道：「我已說過了，在下是百毒不侵。閣下不信，那也是沒有辦法的事了……」

語聲微微一頓，高聲接道：「閣下可是認爲暗施毒針，就可以平安的離開此地嗎？」

田中元微微一笑，道：「除非你蕭大俠能在武功上讓在下敬服。」

蕭翎冷冷說道：「那不是什麼難事。」

他心中激憤，已動殺機，緩緩舉起手中長劍，道：「閣下只要能再接我蕭翎三劍，我蕭翎

就絕不再留難諸位了。」

冷手秀士田中元，一看蕭翎舉劍，已知對方深通劍道，這一擊，如若出手，定然是石破天驚，哪裏還敢大意，一面運氣戒備，蓄勢待敵，一面雙目流顧，打量退路，暗中又施用傳音之術，招呼兩個偽裝武當弟子的道人，要他們合力抵拒蕭翎。

只聽蕭翎大喝一聲，長劍一閃，閃起一道銀芒，連人帶劍，直向田中元撲了過去。

田中元舉劍一封蕭翎的劍勢，人卻疾快地向後退去。

這正是莊山貝傳授於蕭翎的馭劍之術，乃劍道中至高之學。

蕭翎離師之後一直奔走江湖，馭劍之術只不過初通門路，今日情勢迫人，只好施展出來。

但聞一陣金鐵交鳴，劍光繚繞中，響起了兩聲慘叫，兩個偽裝武當門下弟子的百花山莊高手，齊齊死於蕭翎劍下，一個被攔腰斬作兩斷，一個齊頸被斬，縱身一躍，飛出茅舍。

狡猾的田中元，卻棄去手中長劍，探手抓起了無為道長，縱身一躍，飛出六、七尺遠！

蕭翎似是未料到，自己擊出的一劍，竟有如此威力，不禁一呆。

就這一刹那工夫，那田中元已然帶著無為道長走得蹤影不見。

蕭翎一提真氣，追出門外，田中元已到了四、五丈外，直向小山奔去，孫不邪、中州二賈等人，卻仍是不見蹤影。

此時此情，蕭翎已無暇分心去找孫不邪等，提氣直向田中元追了過去。

025

蕭翎輕功得自柳仙子親自傳授，柳仙子以輕功揚名天下，蕭翎全身施展，有如電光石火一般，不出百丈，已然追到田中元身後兩丈左右，高聲說道：「閣下如若再不肯停下腳步，我蕭翎要施展暗器傷人了。」

語聲甫落，田中元忽然回手一揚，一串銀星，電射虹飛而來。

蕭翎長劍一揮，一陣叮叮噹噹之聲，射來暗器，盡為長劍打落於地。

但這一擋之間，那田中元又借勢向前奔出了六、七尺遠。

蕭翎眼看田中元已然登上山腰，如被他躲入草叢林木之中，再想追尋，那可是大為麻煩的事，不禁心中大急，一提氣，施出「八步趕蟬」的輕功絕技，呼呼呼，一連幾個縱躍，一口氣又追上了八尺距離。

田中元的輕功雖佳，也難和舉世第一輕功名家柳仙子細心傳授的弟子相比，他本就稍輸蕭翎一籌，此刻背上還揹了一個無為道長，更是難和蕭翎匹敵，又奔數丈，已被蕭翎追到七、八尺處。

蕭翎正待揮劍擊出，突然一聲哈哈大笑，道：「蕭兄弟放心，這人跑不了。」

蕭翎閃目一看，來人正是自己心中苦苦惦念的孫不邪，心中好生奇怪，暗道：怎麼？他們又都退回山上來了。

只見孫不邪揚手一掌，發出一股強力，擋住田中元奔行之勢，冷冷說道：「放下人。」

田中元道：「只怕未必見得。」

揚起右手，硬接下孫不邪的掌勢。

雙掌相觸，田中元被震得後退了一步。

就在兩人這一接掌之間，蕭翎已經追了上來，揚手發出修羅指力，點向田中元的左腿「飛揚穴」。

田中元突感左腿一麻，幾乎跌坐在地上。

蕭翎疾快無比地一伸左手，抓住了無爲道長，右手長劍橫裏探出，呼的一聲，擊中田中元的右肋。

冷手秀士田中元內功深厚，雖被蕭翎的修羅指力點中了左腿穴道，但因傷非要害，仍可支撐，但蕭翎拍在肋中的一劍，力道十分沉猛，片刻之間，連受兩次重擊，再也支撐不住，砰的一跤，跌坐在地上。

蕭翎長劍揮動，斬斷了捆在無爲道長身上的繩索，一面向孫不邪道：「老前輩，此人乃南海五凶中的人物，武功十分高強，好好的看著他，別讓他跑了，我先解開無爲道長穴道。」

放下無爲道長，施展推宮過穴手法，在他身上推拿起來。

大約過了一盞熱茶工夫，無爲道長突然睜開雙目，長長吁一口氣，道：「多謝蕭大俠。」

蕭翎微微一歎，道：「道長不用客氣。」

無爲道長緩緩站起身子，望了孫不邪一眼，道：「老前輩一行之中，無人受傷嗎？」

孫不邪神色嚴肅地說道：「除了老叫化子之外，全都受了傷了。」

蕭翎道：「老前輩不是緊隨在晚輩之後嗎？」

孫不邪道：「老叫化瞧著你們進入茅舍，久久未見動靜，正要招呼中州二賈等行近茅舍瞧，突然暗器破空之聲襲來，急雨一般，連老叫化都幾乎被那暗器襲中……」

蕭翎接道：「什麼暗器如此厲害？」

孫不邪道：「來如大雨傾盆，盡都是子午釘、梅花針等一類細小夕毒的暗器……」

歎息一聲，接道：「老叫化一看情勢不對，立時下令退回山中，那動手之地距此山區也不過六、七十丈的距離，退入山地，司馬乾已然不支倒地，老叫化只好抱起他向後退去……」

蕭翎道：「幸好他們還沒有派人追趕……」

孫不邪道：「誰說沒有了……」

語聲微微一頓，接道：「老叫化察看了司馬乾的傷勢情形，已知中的是毒藥暗器，據一推想，凡是今日所中暗器，都是淬毒之物，他們沒有告訴老叫化，老叫化也未多問，當先帶路，希望能尋找一處山洞、峽谷之地，安置好他們，老叫化無後顧之憂，也好憑險守護他們，哪知山洞、峽谷還未找到，背後追兵已至！」

蕭翎道：「來的是什麼人物？」

孫不邪道：「十幾個黑衣勁裝大漢，手中分執著施放暗器的梅花針筒和各種不同的兵刃，老叫化本是帶路而行，只好改作斷後拒敵，杜九身負毒傷，仍鼓起勇氣強由老叫化的手中接過了司馬乾，不過，這時他們毒傷都已經發作，行動十分遲緩，老叫化不便催促，也不能催促，

所以行不過十丈，已為強敵追上，老叫化一人獨鬥那十餘人……」

蕭翎道：「情非得已，如何能夠怪得老前輩。」

孫不邪道：「話雖如此，但老叫化仍是不無愧疚之心。」

蕭翎心惦中州二賈的安危，忍不住問道：「以後呢？」

孫不邪目光一掠無爲道長，道：「說起來，老叫化不得不佩服道長的老謀深算了。」

無爲道長黯然一歎，道：「貧道如是老謀深算，也不會有今日這等一敗塗地，武當一門精
銳盡遭屠殺的慘局了。」

孫不邪道：「這就奇了。」

無爲道長搖搖頭，道：「貧道不敢居功。」

孫不邪道：「怎麼？那適才接迎老叫化，殺散群匪的人，不是你們武當門下嗎？」

蕭翎道：「究竟是怎麼回事呢？」

孫不邪道：「老叫化眼看敵人勢大，心中又急又怒，連發掌力，雖然傷了對方兩人，但仍
然無法阻擋住他們猛烈的攻勢，唉！如是老叫化沒有後顧之憂，半個時辰之內，不難盡殲來犯
之敵，可惜心分二用，無法靈活應敵，反被他們逼到一側，有個武功較高之人，藉機越過老叫
化追向中州二賈等人……」

蕭翎吃了一驚，道：「老前輩，這麼說來，我那兩位兄弟，已被他們殺死了嗎？」

孫不邪搖搖頭，道：「如是被他們殺了，老叫化也無顏來見你們兩位了。」

卧龙生　精品集

蕭翎道：「究竟是怎麼回事？」

孫不邪道：「老叫化眼看情勢危急，但又無法分身相救，那時幾人身中之毒大都已將發作，絕無抗拒之能，正在危急之時，突聞一聲長嘯傳來，四個手執寶劍的黑衣人，有如天兵從空而降，四把長劍閃起了四道銀虹，如同滾湯澆潑，劍劍凌厲無匹，不過一盞熱茶工夫，追來之兵，已被他們殺傷大半，餘下之人，眼看苗頭不對，落荒而逃。」

無為道長道：「那四人是何來路，老前輩可曾問過？」

孫不邪道：「老叫化正要問他們，四人卻轉身而去，急奔如飛，轉眼間走得沒有影兒。」

蕭翎道：「老前輩可曾瞧清他們的長相嗎？」

孫不邪沉吟了一陣，說道：「四個人都戴著蒙面的黑紗，難見面目……」

語聲微微一頓，接道：「不是你這一問，老叫化幾乎忘了，四人之中，有兩個身材特別瘦小，不似男子身材。」

蕭翎茫然說道：「這就使人不解了。」

無為道長道：「似是他早已知道了沈木風的人施襲，故意在那裏埋伏下人手相助，但如果他們真心相助，何以不肯們早放警告呢？」

孫不邪道：「老叫化也覺著其間有很多可疑之點，使人想不透。」

蕭翎道：「他們既肯出手相助，而且傷了甚多百花山莊高手，自乃是友非敵了。」

孫不邪道：「如若是真心來此相助，何以不肯留下姓名？」

無為道長道：「如是他們早知此事，真的存心相助我等，為什麼不早通知本派一聲，致我

武當門下精銳和幾位養息傷勢的武林同道，盡為所殲。」

蕭翎道：「在下曾留心四外，不見打鬥痕跡，也許那雲陽道長早已帶著貴派弟子，避開此

地了。」

孫不邪目光一掃田中元，道：「咱們何不拷問此人？」

蕭翎道：「不錯。」

大步行到田中元的身前，揮手一掌，拍活了田中元的穴道，卻又點了他雙臂、雙腿穴道，

冷冷說道：「你假扮雲陽子，自然是知道雲陽道長的下落了？」

田中元緩緩望了蕭翎一眼，淡然一笑，道：「在下如若不說呢？」

孫不邪雙目一瞪，冷冷說道：「老叫化久聞你們南海五凶之名，不過老叫化可不相信你們

是銅打鐵鑄的真羅漢，蕭大俠下不得手，老叫化可是下得手，我要先點你五陰絕穴，讓你嘗試

一下行血回集內腑的滋味。」

田中元淡然一笑，道：「南海五凶豈是怕死之輩嗎？」

孫不邪道：「好！你不信咱們就立刻試過。」

緩步行到田中元的身側，舉起右手，緩緩說道：「老叫化再給你一盞熱茶工夫想想。」

田中元沉吟了一陣，道：「在下如若說出那雲陽子的下落，諸位將如何對待在下？」

孫不邪望了無為道長一眼，道：「這要道長作主了。」

無為道長兩道森嚴的目光，凝注在田中元的臉上，緩緩說道：「我們武當派和你們南海五凶素無恩怨，貧道實在是想不明白，你們南海五凶為何要和本派為敵？」

田中元雖然處於生死邊緣，但神態仍然十分鎮靜，輕輕咳了一聲，說道：「咱們南海五兄弟出道之後，曾經九入中原，今日可算是第一次在武功上栽了跟頭，諸位如是真想和咱們南海五兄弟結下不解之仇，儘管對在下施下毒手，不過，諸位也別想折磨在下，我能在片刻之間，使自己氣絕身亡，此後，諸位要憑仗手段，完全搏殺我四位義兄，但只要我四位義兄有一人活在世上，勢必想盡方法，施行報復……」

蕭翎道：「那是你們南海五凶的事，此刻我們間的是雲陽道長和武當門下諸人的下落。」

田中元道：「解開身上穴道，我再告訴你們。」

蕭翎想了想，突伸出手去，拍活了田中元全身穴道，淡然道：「好！你現在可以說了。」

田中元閉上雙目，暗中調息，直待真氣行開，才緩緩睜開眼睛，掃掠蕭翎等一眼，緩緩說道：「在下到此之後，此地早已成了幾座空無一人的茅舍。」

無為道長道：「此言當真嗎？」

田中元道：「在下既然說了，自然是字字真實。」

蕭翎劍眉一揚，道：「閣下這次不但未能立得功勞，反將帶來之人，大部折損，見著那沈木風時，不知要如何交代？」

田中元道：「這倒不勞費心……」

孫不邪冷笑一聲，道：「怎麼？閣下交代了這幾句話後，就要走嗎？」

田中元哈哈一笑，道：「在下也許難以勝得三位，但自信還能走得。」

話才落口，人已飛躍而起，左手攻向孫不邪，右腳踢向無為道長，右手抬起對著蕭翎一揚，打出一蓬銀芒。

在這極近的距離之中，蕭翎雖有戒備，亦不禁有些應接不暇，匆忙之間，揮手拍出一掌，人卻施展鐵板橋的功夫，向後仰臥下去。

孫不邪大喝一聲，推出一股掌力，反擊過去。

無為道長心中恨他暗施算計，眼看一腳踢來，硬是不肯讓避，駢指如戟，疾向田中元小腿上的「懸鐘穴」上點去。

這等武林高手之搏，誰也不肯讓出分毫先機，田中元一舉間，暗器、腳、掌齊出，分攻三人，但卻招來了孫不邪和無為道長的反擊。

那田中元攻出之勢，只是虛招，發出拳腳之後，懸空向後翻去，腳落實地，人已到一丈開外，縱聲大笑道：「在下失陪，來日方長，後會有期。」

話說完，人已到了七、八丈外，蕭翎挺身而起，欲待追趕，卻被無為道長伸手攔住，道：

「讓他去吧，咱們救人要緊。」

蕭翎心中一動，想起中州二賈等人，還中有毒藥暗器，急急對孫不邪道：「老前輩，他們現在何處？」

卧龍生 精品集

孫不邪長歎一聲，道：「就在右面不遠處草叢之中。唉！這沈木風果然是神通廣大，老叫化雖是和他爲敵，但卻不能不佩服他，連南海五凶竟然也被他收服旗下，爲其所用。」

談話之間，已走到了草叢之前。孫不邪當先而行，直入草叢。

蕭翎、無爲道長緊隨在孫不邪的身後，行約兩、三丈後，到了一片懸崖之下。

只見司馬乾和中州二賈都在盤膝而坐，運氣調息，兩隻虎獒緊傍中州二賈身側而臥。

孫不邪一皺眉，道：「奇怪呀！怎麼都像療好了毒傷一般？」

金算盤商八緩緩睜開雙目，望了三人一眼，笑道：「自老前輩去後，又一個黑衣人匆匆而來，用一塊磁鐵，吸出我們身上中的毒針，賜贈了每人一粒解毒之藥服用，一語未發的匆匆而去，那人手法異常熟練，治療我們數人，只不過片刻工夫。」

孫不邪道：「你們沒有問他姓名嗎？」

商八道：「問是問了，但他始終不應一語。」

蕭翎道：「這人連番相助我等，每次都不肯留下姓名，不知是何用心？」

無爲道長道：「那人的生相如何？」

司馬乾睜開雙目，接道：「就兄弟所見而言，頗似一位姑娘。」

蕭翎道：「是女子嗎？」

商八道：「她身材嬌小，十指纖巧，身邊散發出幽幽清香，八成是女人了。」

034

蕭翎口中不言，心中卻是大感奇怪，暗道：哪來的這麼多女娃兒相助，當真叫人不解了。

但覺腦際靈光連閃，接道：「難道是北天尊者之女百里姑娘不成？」

無爲道長搖搖頭，道：「依貧道之見，暗中相助的女英雄，絕非百里姑娘。」

孫不邪道：「爲什麼？」

無爲道長道：「如是那百里姑娘，只怕早就現身和咱們相見了，她私行出走，志在尋找蕭大俠，豈有不肯見面之理。」

孫不邪道：「這話也有道理，可是，不是她又是誰？」

蕭翎茫然說道：「這個，晚輩實在不知。」

無爲道長看他神情不似說謊，不禁歎道：「看來咱們一時之間，也無法研究出個所以然來，但此謎絕對不會拖延過久，近在十日，多則兩月，不難揭穿了。」

一直在閉目養息的杜九，突然睜開雙目，冰冷地說道：「在下有一件事，要告訴道長，那位替我治療毒傷之人，臨去之際，告訴在下一件事，要在下轉告道長。」

無爲道長道：「什麼事？」

杜九道：「他說貴派弟子，已由雲陽道長率領，撤到西方二十里外一座古寺之中，要咱們趕往古寺，和他們相會。」

無爲道長卻只長歎一聲，不再言語。

孫不邪察顏觀色，已知無爲道長此刻焦急無比，恨不得立刻趕往那古寺中去瞧瞧，當下問

道：「那人是要咱們一齊去呢？還是只要無爲道長一人趕去？」

杜九道：「那人說要咱們趕往古寺，和他們相會，自非指無爲道長一人了。」

孫不邪道：「諸位毒傷如何了，是否可以趕路？」

杜九道：「咱們可以了。」挺身而起。

商八和司馬乾齊齊站了起來，道：「我等亦可行動了。」

蕭翎道：「咱們可以走了。」

群豪一行西進。

沿途山道崎嶇，十分荒涼，不見人跡。

行約二十餘里，果然有一座破落的古廟，屹立在一座高峰之下。

無爲道長打量那荒廟，只見殿宇重重，廟雖破敗，但其昔年規模卻是很大，當下說道：

「咱們也不能盡信那人之言，諸位在外小候，貧道先行進寺中瞧瞧。」

孫不邪道：「老叫化陪你。」

兩人當先向寺內行去。

二　古剎驚變

行到門口之處，瞥見雲陽子帶著展葉青，並肩迎了出來。

無為道長吃過一次苦頭，記憶猶新，大聲喝道：「站住！」

雲陽子正待行禮拜見師兄，聞言微微一怔，茫然道：「小弟如有過錯，還望掌門師兄責罰。」

言罷，合掌當胸，垂首而立。

展葉青道：「原來如此！」

無為道長道：「馬總瓢把子的傷勢好些了嗎？」

雲陽子道：「此刻已經能夠進些食用之物和說話了。」

無為道長微微一歎，道：「你們過來，小兄適才上了一次大當，想來心中餘悸猶存。」

當下把南海五凶冷手秀士田中元假扮雲陽子的經過，簡略地說了一遍。

孫不邪似是突然想起了一件奇大之事，道：「你們如何知道沈木風遣人施襲，避來此地？」

雲陽子目光轉注到無為道長的臉上，道：「小弟亦是茫然不知，準備請教師兄。」

無爲道長道：「怎麼回事？」

雲陽子道：「掌門師兄等去後不久，小弟突然發現茅舍木門之上，釘著一張素箋，在那素箋之上，寫得十分明白，沈木風已然派遣很多高手，準備一舉盡殲我武當門下，要小弟立刻召集武當門下弟子，帶著幾位受傷之人，從速避禍，那函上並且說明了此地有座破落的古刹，走避至此，最好不過……」

無爲道長道：「你們接到素箋之後，就依照素箋上吩咐而來，是嗎？」

雲陽子道：「小弟曾和三弟研商甚久，覺出留下不如走避，一面派了兩個弟子，按那素箋所說，尋找這座古刹，向山上撤退。」

無爲道長道：「那人不但在暗中相助咱們，使我們武當脫了一次大難，而且，他對那沈木風的舉動亦似十分了然。」

這時，蕭翎和司馬乾、中州二賈等，都已走了上來，隨在孫不邪等身後，向廟中行去。

蕭翎突然接口說道：「也許這人就是那以樂聲驚退沈木風的高人。」

無爲道長沉吟了一陣，道：「他的舉動，不但如霧中神龍，難見首尾，而且他似還有著很多的屬下，一個個武功都很高強，在他號令之下，飄忽而來，飄然而去。」

孫不邪道：「奇怪的是那人爲什麼要幫助咱們？」

蕭翎道：「那沈木風作惡多端，結仇無數，也許那人也和沈木風有著深仇大恨。」

無爲道長道：「果真如此，那人就不是以樂聲驚退沈木風的人了。」

蕭翎道：「爲什麼？」

無爲道長道：「那沈木風聞得那樂聲之後，倉皇而退，那是說明了，沈木風很怕那人，至少，他很害怕聽聞得那琴、簫合奏的樂聲。」

蕭翎道：「不錯。」

無爲道長道：「如是沈木風很怕那人，那人又和沈木風有著深仇大恨，他自然直接找那沈木風了。」

談話之間，已進到大殿之中。

這座破落的古刹，雖然隱隱之間，可瞧出昔年規模宏偉，但因年代太過久遠，大都被破壞，斷壁破瓦，難遮風雨，只有建築堅牢的大殿，仍然完好無損，是以，馬文飛等幾個受傷之人，大都集中在大殿之中。

二十餘名精選的武當弟子，共分兩班。

一半留在大殿中休息，兼代保護受傷三人，一半卻分佈在山上和古刹要隘守望，表面上看去，雖然不見如何戒備，實則走近古刹五里之內，大殿中即可迅速接得密報。

蕭翎緩步入殿，抬頭看去，只見大殿一角中，並躺著三個人，似是都已睡熟過去，蕭翎等進入大殿，那些人渾然不覺。

蕭翎回顧雲陽子一眼，道：「道長，咱們過去瞧瞧他們的傷勢。」緩步行了進去。

只見三人仰臥之處，鋪著很厚的褥子，身上覆著白色的棉被，馬文飛閉著雙目，似是睡得

正熱，另外兩人，頭也被包紮起來，雙目都在白紗之中，難以看清面目。

蕭翎輕輕歎息一聲，低聲問道：「他們可能保下武功？」

雲陽子道：「武功不至廢去，但只怕三人之中，有兩位要成殘廢之身。」

無爲道長輕輕歎息一聲，道：「貧道已然傾盡我武當靈藥，療救他們的傷勢，是否能夠保

下他們身軀不殘，貧道是毫無把握。」

蕭翎心中暗道：如是那毒手藥王在此，定可保全他們身軀。

無爲道長望了雲陽子一眼，道：「眾人大都饑餓了，要他們備些食用之物。」

雲陽子道：「小弟已經要他們準備了，大概就可以送上了。」

說話之間，兩個青衣道童，分別捧著飯菜，行入大殿。

群豪經過一日夜奔走惡鬥，腹中早已饑餓，只是這些人都有武功在身，耐受之力，自非常

人能及。

飯菜送上，群豪立刻大吃起來，匆匆餐畢，無爲道長望著蕭翎說道：「此地不宜久留，咱

們坐息一陣，待精神恢復之後，立時上路……」

話未說完，瞥見一個中年佩劍道長，匆匆奔入，欠身對無爲道長一禮，道：「啓稟掌門師

尊，古刹外發現人蹤。」

無爲道長一皺眉頭，還未來得及答話，雲陽子已霍然起身，道：「我去瞧瞧。」

匆匆奔出大殿。

司馬乾道：「兄弟卜它一卦，看看卦象吉凶如何？」

他說卜就卜，也不理會別人，伸手從懷中取出一枚龜殼，裝上六個金錢，兩手合著搖了一陣，撒在地上，凝目察看。

群豪默然不語，都把目光投注在司馬乾的臉上，等他說出那卦象的吉凶。

哪知等了良久之後，仍然不聞那司馬乾說一句話，群豪心中無不大感奇怪，轉臉望去，只見司馬乾仍然凝目望著卦象，呆呆出神。

孫不邪忍不住重重咳了一聲，問道：「你卜這一卦，是凶是吉？」

司馬乾搖搖頭，道：「卦象屬凶，凶中含吉，在下一時之間也無法斷定這卦是凶是吉。」

無為道長道：「照此說來，這卦象是先凶後吉了？」

語聲甫落，只見雲陽子急急跑了進來，說道：「果然來了強敵，而且來勢奇快，距古剎不過三里左右了。」

蕭翎霍然站起身子，道：「他們來了多少人？」

雲陽子道：「約略望去，總在十人以上。」

孫不邪道：「十人之上，咱們是足以對付得了。」

雲陽子道：「我已傳出信號，要分佈在四周的本門弟子，全體撤回古剎。」

無為道長點點頭，道：「咱們盡殲來人之後，立刻撤離此地。」

展葉青道：「在下先去助那守在大門外的弟子一臂之力。」言罷，縱身一躍，飛出大殿。

無爲道長目光一掃孫不邪，道：「老前輩請主持大局，分派人……」

孫不邪哈哈一笑，道：「我瞧還是道長主持的好，老夫和蕭兄弟先行迎戰來敵。」

也不讓無爲道長答話，牽著蕭翎，大步而去。

這時，留在古刹中的武當弟子，都已雲集大殿外面整裝待命。

無爲道長掠了殿中群豪一眼，緩緩說道：「眼下最爲緊要之事，是保護馬總瓢把子等三人的安危，因此，除由本門中幾位弟子，兩人一組的分守門窗之外，諸位和貧道等，就在大殿之外，列陣拒敵，不知諸位意下如何？」

金算盤商八略一沉吟，道：「道長之言甚是，兄弟去對孫前輩說一聲。」大步向外行去。

且說孫不邪牽著蕭翎，行至大殿門口，果見十幾個黑衣大漢，疾奔如飛而至。

展葉青帶著四個武當門下弟子，各執長劍，一排橫立，擋在門口。

孫不邪心中一動，道：「咱們先隱在大門之內，瞧瞧來的什麼人，再作主意，如是來敵微不足道，那就不用現身了，暗中助那展葉青一臂之力就是。」

他一向想到就做，也不管蕭翎是否同意，就拉著蕭翎隱在大門之後。

凝目向外瞧去，只見三個大漢，當先而至。

左面一人身高八尺，赤紅臉，揹著一對鐵拐杖，身著紅衣、紅靴，全身上下像一團火。

右手一人藍衫佩劍，正是那冷手秀士田中元。

居中一人，身著黑袍，左眉上一條刀痕，把一道濃重的長眉，生生分成兩半。

蕭翎低聲說道：「冷手秀士，既然敢追來此地，想必已有了準備，也許這兩個，也是南海五凶中的人物。」

孫不邪道：「老叫化亦有此感。」

那當先三人來勢甚快，眨眼間已到了展葉青的身前，相距展葉青五尺左右時，停了下來。

那居中的黑衣人，回顧了冷手秀士田中元一眼，道：「可是這人嗎？」

田中元搖搖頭，道：「不是……」

展葉青一揮手中長劍，冷冷說道：「三位要找何人？」

那黑衣人兩道森寒的目光，一掠展葉青和四個中年道長，道：「蕭翎。」

展葉青一揚雙眉，道：「不錯，蕭大俠現在古刹之中，三位想見蕭翎不難，必得先勝了在下手中之劍。」

那居中黑袍人冷哼了一聲，道：「你是什麼人？」

展葉青心中暗道：蕭翎自出江湖，行蹤所至，無不被他搶盡風頭，短短時光，聲名大噪，隱隱間已成最受武林同道敬重之人，再過一些時日，不難成領導武林的領袖人物，我們武當派在武林中歷久不衰的盛名，只怕也要被他掩去。

這三人既是指名向蕭翎挑戰，自非無名之輩，我展某人，今日如能擊敗三人，明為蕭翎，暗中卻一振我們武當派的聲威……

他只管在心中打著如意算盤，卻忘了回答黑袍人詢問。

那黑袍人斷眉聳動，雙目中殺機閃閃，顯然心中十分激怒，不知何故，竟然強自忍了下去，重重咳了一聲，道：「你是武當門下弟子？」

展葉青道：「武當門下展葉青，三位既敢指名挑戰蕭翎蕭大俠，想非無名人物了。」

那居中黑袍人舉起右手，伸展五指，道：「『南海五聖』，你大概聽說過了？」

展葉青微微一怔，道：「久聞大名了。」

只聽那黑袍人道：「既知五聖之名，還不快些替我通報……」

展葉青道：「諸位只有三人，何以要自號五聖？」

黑袍人一張陰森鐵青的怪臉，已然脹成紫黑的顏色，想他定然是一位脾氣暴急的人物，但卻似被一種無可奈何的力量束縛，強行忍下不肯發作。

黑袍人陡然一跺腳，塵土飛揚中，沙石地深陷了兩寸多深的一個腳印，冷冷地說道：「在下攝魂掌孫成，在南海五聖中排行數二……」

目光一掠左面的紅衣人，接道：「這位是在下三弟柴威……」

轉臉望了田中元一眼，接道：「五弟冷手秀士田中元，閣下還有什麼要問的？」

但聞展葉青緩緩說道：「三位要見蕭大俠，不知有何要事？」

攝魂掌孫成怒聲說道：「那蕭翎在是不在？在下的忍耐功夫有限。」

蕭翎正待舉步而出，卻爲孫不邪一把拉住，低聲說道：「不要慌，再等片刻不遲。」

展葉青一心想替武當揚威，一揮長劍，道：「過得此關，再見那蕭大俠不遲。」

孫成冷冷說道：「閣下這般刁難，不知是何用心？」

左手一揮，左面那紅衣大漢，突然飛步而出，右手一揚，硬向展葉青長劍之上抓去。

展葉青料不到來勢如此之快，長劍幾乎被他抓住，匆促間，疾向後面躍退五尺，揮手一劍，灑出一片劍花。

柴威大喝一聲，右手呼的劈出一股拳風，前進兩步，左手已然取下肩上鐵拐杖。

他舉動豪邁，攻勢銳利，竟然把展葉青手中那精鋼長劍，視作無物。

展葉青覺出對方拳風猛惡，呼嘯聲中挾帶著一股強大的潛力逼住劍勢，不禁心頭駭然，暗道：此人拳勁強猛，實非好與人物。

忖思之間，那柴威已然摘下兵刃。

展葉青急欲反擊，長劍忽出一招「星河倒掛」，點點寒芒直刺過來。

這一招乃武當劍法中精華招術之一，劍勢綿密異常，攻勢之中，卻帶著嚴謹的守勢，把門戶封閉得十分嚴密。

哪知柴威一推鐵拐杖，硬向那綿密的劍光中攻了過去。

只聽一陣金鐵交鳴，震耳不絕，展葉青竟然又被迫向後退了一步，手腕隱隱作麻。

柴威左手一杖硬攻，逼亂了展葉青的劍勢，右手已然取下了另一根鐵拐杖，舉杖攻去。

只聽孫成冷冷喝道：「住手！」

卧龍生 精品集

柴威一收鐵拐杖應聲而退。

孫成舉手一揮，道：「在下此來並無和你們為敵之心，實有要事，求見蕭翎。」

展葉青心中仍然想著那柴威破去自己「星河倒掛」的一劍，只覺他一杖伸來，毫無章法，不知何以竟然把自己劍中蘊藏的變化，全都破去，心中既是震驚，但又有些不服……

柴威仍然不聞展葉青回答之言，不禁大怒道：「也許那蕭翎不在此地，這人裝聾作啞，不肯理會咱們，也不用和他多費唇舌，小弟先把這人和四個牛鼻子老道宰了再說。」

正待舉杖攻上，突然一陣朗朗笑聲傳來。

抬頭看去，只見一個勁裝少年緩步而出。

田中元道：「來人就是蕭翎。」

原來蕭翎隱在門後，看柴威和展葉青動手，亦是心頭駭然，暗道：這人打來不見什麼章法，但是一拳、一杖，竟然都含著無比的威勢，當真是招招都蘊含著千鈞之力，拳拳都可以置人死地，只怕展葉青難再接他幾招，這才縱聲大笑，緩步行出，直對孫成等行了過去。

展葉青望了望蕭翎，面泛愧色，還劍入鞘，退到一側。

蕭翎眼看那柴威出手的猛惡，簡單無比的一拳一杖中自含奇威，心知不是至高的手法，就是此人天生有驚人的神力，亦是不敢輕敵，一面緩步而行，一面暗提真氣，心中盤算對付其人之策。

但見攝魂掌孫成疾行兩步，抱拳一禮，道：「閣下可是蕭翎？」

蕭翎星目微轉，遙掠對方一眼，只見隨同三凶而來的九個黑衣彪形大漢，遠遠地站在孫成身後兩丈左右處，當下應道：「在下正是蕭翎，三位有何見教？」

孫成回顧了田中元一眼，道：「適才在下這位兄弟多有開罪，在下這裏有禮了。」

蕭翎淡淡一笑，道：「不敢當。」

心中卻是大感奇怪，暗道：這到底是怎麼一回事，他們找到此地，難道不是想替那田中元出口氣嗎？

孫成輕輕咳了一聲，道：「咱們南海五兄弟，並無和蕭大俠為敵之心，只是事情陰差陽錯，又加上沈木風從中作梗，以致開罪了蕭大俠。」

蕭翎道：「不用客氣了。」

他一時之間，不知南海五凶用心何在，不知該如何接口。

孫成拱拱手，道：「兄弟此來，一則賠罪，二則有一事麻煩蕭大俠。」

蕭翎目目一顧，只見孫不邪已然追來身側，但那久走江湖、閱歷豐富的孫不邪，亦是滿臉茫然之色，顯然也是聽不出一點端倪。

孫成不聞蕭翎接口，又拱手說道：「但不知蕭大俠是否肯予相助？」

蕭翎略一沉吟，道：「閣下先請說明什麼事，在下才能酌情決定。」

孫成垂下眼皮，緩緩說道：「咱們南海五兄弟，出道以來，從未求過別人相助，今日求你蕭大俠，實是情非得已……」

頓了一頓，接道：「兄弟如是說出口來，蕭大俠不肯相助，南海五兄弟也無顏再在江湖之上立足了。」

言下之意，如是說出口來，蕭翎不肯相助，今日絕不善罷干休。

蕭翎緩緩說道：「閣下所言之事，如是正大光明，不論何等艱難，蕭某人定將全力以赴，如是見不得天日的卑下之事，就算刀劍加諸我蕭翎之身，在下亦難答允。」

這展葉青只聽得暗暗慚愧，心道：蕭翎光明磊落，正大氣度，實是我所難及。

孫成略一沉吟，道：「好！兄弟據實說出，蕭大俠肯否相助，在下也不能相強。」

蕭翎道：「在下洗耳恭聽。」

孫成道：「咱們南海五兄弟中，老大、老四，突然得了一種瘋癲之症，異姓兄弟，竟不相識，當今武林，只有你蕭大俠能療此疾，還望一展妙手，但得治療好在下大哥及四弟瘋癲之症，南海五兄弟必有一報。」

蕭翎怔了一怔，道：「醫病嗎？」

孫成道：「不錯，在下大哥、四弟之病，來得十分突然，雖只短短十二個時辰，但已瘋癲得不識幫舊，兄弟曾經遍請附近數十里內一二十三位名醫，全都束手無策，因此，只好勞動蕭大俠了。」

蕭翎心中暗道：這療病之事，那無為道長稱得個中高手，我蕭翎卻不解醫理，怎會找到我的頭上來……心中念轉，口中卻問道：「閣下從何處聽得，在下會治療瘋癲之人？」

孫成緩緩探手入懷，摸出一張素箋，並道：「蕭大俠可識得留函之人？」

蕭翎接過素箋，只見上面寫道：「貴友罹得的怪症，至為惡毒，二十四個時辰之內，不能治療復元，將要自裂肌膚而死，其狀之慘，不忍目睹。念上天好生之德，指示爾等求治之路，當代高人之中，能夠治療這等瘋癲之症的，除我之外，只有蕭翎有此能耐，但我因要事他往，無暇多留，爾等唯一的機會，是去求那蕭翎了。」

這封信寫得十分簡單，顯是草草成書，下面既未署名，亦無圖記。

蕭翎雙手執著函箋，瞧了又瞧，就是想不起是何人開他這個玩笑。

孫不邪輕輕咳了一聲，道：「那信上寫些什麼？」

蕭翎道：「老前輩拿去瞧過吧！」

孫不邪瞧了一遍，心中亦是大惑不解。

只聽孫成說道：「蕭大俠必然識得此人了？」

蕭翎道：「這個……」

孫不邪接口說道：「如不相識，他如何會指名蕭翎呢？」

蕭翎吃了一驚，暗道：療病的事，關係一個人的生死，豈是亂開玩笑的嗎？

正待開口否認，孫不邪又搶先說道：「兩個受傷之人，現在何處？」

孫成道：「距此不遠的一座農舍之中。」

孫不邪目光一掠田中元，道：「蕭大俠仁義之名，天下皆知，既然知道了此事，自將盡

力。」

孫成道：「在下是感激不盡。」

孫不邪道：「但爾等和那沈木風聯成一氣，那沈木風卻和蕭大俠，勢不兩立，如是救治你們兩位兄弟，豈不是自樹強敵了嗎？」

孫成道：「如果蕭大俠願施妙手，救了在下的大哥、四弟，南海五兄弟，自然不會再助那沈木風和蕭大俠爲敵作對了。」

孫不邪冷哼一聲，伸手指向孫成背後，冷冷說道：「你們身後是何人物？」

孫成道：「百花山莊中的高手。」

孫不邪冷笑一聲，道：「是啊，百花山莊之人，仍然和你們走在一起，豈知這封信，不是那沈木風的詭計！」

孫成道：「好！在下先殺了百花山莊中隨來之人，以明心跡。」

陡然轉身一躍，直向那列隊身後的大漢撲了過去。

只見他雙手連環劈出，兩個黑衣大漢，連兵刃亦未來得及拔出，人已倒地死去。

柴威、田中元緊隨孫成身後，也向那些黑衣大漢撲去，只見鐵杖飛舞，長劍閃轉，片刻工夫，隨同三人而來的黑衣大漢，盡都橫屍當場，一個也未逃走。

蕭翎只瞧得心中感慨叢生，暗道：這南海五凶，果是名符其實，下手惡毒，翻臉無情。

孫不邪亦是未料到，三人說幹就幹，不禁瞧得一呆。

孫成大步行了過來，道：「蕭大俠此刻可以相信了吧！」

蕭翎心中暗道：就算你殺死了沈木風，我也無法救你們兩位兄弟的瘋癲之症，但此事實不宜拖延下去，正想開口說明自己不通醫道，孫不邪又先行接口說道：「三位請在古刹之外，稍候片刻，老叫化得先和蕭大俠商議一番。」

孫成道：「為敵為友，全在蕭大俠一念之間，兩位請便。」

孫不邪轉身直向古刹中行去，一面叫道：「蕭兄弟，跟老叫化子來吧！」

蕭翎隨在孫不邪的身後，行入古刹，說道：「老前輩答應他們療傷的事，是何用心？」

孫不邪道：「南海五凶全力相助百花山莊，沈木風無異是如虎添翼，必得把他們分開才是。」

蕭翎道：「但晚輩不解醫道，如何能夠替人治療瘋癲病症？」

孫不邪道：「這方面老叫化也是和你一般，因此，咱們得向那無為道長請教一番。」

說著話，卻加快了腳步，直奔向大殿。

這時，無為道長和中州二賈、司馬乾等，因久等不見動靜，亦覺奇怪，無為道長正想行出古刹來瞧瞧，卻見蕭翎和孫不邪，已然急奔而至。

孫不邪當先奔入大殿，身子還未站好，就急急地說道：「奇怪呀！奇怪呀！那南海五凶之中來了三個兄弟，指明要蕭翎治療他們兄弟的瘋癲之症。」

無為道長道：「有這等事？」

蕭翎大步行了進來，道：「可是兄弟對於療病的事，一竅不通，如何有能力為南海五凶治療那瘋癲之症呢？」

無為道長道：「奇怪的是，他們為何會找到你的頭上呢？」

蕭翎道：「他們帶了一封信，來信上指說在下會治療瘋癲之症，故而南海五凶苦苦相求於我。」

無為道長道：「你答應了？」

蕭翎道：「形勢迫人，不答應亦是不行。」

無為道長略一沉吟，道：「蕭大俠既然是答應了，只好去瞧瞧了。」

蕭翎道：「可是在下……」

無為道長道：「貧道和你同去，到時見機行事。」

蕭翎略一沉吟，道：「眼下也只有這個辦法了。」

孫不邪道：「老叫化和你們一起去吧！萬一動起手來，咱們三人，對付他們，正好是一場一對一的拚搏。」

無為道長道：「此地也已不能停留，我要他們一起走吧。」

回頭望了雲陽子一眼，接道：「你傳令下去，要他們準備，帶上幾位重傷之人，立刻動身。」

雲陽子道：「何處會見？」

052

無為道長略一沉吟，道：「你們先到望陽谷去。」

雲陽子應了一聲，道：「小弟遵命。」

無為道長低聲對蕭翎說道：「咱們去見南海五凶。」

三人行出古剎，攝魂掌孫成等，正自等得焦急，快步迎了上來，對蕭翎抱拳一禮，道：

「蕭大俠可願一行？」

蕭翎回頭望了無為道長一眼，答道：「在下想請無為道長同往一行，道長醫道精深，也好

填補在下的不足。」

孫成一抱拳，道：「咱們久聞道長的大名，歡迎同往一行。」

孫不邪道：「救人如救火，事不宜遲，既然咱們答應了，就該立即動身。」

無為道長低聲吩咐了展葉青幾句話，立刻動身。

孫成、柴威、田中元等人，當先帶路，蕭翎、孫不邪、無為道長等隨後而行。

這六人都算是江湖上頂尖的一流高手，施展開輕功奔走，疾逾快馬。

蕭翎眼看南海三凶越走越快，似是有暗中較量腳勁之心，登時一提氣，加快了腳步。

六條人影，奔行在崎嶇的山道上，有如流星趕月一般。

一陣緊走，足足有四十里路，孫成才陡然停下了腳步，回首說道：「到了。」

蕭翎抬頭看去，只見停身之處，竟是一道深谷盡處，兩側立壁如削，迎面一峰阻路，谷底

中滿生著雜草、矮樹，看上去十分荒涼。

無為道長引頸四顧，不見可容停身之處，當下說道：「兩位病人……」

孫成接口說道：「停身在一處隱密小洞之中，在下帶路。」緩步向前行去。

蕭翎等緊隨身後而行。

只見孫成行到攔路的山峰之下，高聲說道：「護駕二童何在？」

但聞一個尖脆的聲音，應道：「弟子在此。」

緊靠山壁的一塊大岩石之後，緩步走出兩個背插長劍，身著青衣，年約十四、五歲的童

子。

蕭翎目光一轉，只見兩個童子面色青中透黃，似是餓了很久的人，但雙目之中，卻是精光

外射，竟似有著很深內功。

兩個童子四道眼神，掃掠了蕭翎等一眼，欠身對孫成等一禮，道：「見過三位師叔。」

孫成一揮手，道：「不必多禮，你師父的病勢如何？」

左面一個童子答道：「不見好轉之徵。」

孫成道：「好了，蕭大俠已隨我等到此，快扶出你師父，讓蕭大俠瞧瞧。」

兩個童子應了一聲，四道目光閃電一般又掠了三人一眼，緩步走回大岩石之後。

無為道長心中暗道：這大岩石之後必然別有佈設，是以，不肯讓我等進去瞧看。

蕭翎和孫不邪雖是亦有懷疑，但都忍了下去，誰也未曾說出口來。

孫成似是已瞧出了蕭翎等懷疑之心，輕輕咳了一聲，道：「在下大哥、四弟，病勢甚劇，山洞中零亂不堪，不便諸位到洞中坐了。」

孫不邪心中暗道：只怕是言不由衷。

口中卻哈哈一笑，道：「咱們來瞧令兄、令弟的病勢，進不進山洞去，都不要緊。」

孫成淡淡一笑，不再答話。

大約一盞熱茶工夫，只見那兩個青衣佩劍的童子，抬著一個草藤編成的軟榻，行了出來。

軟榻上，躺著一個全身藍衣、頭戴方巾的文士，目光下只見那人臉色也是一片青中透黃，和那兩個童子的臉色，一般模樣。

孫成一擺手，道：「放下來。」

兩個青衣童子依言放下軟榻，緩步退後五尺。

蕭翎縱目望去，只見那藍衫文士，亦然緊閉雙目，似是睡得十分香甜，目光一顧孫成，問道：「這位……」

孫成道：「南海五聖之首，咱們兄弟的老大，九劍神環張子羽。」

蕭翎道：「原來是五聖之首，兄弟失敬了。」

孫成黯然道：「在下這位大哥，不但才智高出我等甚多，而且武功亦非我等能及，九支短劍百步之內斬猛虎，一對神環，十丈之內射飛鳥，故而得九劍神環之譽，想不到他一代英雄人物，竟然會困於病魔！」

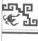

蕭翎對治病醫傷的事，可算是全無經驗，眼看那張子羽閉目沉睡不醒，簡直是有無從下手之感。

無爲道長輕輕咳了一聲，道：「蕭大俠最好先問問這位張兄的病勢。」

蕭翎道：「當該如此……」

轉注到孫成的臉上，道：「令兄一直在暈迷不醒之中嗎？」

孫成搖搖頭，道：「他突得瘋癲之症，連自己兄弟，也不相識，因此迫得在下只好點了他的穴道了。」

蕭翎隨口說道：「要想知他病情，必得先行解開他的穴道。」

孫成猶豫了一陣，道：「此刻他神智仍在迷亂之中，如若解開了他的穴道，只怕他出手傷人。」

蕭翎微微一怔，道：「不要緊，咱們小心一些就是。」

孫成望了柴威和田中元一眼，道：「兩位賢弟，多多小心了。」伸手一掌，拍在張子羽的身上。

只見張子羽雙目睜動，望了幾人一眼，似是想挺身而起。

孫成輕輕咳了一聲，道：「兄弟已經拍活了他的暈穴。」

蕭翎隨口應道：「最好解開他上身的穴道，兄弟亦好查查他的脈象。」

孫成兩道目光，投注在蕭翎的臉上瞧了一陣，道：「解開他雙臂的穴道嗎？」

056

蕭翎根本不知臂上穴道被點之後，是否還可以把脈，但話既說出了口，只好硬著頭皮，說

道：「不錯，必得解開臂上的穴道。」

孫成道：「蕭大俠小心了。」

雙手齊出，拍活張子羽臂上的穴道，退開三步。

蕭翎暗中運氣，雙目注視著張子羽的反應。

只見張子羽雙臂伸動一下，挺身坐了起來。

蕭翎鎮靜了一下心神，緩緩說道：「閣下病情如何？」

張子羽兩道眼神冷電一般，逼注在蕭翎的臉上，緩緩說道：「你是什麼人？」

蕭翎道：「在下蕭翎。」

張子羽冷笑一聲，道：「你叫蕭翎，久仰了。」

蕭翎心中暗道：他神智很清楚啊，哪裏像有病的樣子？

心念轉動之間，突然左腕一緊，已被那張子羽扣住了左腕脈穴。

蕭翎一面運氣，護住脈門，一面笑道：「你的神智很清醒啊！」

只見張子羽右手一起，疾向蕭翎前胸擊來，掌勢挾著輕微的嘯風之聲，力道竟是很強。

蕭翎右手一揚，擋開了張子羽的掌勢，說道：「在下受閣下令弟之邀，來此察看張兄的傷

勢。」

張子羽幾次想站起身子，都因胯間和雙腿上的穴道被點，難以如願，但他右手的攻勢，卻

是凌厲異常，招招都擊向蕭翎胸前要害。

他左手扣住了蕭翎的左腕，雙手相距，不過是尺餘左右，蕭翎又不便還手回擊，只有揮掌封架那張子羽凌厲的掌勢，雖然他盡可應付，但看去卻是驚險百出。

轉瞬之間，蕭翎已拆解了張子羽十幾招猛攻。

孫不邪雙目圓睜，瞧著兩人搏鬥情形，只覺那張子羽攻擊掌勢，愈來愈見奇幻惡毒，不禁引起了懷疑，暗道：如是那沈木風訂下的詭計，要此人假裝有病，誘蕭翎和我等來此，布下埋伏，準備一網打盡我等，並非是不可能的事情，必得小心一些才是。

當下高聲說道：「蕭兄弟，小心了，快點了他的穴道再說。」

蕭翎和那人拆了十幾招後，亦覺著不對，只感到左腕上被人扣制的腕脈，越來越緊，似難再支持，如是穴脈被他控制，難再有拒敵之能，只怕是立刻要傷在張子羽的手中，再聽得孫不邪呼叫之言，不再留情，展開反擊，一指點在那張子羽的肩頭之上。

三 飛箭示警

這一擊，落手甚重，張子羽頓感全身一麻，再也無力擊出掌勢，鬆開了蕭翎左腕，向後倒去。

孫成抬頭一瞧張子羽，道：「蕭大俠可是又點了他的穴道？」

蕭翎道：「不錯。」

孫成道：「唉！那是說，仍然是無法替他把脈了？」

蕭翎道：「情勢如此，在下自當想個別的法子。」

伸出手去，暗中又點了張子羽雙臂的穴道，右手卻把住張子羽的左腕。

只見他脈搏跳動甚慢，想是因臂上穴道受制有關，除此之外，蕭翎再也瞧不出有何可疑之處。

只聽無爲道長道：「蕭大俠，此人脈搏跳動的情勢如何？」

蕭翎查不出張子羽的脈象變化，但形勢迫人，只好應聲說道：「脈象不穩，果是有病之徵。」

059

孫成望望天色，說道：「在下這位大哥，罹病已有一日夜的時光，追尋蕭大俠，往返所

耗，又去了四、五個時辰之久，如若那留函說得不錯，此刻所餘，只七、八個時辰了。」

蕭翎道：「在下盡力就是。」

冷手秀士田中元，望了孫成一眼，道：「看起來蕭大俠似是還未想出一點頭緒。」

孫不邪冷冷地道：「如是令兄罹得是普通之疾，貴兄弟也不會去邀請蕭大俠了。」

孫成一抱拳，道：「不錯，我這位兄少不更事，失言得罪，兄弟這裏代為賠罪了。」

面對奇怪的病人，蕭翎實有著不知所措的感覺，當下說道：「令兄的病情，確是大異尋

常，在下要和無為道長研究一下，才能確定病情。」

孫成略一沉吟，道：「區區雖是不解醫道，但就在下大哥而言，武功實已到寒暑不侵之

境，陡然罹患此病，實出意外，因此，在下懷疑到可能是因為有人加害所致。」

蕭翎道：「令兄的病情，確然使人懷疑。」

孫成道：「有勞兩位費心了。」

帶著柴威和田中元，退到一丈開外，盤坐調息。

蕭翎轉目望著無為道長，輕聲說道：「兄弟實是不解醫道，瞧不出此人病情，還是勞請道

長瞧一下如何？」

無為道長點點頭，伸出手去，把了張子羽左腕的腕脈，也不禁一皺眉頭，道：「貧道察看

他的脈象，不似有病之徵。」

蕭翎道：「難道其人是裝病不成？」

無為道長沉吟了一陣，低聲說道：「好像是受傷之徵。」

蕭翎道：「道長可有療救之法嗎？」

無為道長道：「只能照診察所得，開具一個藥方，但是否能予收效，那就難說了。」

蕭翎道：「不知何人，開此大玩笑，留下書函，說我有療病之能，奇怪的是南海五凶，竟然是十分相信。」

無為道長道：「如若那留書之人，有意相助你說服南海五凶，必在暗中相助。」

蕭翎道：「迄今未見動靜，也許是存心嫁禍了。」

無為道長道：「為今之計，只有貧道先擬具一個藥方，告訴蕭大俠，再候片刻，如是仍然不見有何動靜，你就照我所擬，開出藥方，雖然未必能治他的暗傷，至少不會有害。」

蕭翎道：「就目下情勢而言，那也是只好如此了。」

孫成、柴威等，雖然退到一丈開外，但他們卻在暗中留著蕭翎的一舉一動，看他和無為道長，低聲交談，好似在研商張子羽的病情，只好耐心地等了下去。

哪知過了半個時辰左右，仍然是不見蕭翎有所舉動，再也忍耐不住，大步行了過來，拱手說道：「南海五兄弟，早已表明了心跡，還望蕭大俠大施妙手，早些療好他的傷勢。」

蕭翎儘管七上八下地不是味道，但表面之上，卻是不得不裝出平靜的神色，說道：「令兄脈象不似罹病。」

攝魂掌孫成吃了一驚，道：「不似罹病？那是怎麼了？」

蕭翎道：「似是受了內傷。」

孫成沉吟了一陣，道：「其中內情，在下並未瞧過，我回到此地之時，在下大哥瘋癲之症已發，究竟他如何罹此怪病，或是受了內傷，在下亦是不知內情。」

蕭翎心中暗道：先問問他罹病經過再說。

目光一轉，望了兩個青衣童子一眼，道：「令兄兩個弟子，難道也不知經過之情嗎？」

孫成舉手一招，兩個青衣童子應手走了過來。

蕭翎默察兩個青衣童子，年紀雖然幼小，但神情卻一片冷漠，暗道：這兩人不知習的什麼武功，小小年紀，竟然練成了這一副冷冰冰的模樣。

只聽孫成說道：「蕭大俠有話相問，爾等要據實回答，不得推託。」

兩個童子應了一聲，四道眼神，一齊投注在蕭翎的身上，緩緩說道：「蕭大俠有何吩咐？」

蕭翎道：「令師在何處罹得此症？」

左面一個童子應道：「就是在此谷之中，家師和四師叔有事他去，但不過半個多時辰，重又連袂而回。」

無爲道長接道：「以後呢？」

右面一個童子答道：「我等已瞧出家師和四師叔的神色不對，但家師的規戒素嚴，我等一

卧龍生 精品集

062

向不敢插言，四師叔首先支持不住，摔倒在地上，家師似是要說話，但卻未曾說出，就隨著暈

倒過去，我等遇此劇變，心中甚是驚慌，師兄守著家師，我去找回兩位師叔。」

無爲道長心中暗暗忖道：是了，南海五凶原本約好在那湖畔會師，接應冷手秀士田中元，

卻不料遇上大變，一直未能趕往。

但聞孫成接道：「區區得此驚訊，匆匆趕回，施展推宮過穴手法，救醒了大哥、四弟，但

兩人已然神智不清，不識故舊，竟然向我出手，情勢所迫，只好又點了他們穴道，手忙腳亂的

鬧了半個時辰，才發覺那巨岩之上，擺著素箋，指名要我等去找蕭大俠，治療兩人病勢，那封

素箋蕭大俠已經瞧過了。」

蕭翎點點頭，道：「好！兄弟開具一個藥方，先讓令兄服下試試。」

孫成道：「蕭大俠肯伸援手，咱們南海五兄弟是沒齒不忘的。」

蕭翎道：「勞請取過筆硯，在下立刻擬方。」

孫成揮手對兩個青衣童子說道：「快爲蕭大俠捧上交房四寶。」

左面青衣童子轉身而去，片刻之後，捧著筆硯而來。

蕭翎心中暗自叫苦，只好寫出無爲道長適才轉授的藥方。

孫成不知是否也有配方之能，兩道目光，一直盯在蕭翎的筆尖之上。

蕭翎剛剛開出了兩種藥名，只聽無爲道長說道：「蕭大俠且慢開具藥方。」

蕭翎道：「道長還有高見嗎？」

無為道長道：「咱們再研究一番，再開藥方不遲。」

孫成臉色微微一變，似想發作，但他終於又忍了下去。

無為道長好似不曾看見孫成的臉色，望著蕭翎說道：「蕭大俠可是準備為這位張兄開具一副解毒的藥方？」

蕭翎心頭茫然，只好順著無為道長的口氣，答道：「不錯啊！」

無為道長搖搖頭，說道：「用藥雖應小心，但目下情勢不同，這位張兄，已無好多時間，貧道之見，非得採取非常的手段不可。」

蕭翎望了孫成一眼，只見他滿臉渴望之色，站在一側，傾耳靜聽，只好說道：「萬一咱們失手傷了人，豈不要造成了很大誤會嗎？」

孫成接道：「那留函上說明了蕭大俠能夠醫得，想必是指非常手段了，蕭大俠儘管出手，只要治療無誤，縱然不能醫好，那也是無可奈何的事了，咱們南海五兄弟，是一樣感激。」

蕭翎聽得心頭一凜，暗暗忖道：他們對我這樣信任，我如治療不好這人的瘋癲之症，不但要使他們大失所望，而且我蕭某內心之中，也是難安……

忖思之間，忽聽一聲尖厲的嘯聲，傳了過來。

孫成雙眉一聳，冷冷說道：「什麼聲音？」

冷手秀士田中元起身應道：「似乎是人的嘯聲，小弟趕去瞧瞧。」

孫成點點頭，道：「你要小心了。」

田中元道：「不勞二哥費心。」

縱身躍起，一掠兩丈左右，直向那嘯聲傳來之處，奔了過去。

無爲道長暗施傳音之術，道：「蕭大俠，貧道經再三推想，開具一個藥方，絕難治療好張

子羽的病勢，而且反將引起他們的懷疑……」

蕭翎道：「那要如何才是？」

無爲道長道：「貧道之意，不如由蕭大俠施展推宮過穴的手法，在那張子羽身上推拿一

陣，先讓他們莫測高深，再作計議。」

蕭翎心中暗道：那留函之人，此刻沒有一點消息，看來是存心開我的玩笑了。

他有生以來，從未受過今日的尷尬，明明是一點不懂的事，卻要裝出一副若有所知的神

情。

孫不邪一直留心著蕭翎的神情，看他目光充滿焦急，心中一動，拱手對孫成說道：「老叫

化聽那嘯聲，高昂激越，直沖雲漢，絕非普通的武林人物，令弟一人，只怕非敵，老叫化陪你

去瞧瞧如何？」

孫成略一沉吟，道：「好！」

回顧了兩個童子一眼，道：「好好照顧你們師父。」當先放步行去。

少去了孫成從旁虎視眈眈的監視，蕭翎心裏稍微鎮靜一些，低聲對無爲道長說道：「這等

冒充內行的事，蕭某實是難以做出，我看不如和他們說明了吧！」

無爲道長正待答話，突見左首一個青衣童子口齒啓動，一縷柔細的聲音，傳入蕭翎耳中，道：「張子羽傷在一種奇妙的金針刺穴之下，在他後腦髮內，釘著三枚金針，你只要把後腦中金針拔出，就可使他回復了清醒神智。」

這幾句話細音柔柔，但聽在蕭翎的耳中，卻是字字有如巨雷下擊一般，爲之呆在當地。

但聞那柔細之音，重又傳了過來，道：「我本當早告訴你，但那二凶孫成，爲人十分謹慎，洞穿細微，如是被他瞧出破綻，那就大爲不妙，此刻，你不妨施用推拿手法，在張子羽的身上，推拿一陣，待那孫成回來之後，你就隨便說說幾句唬人之言，然後取出他腦後金針……」

語聲微一停頓之後，又傳了過來，道：「南海五凶，武功十分高強，你放下這段交情，日後自有好處，以後的事，你自己斟酌辦吧！今夜初更之前，我也要趕回去覆命。」

語聲至此，倏然而止。

蕭翎心中既是震驚，又是慚愧，抬眼看去，只見左面青衣童子，微微啓唇一笑，立時又恢復那冷漠神色。

再看右面那青衣童子，一臉蕭穆而立，似是毫無所覺，不禁暗暗歎息一聲，忖道：不知何人有此膽量，安排下這等暗樁，當真是才氣縱橫，膽大包天！

但聞無爲道長說道：「蕭大俠，事已至此，你如不冒充下去，也難令南海五凶相信，不如由貧道授你金針過穴之法，你在他身上刺下兩針，然後留下一個藥方，咱們就告辭而去……」

蕭翎心知那人暗施傳音之術，只告訴自己一人，無爲道長卻是毫無所知，當下說道：「不

再有勞道長費心，在下已知道療救之法了。」

無爲道長怔了一怔，道：「當真嗎？」

蕭翎道：「大約是不會錯了，等那孫成回來之後，咱們就可動手了。」

無爲道長素知蕭翎從不說無據之言，但實又想不出，他何以會突然知道療救張子羽的辦法。

他爲人老謀持重，蕭翎既不肯說，也就不再多問。

只見蕭翎伸出右手，把在張子羽的左腕脈穴之上，左手卻在張子羽幾處要穴推拿起來。

大約過了一盞熱茶工夫之久，孫不邪、田中元、孫成等連袂而回。

蕭翎停下了推拿，抬頭瞧了孫成一眼，道：「孫兄，可曾瞧到了什麼人物嗎？」

孫成搖搖頭，道：「區區繞行了半周，未見敵蹤。」

蕭翎已知內情，氣膽頓壯，長長吁一口氣，道：「在下詳查令兄脈搏行血，不見病情，想是受了人的暗算，而且那人手法奇妙，傷到了令兄的神經，才使神智不清，反應遲滯。」

孫成道：「病症既明，但不知蕭大俠是否已有療救之策？」

蕭翎道：「疑難雜症，其難在不知來龍去脈。目下兄弟既查出令兄的病情，自是能下手療救了，不過，目下還無法斷定他傷在何處，必得仔細察看，找出受傷之處，才能藥到病除。」

孫成抱拳一揖，道：「那就有勞蕭大俠了。」

蕭翎道：「在下答應了，當盡我心力。」

雙手齊出先從張子羽前胸查起。

無為道長眼看蕭翎裝模作樣之態，心中大是訝異，暗中運氣，全神戒備。

回首望去，只見孫不邪的臉上，也是一片茫然之情，望著蕭翎出神。

只見蕭翎雙手緩緩移動，逐漸地移動到張子羽的後腦之上。

孫成輕輕咳了一聲，道：「蕭大俠，會傷在頭上嗎？」

蕭翎停下雙手，抬起一雙星目，冷冷地說道：「不錯。」

右手一抬，大拇指和食指之間，夾著一枚一寸長短的金針。

孫成臉色一變，緩緩蹲下身子。

這時，柴威和田中元全部都圍攏了上來，所有的目光，都投注在蕭翎的右手之上。

蕭翎目光一掠左面那青衣童子一眼，緩緩把右手金針遞向了孫成。

孫成接過金針，臉上是一種驚訝和敬佩混合的表情。

蕭翎左手輕輕地撥開了張子羽頭上的短髮，只見兩枚金針，一排刺入張子羽後腦之上，其間相距約一寸左右。

孫成長長吁一口氣，道：「好惡毒的手法！」

蕭翎緩緩拔出兩枚金針，道：「好了，如若令兄大腦未傷，稍經養息，就可以恢復神智。」

孫成見蕭翎替張子羽拔出了腦後金針，仍恐其內傷尚未痊癒，忙一抱拳，道：「還望蕭大

068

俠大施妙手，南海五兄弟永銘肺腑，看看是否還有餘傷？」

蕭翎心中暗道了兩聲慚愧，說道：「不過，據兄弟的觀察，令兄不致受傷。」

孫成接道：「但願如此……」

回目一顧柴威，接道：「去把老四抬來。」

柴威應了一聲，行入大岩之後片刻，兩個大漢又抬著藤榻行了過來。

蕭翎心中暗道：看來這大岩之後，有著不少人手，心中忖思，雙手卻一齊動作，在四凶後腦上，取下了三枚金針。

冷手秀士田中元突然道：「請教蕭大俠，在下兩位兄長，可要服些藥物嗎？」

蕭翎道：「不用了，休息片刻，解開他們身上穴道，看看情形再說。」

站起身子長長吁一口氣，如釋重負。

剽悍的南海五凶此刻已對蕭生出了由衷的感激，雖然心中急欲早些解開兩人穴道，一看究竟，但未聞蕭翎之言，竟然忍著不動。

大約過了一頓飯工夫，蕭翎才緩緩說道：「好！現在可以解開他們的穴道了。」

孫成應了一聲，右手疾出，拍活了張子羽的穴道。

蕭翎雖然得那青衣童子傳音相告，說明取了兩人頭上釘穴金針之後，立時就可以復元，但心中仍是有些擔心，全神貫注，留心那張子羽的舉動。

只見張子羽緩緩睜開雙目，望了蕭翎一眼，緩緩站起身子。

他身爲五凶之首，不但武功高強，而且也最善心機，已然打量了四周的形勢。

孫成知他爲人，出手惡毒無比，生恐他陡然出手，傷了蕭翎，連忙指著蕭翎，急急說道：

「這位蕭大俠，應小弟之邀，來治療大哥的傷勢……」

張子羽神情冷肅，不待孫成的話說完，就接口說道：「我傷得很厲害嗎？」

孫成道：「大哥受了暗算，被人用金針釘了穴道……」

張子羽伸手由孫成手中，取過一枚金針，接道：「告訴我受傷之後的情形。」

孫成道：「大哥傷在後腦，被人用金針釘了幾處奇穴，人就神智不清……」

張子羽搖搖頭，不讓孫成再說下去，目光轉到柴威的臉上，道：「你去解開老四的穴道。」

柴威應了一聲，行過去，解開了老四的穴道，張子羽神色冷漠，兩道目光卻盯在四凶的臉上，一語不發。

全場中突然靜了下來，靜得落針可聞。

直待四凶清醒之後，張子羽才緩緩把目光轉注到蕭翎的臉上，抱拳說道：「咱們兄弟本來要和蕭兄作對，但承蕭兄這番相救之恩，南海五兄弟，自然不便再和蕭兄爲敵了。」

孫不邪聽得心頭火起，忍不住冷哼一聲。

張子羽冷冷地望了孫不邪一眼，緩緩說道：「蕭大俠救了在下，咱們南海五兄弟，不再和

你爲敵，那也算是報答了相救之恩，青山不改，後會有期，咱們就此別過。」

轉身行到那大岩之後。

二凶孫成的臉上閃掠過一抹愧疚，望了蕭翎一眼，緊隨在張子羽身後而去。

三凶、四凶、五凶，魚貫地隨在孫成身後，隱入那大岩之後不見。

孫不邪滿臉激憤之色，望著那突立的大岩，似要發作，卻被無爲道長搖手攔住，低聲說道：「咱們走吧！」

三人轉過身子，放腿疾行，不大工夫，已走出了七、八里路。

孫不邪長長吁一口氣，道：「五凶如此狂傲，早知如此，就不該救他們了。」

無爲道長微微一笑，道：「南海五凶，恃技淩人，在中原武林道上，結仇甚多，血洗峨嵋、青城兩派之事，幾乎盡殲了兩派精銳弟子，據貧道所知，兩派中對此大仇血債，一直念念不忘，決意攜手合作，密研武功，立下誓言，不殺南海五凶，絕不在江湖走動，如若咱們和南海五凶搭上關係，日後如何向中原武林同道交代呢？」

孫不邪略一沉吟，道：「這話倒也不錯。」

無爲道長道：「他們不助沈木風和咱們爲敵，咱們減去了幾個勁敵，此行收穫，已算很大了。」

蕭翎突然接口說道：「道長對目下江湖的禍亂之源，有何看法？」

無爲道長聽他突然改變話題，說到江湖大事上去，不禁微微一怔，沉吟了一陣，答道：

「蕭大俠之意，可是說那罪魁禍首？」

蕭翎道：「論目下江湖罪魁禍首，自然是那沈木風了，但在下之意是說，如若殺了那沈木風，是否江湖之上，就從此再無紛爭？」

無為道長搖搖頭，道：「據貧道的看法，殺了沈木風，也不過可暫使江湖上有一段表面的平靜，但事實上，卻仍是一個暗流洶湧、四方群雄勾心鬥角之局……」

蕭翎接道：「這麼說來，那沈木風雖然是一代梟雄，但並非這一代禍亂之源。」

無為道長道：「沈木風雖然手段惡毒，但他不過是代表著一個邪惡的標幟，要說這一代真正的禍亂之源，應該是那一把禁宮之鑰，千百年來，武功精進無數，精華之學都在那一場爭名的比武之中，沉淪禁宮，入宮高手，無一生還，誰也無法了然那禁宮中的內情，但人人都懷著一個奇幻的期望，入得禁宮者，必可身價百倍，雖然入禁宮未必能霸統江湖，但如要霸統江湖，非入禁宮不可！」

蕭翎道：「為什麼人人都要生此奇想呢？」

無為道長道：「因為大家都相信，那些才絕一時的高人，定會在禁宮中留下他們一生精研的心血奇技。」

蕭翎輕輕歎息一聲，道：「原來如此。」

無為道長仰天呼一口氣，笑道：「也許那禁宮中一無所有，只有幾具白骨……」

語音微微一頓，接道：「未開禁宮之前，誰也無法預料到那禁宮中有些什麼，貧道也不過

胡言亂語猜上幾句罷了，倒是貧道心中有一件不明之事，想請教蕭大俠了。」

蕭翎道：「什麼事？」

無為道長道：「蕭大俠何以知道那張子羽後腦髮際之中，被人釘上了三枚金針？」

蕭翎道：「不知內情，看起來的確是有些神秘，我蕭翎絲毫不通醫道，何以竟會想到那張子羽後腦釘有三枚金針，但如說穿了，那就一文不值，因為有人在一旁告訴了我……」

語聲微一停頓之後，又道：「說來令人難信，是那兩個青衣童子中的一人。」

無為道長道：「那兩個青衣童子，好像都是那張子羽收傳的弟子，何以會暗中給你幫忙？」

蕭翎道：「那青衣童子告訴我，他將在今夜初更之前，趕回覆命，自然不是張子羽手下的人了。」

無為道長道：「那是說他是奉命來此，專在暗中相助咱們了？」

孫不邪道：「那人能在大凶、四凶頭上，輕輕易易的釘上了三枚金針，如是要取兩人之命，自是易如反掌，南海五凶之中，以張子羽的武功最高，仍然被那人隨意擺佈，以此推論，他如是想殺死南海五凶，那也是輕而易舉的事了。」

無為道長道：「他用三枚金針釘了大凶、四凶腦後穴道，又派了一個人，假扮那張子羽的弟子，守在五凶身側，暗中相助咱們，這人的膽氣，可算作宏偉豪壯的大手筆，常人難及

……」

蕭翎接道：「不錯，那人手下還得有一個和那張子羽徒弟一般模樣的屬下才行。」

無爲道長微微一笑，道：「那倒不用了，只要很好的化妝之術，就可以使他容貌大變。」

孫不邪道：「蕭兄弟，他可曾告訴了你來歷身分嗎？」

蕭翎搖搖頭，道：「沒有。不過，我聽口音，卻有些不似男人。」

孫不邪道：「是女扮男裝的了？」

蕭翎道：「是否爲女子化妝，我不知道，只是他的嗓音，太過細柔，有些不似男子。」

無爲道長點點頭，道：「是了，他們先行擒去了張子羽兩個隨身小童，利用化妝之術，另行派人，混在張子羽的身側，因那張子羽隨身童子，體型甚小，只好用女子扮作男裝了。」

蕭翎道：「不論那人是男是女，主要是咱們應該知道他的來歷才是。」

無爲道長道：「照貧道的看法，短時期內，那人還不會顯露真正的身分。」

孫不邪道：「老叫化就是想不明白，有很多人，不肯正大光明的出現於江湖之上，卻故作神秘，隱於幕後，鬼鬼祟祟，不知是何用心了。」

無爲道長道：「有些人，都是爲了不得已的原因，如強敵勢大，不敢明爭，但大部分，卻是借用這一份神秘感，來隱瞞自己的身分。」

蕭翎道：「孫老前輩和道長，都是久年在江湖走動之人，難道就想不到一點線索嗎？」

無爲道長口齒啓動，欲言又止。

孫不邪道：「蕭兄弟不用多費心機了，看樣子不但沈木風的舉動他能瞭若指掌，就是咱們

的一舉一動，恐怕也在他監視之下，他如想見你蕭兄弟，你就是不想見他，也是不行，他如是

不想見咱們，談話也是無用。」

蕭翎道：「唉！這人不知是否救我父母的那人……」

語聲甫落，突聞嗤的一聲，一支長箭，直射過來，釘在蕭翎身旁五尺外，一株大樹之上。

箭尾處白簡飄風，帶著一封素箋。

無為道長飛身而起，隨手取下箭尾素箋，只見上面寫道：函致蕭翎親拆。

緩緩遞向蕭翎手中。

蕭翎匆匆瞧了信皮一眼，打開信封，只見上面寫道：「沈木風已感覺到難以生擒於你，收

歸己用，因此，已決定要置你於死地。

「據我所知，他的手段，十分惡毒，似乎是要用一種強烈的毒藥，而且他派了百名以上

精明幹練的人，對付你一個，這事沈木風進行十分機密，我所知有限，特來奉告，還望多加小

心。」

這封信上面沒有名銜，下面也未署名，只是簡簡單單說明了一件事。

蕭翎看完了全信之後，輕輕歎息一聲，把素箋交到了無為道長手中。

無為道長看了一遍，道：「寧可信其有，不可認其無，咱們得準備一下才是。」

孫不邪在無為道長閱讀之時，也藉機瞧了全信，當下說道：「老叫化倒有一個辦法，咱們

將計就計，瞧瞧那沈木風用的什麼惡毒手段。」

卧龍生 精品集

無為道長道：「不知老前輩有何高見？」

孫不邪道：「咱們先去找到貴派中人，再說不遲。」

語聲微微一頓，道：「老叫化似是記得你對令師弟說過，要他率人在望陽谷中等候，只

是，老叫化跑了甚多地方，就是想不出望陽谷究在何處？」

無為道長道：「所謂望陽谷，只是一句暗語而已，貧道帶路，不過一個時辰，就可以到

了。」

這等山野之地，人跡稀少，三人施展輕功，放腿急奔，果然，在一個時辰左右，來到了一

座翠谷之中。

谷中長藤繞樹，長不過百丈左右，一層翠色籠罩了整個的山谷。

無為道長舉手互擊三掌，只見三丈外翠藤啟動，展葉青飛躍而出，遙遙一禮，道：「迎接

師兄。」

無為道長道：「不用了，馬總瓢把子的傷勢如何？」

展葉青道：「已然大見起色。」

當先帶路，把幾人引入了翠藤之下。

蕭翎抬頭看去，只見一座突出的山岩，籠罩了三丈方圓一處空地，三面青藤環繞，遮去日

光，十幾位武當弟子，都在盤坐調息，但背上的長劍，卻未解下。

孫不邪暗暗歎息一聲，忖道：武當派乃如今江湖上一大劍派，只因和百花山莊爲敵，竟被

逼得掌門率領門下精銳，到處奔行避難……

只聽蕭翎說道：「孫老前輩有何良策，對付沈木風派出之人？」

孫不邪哈哈一笑，道：「老叫化這法子簡單得很，只是要會易容之術才行。」

無爲道長道：「易容之術，貧道略知一、二。」

孫不邪道：「那就好了。」

語聲微微一頓，接道：「那沈木風已知蕭兄弟的武功，絕非他屬下高手，能夠勝過，因

此，那百名追蹤蕭兄弟的高手，必帶有特殊之物，不管是用什麼手段，但惡毒是可以想見，咱

們必得早些了然他們用什麼惡毒之物才行，因此老叫化主張，就貴派弟子中，選出幾人，扮成

蕭兄弟的模樣，由老叫化和蕭兄弟易容從中保護，只要能找出他們用的是什麼惡毒之物，那就

不難對付了。」

無爲道長雙目盯在蕭翎的臉上，瞧了一陣，道：「老前輩的辦法，雖然高明，但要扮成蕭

大俠這等容貌，倒非一件易事。」

孫不邪道：「這也不難，只是扮得有些類似就行了，咱們白天躲在店中，盡量避免和人見

面，只要放出消息，沈木風自然會找上門去。」

無爲道長點點頭，道：「目下各大門派，都爲了沈木風實力過於強大，不肯當面和他爲

敵，蕭大俠能夠在極短時日中，聲譽卓著，也就是因爲他敢和沈木風抗拒所致，古往今來，江

湖之上，從無一人能像蕭大俠一般，在這樣短促的時光中，名動武林，受人欽重……」

蕭翎突然插口說道：「在下有一事，心中不解，請問道長。」

無爲道長道：「蕭大俠有何見教？」

蕭翎道：「道長盡率武當門下精銳，武當山三元觀，尚有甚多弟子，如若沈木風派遣高手，襲擊三元觀，貴派留在觀中弟子，抗拒無力，豈不是要盡遭劫難？」

無爲道長沉吟了一陣，道：「這個，貧道亦曾想到，不過，那沈木風乃是大奸巨惡的人物，貧道和武當門下的精銳，既然不在三元觀中，縱然血洗三元觀，盡殲留在山中弟子，也不能一舉間把我武當派消滅，反將留人口實，也更增我同仇敵愾之氣，陰險如沈木風，恐不願爲之。」

忽見孫不邪一�腳，道：「老叫化就是想不明白，當今九大門派，何以不肯同心協力，給那沈木風來一個迎頭痛擊，時日拖延愈久，沈木風的實力愈強，難道一定要火燒眉毛，才肯挺身而出不成。」

無爲道長輕輕歎息一聲，道：「老前輩說得雖是不錯，但各大門派，亦有他們苦衷，就貧道所知，各派掌門人，並非是不知其中道理，只是那沈木風實力過於強大，誰都不敢先擋銳鋒，唉！孤注一擲的拚法，一個不好，必將鬧得全派被殲，所以，各大門派中人，都暗中選派了精明弟子，追尋那禁宮之鑰的下落，寄望從那禁宮之中，尋得上一代高人的絕傳奇技，能一舉制服那沈木風，又可光大門戶，領袖武林……」

說至此處，語聲停頓，回顧了蕭翎一眼，又道：「貧道有幾句不當之言，想請問蕭大俠。」

蕭翎微微一笑，道：「可是有關那禁宮之鑰？」

無爲道長道：「不錯，據聞那禁宮之鑰確落在岳雲姑的手中，不知是真是假？」

蕭翎搖搖頭，道：「晚輩雖然見過那岳雲姑，不過，那時晚輩尚是一個全然不解武功的人，自是不知那禁宮之鑰的事。」

無爲道長道：「傳聞岳雲姑已然仙化，不知是真是假？」

蕭翎黯然說道：「此事並非訛傳，我那雲姨，確然已登仙界。」

無爲道長輕輕咳了一聲，道：「貧道要再問一句不當之言，那禁宮之鑰，是否真落在了岳

小釵的手中？」

蕭翎正待答話，忽聞一人笑道：「不錯，落在了岳小釵姑娘手中！」

蕭翎轉頭看去，只見中州二賈和司馬乾、雲陽子等，魚貫而來，那接口之人，正是商八。

商八大笑而言，目光一轉瞧到了蕭翎，立時住口不說。

蕭翎望了商八一眼，道：「這件事我這兩位兄弟最清楚了，道長問他們吧！」

商八尷尬地一笑，道：「據那岳姑娘親口告訴區區，那禁宮之鑰，確然已由她收存在身

邊，不過她並未帶在身上，不知存放於何處……」

無爲道長接道：「但願岳姑娘能夠早入禁宮，學得那制服沈木風的良策。」

卧龍生 精品集

提到了岳雲姑和岳小釵，蕭翎心中感傷甚深，雲姨物化，屍體未葬，岳小釵又不知流落何方，生死不明，想到悲傷處，不禁長歎，垂下頭去。

商八說得逸興橫飛，本想滔滔不絕地說下去，但見蕭翎悲苦神情，立時噤若寒蟬，不敢再多接口。

孫不邪橫掃了群豪一眼，道：「岳雲姑已然仙逝，岳小釵下落不明，禁宮之鑰有如沉海砂石，那也不用談了，目下要緊的事，是如何對付那沈木風，挽回江湖大劫，難道那禁宮之鑰不現江湖，咱們就任憑那沈木風宰割不成？」

蕭翎黯然的心情，卻被孫不邪幾句話激起豪氣，挺身說道：「目下江湖上諸大門派，和各方豪雄，所以不敢和沈木風抗拒，無非是被那沈木風的惡名震懾……」

微微一頓，接道：「在下之意，咱們先在江湖上，讓那沈木風受點挫敗，傳揚出去之後，或可激起那諸大門派聯手抗拒之心。」

無為道長道：「蕭大俠所言所示，雖是上策，但如再能配合一點謀略，或收效更快一些。」

蕭翎道：「願聞高見。」

無為道長道：「咱們在獲得小勝之後，虛放傳言，說沈木風要對某大門派下手，重振聲威，形勢相迫，或可早日激起武林道上，聯手對付沈木風的豪氣。」

孫不邪道：「兵不厭詐，愈詐愈好，對付這等惡毒之人，那也不用計較什麼手段了。」

080

蕭翎長長歎息一聲，說道：「有一事，在下是不得不先行說明。」

無爲道長道：「什麼事？」

蕭翎道：「據在下所知，江湖上各大門派，包括丐幫和神風幫，都有沈木風的人在那裏臥底，是以各大門派如有動靜，沈木風立時可得訊息，此事至關重大，不可不預謀對策。」

無爲道長呆了一呆，道：「有這等事，太可怕了！貧道立時修書，分遣我武當門下弟子，易容改裝，送給各大門派，要他們注意就是。」

蕭翎目光炯炯，掃掠了武當門下弟子一眼，道：「貴派中亦有奸細，道長遣人之時，還望多多考慮一下。」

無爲道長神情凝重地道：「這個貧道自應多加思慮……」

目光轉動，環顧坐息四周的眾弟子一眼，道：「你們暫時退下。」

環坐四周十幾位武當弟子，一齊站起身子，退了出去。

這時，突岩之下，只剩下了孫不邪、中州二賈、蕭翎、司馬乾，以及無爲道長、雲陽子、展葉青等幾人。

無爲道長眼看門下弟子去遠，低聲說道：「咱們不能太過分散實力，最多分成兩批，而且還要前後呼應，萬一和沈木風相遇之後，也可和他一戰。」

蕭翎道：「道長說得是。」

孫不邪道：「不過，咱們要多打扮幾個蕭翎，以亂那沈木風的耳目。」

無為道長道：「正該如此。」

群豪經過這一番商議之後，立時依計行事。

於是一場鬥智鬥力的惡鬥，在江湖之上展開。

無為道長除了派遣一批武當弟子，送信到各大門派之外，另選六位武術最強弟子，換下道袍，改著俗裝，帶著展葉青，隨同孫不邪、蕭翎等離開了望陽谷。

雲陽子帶著一部分武當弟子，照顧馬文飛的傷勢。

這時，群豪都經過一番精細的化妝，連那堂堂一代掌門的無為道長，也扮成一個落魄的文人。

孫不邪青巾紫頭，扮作了一個車夫，司馬乾布招銅鑼，裝成一個賣卜先生。

中州二賈走江湖，易容改裝，直似家常便飯，兩入扮成一對趕騾子的腳夫。

展葉青和蕭翎卻穿上土布褲褂，裝扮成兩個半百老人，乘坐健騾。

六個武當弟子分別扮作擔夫布商，一行人沿官道直奔鄂州。

沿途之上，群豪留心觀察，果然發現不少武林人物，快馬奔馳。

顯然，江湖上正有巨大的波動。

沈木風耳目雖然靈敏，但他也沒有想到，無為道長等，竟然會易容改裝，出現於江湖之上，是故，一路之上，竟未發生事情。

這日，太陽下山時分，已到鄂州城郊。

商八低聲對騎在騾子上的蕭翎說道：「南關外有一座六和大客棧，因為房屋眾多，住的人也最是複雜，沈木風如若有人手來此，那六和客棧中必有耳目，咱們既是有為而來，住那裏最好了。」

蕭翎點點頭，道：「好吧！咱們快行一步，你留暗號，指明去處，如是咱們一行人，一齊擁進那六和客棧，必將引起那沈木風派遣的暗樁疑心，此番不比往日，咱們不能再使我敵暗。」

商八點點頭，留下暗記，催動健騾，直奔六和客棧。

到達客棧，已是掌燈時分。

商八招呼夥計，接去健騾，要了一座跨院，當先向前行去。

只見店中燈火通明，正是晚餐時候，五間寬大的廳中，擺了十幾張桌子，但都已經坐滿了人，這家客棧，竟還兼營著酒飯生意。

蕭翎目光一轉，瞥見兩個身著黑衣勁裝的大漢，面對而坐，一眼看去，面善得很，一時卻又想它不起。

他怕啟動別人疑心，不敢多看，隨在商八身旁，穿行入跨院。

這是一座三明五暗的大客房，進門擺了一張八仙桌，以作進餐之用。

帶路的店夥計，望了蕭翎和展葉青一眼，看他們全身穿著土布衣褲，留著三寸長短的花

白鬍子，腰裏勒著一條四指寬的腰帶，一副土裏上氣的樣子，怎麼看，也不像要住獨門獨院，

當下說道：「兩位老掌櫃，這座獨院，房價很貴，如是兩位不願多花錢，那面還有現成的通舖。」

商八伸手取了二兩重的一錠銀子，丟在那夥計手中，說道：「夠不夠？咱們兩位員外，

雖然很少出門，但用起錢來，卻是大方得很。」

那夥計一聽口氣，似是已知遇上常住客棧的行家，急忙陪著笑臉，道：「用不完，用不完，四位請坐著，小的去給幾位砌壺茶來。」

蕭翎目睹那店小二背影消失，才低聲對商八說道：「商兄弟，你瞧出可疑人物沒有？」

商八點點頭，道：「劍門雙英，追風劍裴百里和無影劍譚侗。」

杜九冷冷地接道：「劍門雙英，在武林中亦算很有名氣的人，何以竟也死心塌地爲那沈木風……」

商八食指按在口上，低聲說道：「小心一點。」

杜九立時住口，緩步行到院中。

商八眼看杜九行入院中把風，才低聲說道：「劍門雙英既在此地出現，那是可以證明了，

百花山莊已有人在鄂州城中，不過，有一點可疑之處，倒叫兄弟思解不透。」

蕭翎道：「什麼事？」

商八道：「那沈木風派出百位武功高強之人，追尋大哥，準備暗下毒手，卻不會明槍明劍

的和大哥動手，必將是暗施算計，如若劍門雙英，也是奉命追尋大哥，暗施算計的人，絕不會明目張膽的在這六和客棧出現……」

蕭翎道：「不錯，他們如是易容改裝來算計我，自然是容易一些。」

商八道：「除非那暗中向咱們示警之人，和沈木風有所勾結，沈木風絕然想不到，咱們會現身在耳目眾多的城鎮之中。」

蕭翎沉吟了一陣，道：「此言甚是有理。」

商八道：「如是大哥在鄂州城中現身之後，被那沈木風暗椿發現，百花山莊人，趕來此地，那就不足為奇；但大哥尚未現身之前，百花山莊的高手，卻已到此地，這就有些不可思議了。」

展葉青突然接口，說道：「如若咱們能把劍門雙英生擒過來，或可逼問出內情。」

商八道：「在下之見不可……」

只聽杜九一聲輕咳，傳了進來。

商八立時住口不言。

轉眼看去，只見那店小二左手提著茶壺，右手端著一個木盤，大步走了進來，道：「四位可要吃點什麼？」

商八要了佳釀、菜餚，那店小二才退了出去。

展葉青輕輕咳了一聲，道：「商兄不同意小弟之見，那是另有高明之策了。」

商八道：「兄弟的看法，他們來此，定是別有所圖，咱們必須暗中追查。」

展葉青道：「不錯，暗中追查。」

蕭翎道：「好！咱們就分成幾班監視他們，區區先去。」

展葉青道：「在下先去吧！」舉步向前行去。

商八急急說道：「大哥和展兄，都不用辛苦了，兩位這身裝束，都是年過半百的人，但你們的行動舉止，卻是無一處像過半百以上的人，不要說劍門雙英能在一眼之間，可以瞧出你們是易容改裝，就是一個普通的人也能一眼之間，就瞧出了兩位的舉止可疑。」

蕭翎道：「那要怎麼辦呢？」

商八略一沉吟，道：「好吧！兩位暫且留在此地，在下出去瞧瞧……」一個轉身，閃出室外而去。

別瞧他大腹便便，但行動起來，卻是靈活無比。

杜九起身關上門窗，低聲說道：「兩位請守在房中別動，我去室外把風。」

只聽一聲呼叫道：「酒菜送到。」

杜九打開房門，接過酒菜道：「咱們一天趕路，此刻十分睏倦，碗筷明天再來收吧。」

那店小二怔了一怔，道：「好吧！」轉身而去。

杜九把酒菜送入房中，說道：「咱們快些食用，進過餐後，熄去燈火。」

蕭翎口雖不言，心中卻是暗自忖道：似這等鬼鬼祟祟的生活，實是悶氣得很。

三人匆匆吃過酒飯，杜九收了菜盤碗筷，熄去火燭，靜坐室中。

足足等了將近一個時辰之久，仍不見商八回來，蕭翎暗中擔起心來，他一去這久時光，不聞消息，莫不是出了什麼麻煩……

心中念頭轉動，忍不住歎息一聲，說道：「商兄弟該回來了。」

此刻酒客大都散去，已不似剛才那般吵雜，有一種夜闌人靜之感。

杜九輕輕咳了一聲，道：「大哥有所不知，商老大外表雖是一團和氣，但他要強之心，強烈無比，嘻嘻哈哈的笑語中，卻有著不達目的不甘休的決心，他既然去了，如是不查一個水落石出，只怕不肯回來。」

展葉青道：「但願他無恙歸來才好。」

蕭翎輕輕歎息一聲，道：「咱們再等上一個時辰，如是他還不回來，咱們就設法找孫老前輩和敝師兄研商一個尋他之策。」

原來，孫不邪、蕭翎等分批而行，相約有言，除非情形特殊，必得碰面不可之外，不論是住店、行路，不得會談，以免引人注意。

幾人正在商討之間，虛掩的室門，呀然一響，一個人影疾衝而入。

杜九低聲喝道：「什麼人？」

喝問聲中，人卻一閃身子，擋住了門戶之處。

但聞來人低聲說道：「我！快些燃起燈火。」

杜九已聽出是商八的聲音，急急晃燃火摺，點起案上火燭。

抬頭看去，只見商八一臉鐵青之色，站在那裏，右手按在左臂之上，鮮血已然濕透了一隻左袖。

蕭翎吃了一驚，急步衝到商八身前，道：「商兄弟，傷得很重嗎？」

商八道：「不要緊，區區一點傷勢，兄弟還撐得住，敷用一些金瘡藥，就不礙事了。」

展葉青探手從懷中摸出一個絹袋，道：「我們武當門中的止血生肌散，貴兄弟想已聽過了！」

杜九打開絹袋，取開商八右手，替他敷了藥物，包好傷勢，才搖頭說道：「好險啊！好險！只是分釐之差，就傷到筋骨了。」

商八精神一振，道：「我還當因此廢了這一條左臂，想不到竟然還是好好的。」

蕭翎道：「怎麼回事？」

商八長長吁了一口氣，道：「小弟到了廳中，劍門雙英剛好結帳而去，我跟著他們穿過了幾條街道，到了一處人群雲集的熱鬧之處，各色燈籠，隨風飄動，光如白晝，行人接踵擦肩，兩側盡都是高大漆門宅院。」

展葉青道：「那是什麼地方，怎的如此熱鬧？」

商八道：「是鄂州城中娼妓雲集之地。」

蕭翎道：「劍門雙英去那裏做什麼？難道兩人都是好色之徒？」

商八道：「我也是甚感奇怪，劍門雙英就算要去那等所在，也該換換衣服，何故如此匆忙，小弟心中懷疑，就追了進去……」

展葉青接道：「怎麼？難道那沈木風在妓院之中，也埋下了暗樁，布下了耳目不成？」

商八道：「我瞧那地方不只是設有暗樁耳目，只怕是一處發號施令的所在……」

語音微微一頓，接道：「我瞧他們走進了一家妓院，名叫『三江書寓』，我就隨著追入一瞧，只見人如潮水川流不息的出入，院中設備十分講究，迎面是魚池假山，流瀑飛泉，兩旁是垂簾繡戶，綵燈高照，絲竹笙管，聲達戶外，十室九客滿，生意可算是生財有道，日進斗金。」

他一生善於經營，聚斂之富，鮮有其匹，但一談賺錢生意，仍不禁是眉飛色舞，忘了創痛。

蕭翎一皺眉，道：「說下去。」

商八打個哈哈，接道：「老毛病總改不了……」

輕輕咳了一聲，接道：「小弟眼看著劍門雙英，繞過假山，直向後院，就跟著追了過去，哪知假山之後有一座通往後宅的圓門，由兩個龜奴把守，兩個龜奴狗眼看人低，大概瞧到了小弟這身衣著，難登大雅之堂，就出手把我攔住，不准入內，小弟本想強闖進去，但又怕驚動了劍門雙英，只好退了回來，默查了四周形勢，找了一個燈光幽暗之處，躍上屋面，繞到那三江書寓之後……」

蕭翎道：「可曾瞧到了劍門雙英嗎？」

商八道：「那後院之中，滿種花樹，高吊綵燈，照得四周屋面通明，幾處繡閣中，都有厚厚簾子垂下，只見隱隱燈火，小弟一看院中形勢，已知是經過高人設計的佈置，不論你停在哪一方屋面，都無法避開那高吊燈火的照射，害得小弟在屋面停了一頓飯的時光，仍是無法躍上三江書寓的後院屋面……」

蕭翎想到他臂傷敷藥不久，多言無益，忍不住接道：「商兄弟，你說得簡單一些，不要震動了傷處。」

商八微微一笑，接道：「小弟瞧來瞧去，想不出躍上那三江書寓的良策，但想這樣長長耗下去也不是辦法，總得想個法子，混進去瞧瞧才是，只好折回原地，借了一件衣服……」

他進門之後，蕭翎等一直忙著替他敷藥、紮傷，未曾留心到他的衣著，此刻看他，竟是穿著一件黑緞長袍。

展葉青道：「你一時之間，哪裏去借這身衣服？」

商八笑道：「我找了一位和我身材相同之人，點了他的穴道，脫下他的衣服，留下一些銀子，重入三江書寓。果然人要衣裝，兩個龜奴看了我一眼，竟是未再攔阻，任我走了進去。」

展葉青道：「那後院之中，可是沈木風等人會集之處嗎？」

商八道：「後院之中，曲廊迴欄，佈設精雅，又非前院能及，只是兩排房屋，都緊閉著門戶，卻不知劍門雙英進了哪一處房間之內，小弟繞著那迴廊走了一遍，仍是無法確定劍門雙

卧龍生　精品集

090

英，在哪座門戶之內，但卻感覺到正陷入一片危境之中。」

展葉青道：「哪裏不對了？」

商八道：「初入院中還未覺著什麼，走了一周之後，才覺著情勢不對，原來那十二座門戶的分佈之位，竟是隱隱含著八卦方位，決非一座普通妓院，心知陷於險境，不宜再多停留，急向外退去，繞過一個廊角，忽聞金刃劈風之聲，斜裏攻來，我心中雖有警覺，但卻未料到，在廊角竟會隱藏有人，一時間，閃避不及，右臂中了一刀⋯⋯」

杜九道：「你可瞧出了那人嗎？」

商八搖搖頭，道：「沒有看到，也無暇去看，但那人出刀之快，卻是江湖上甚為少見，也幸虧我中了一刀，不敢再向前闖，一提氣躍上屋面，就在我躍上房的同時，數十道寒星閃爍，齊射向我停身之處，盡為暗器籠罩，我如稍逞豪強，硬向前闖，或是忿於這一刀之恨，回手擊敵，只怕是非傷在暗器之下不可了。」

蕭翎失聲說道：「這等佈置，並非只是為了對付兄弟一人，而是事先都已經過周密的算計，幸是兄弟識謀過人，未曾中那暗算。」

商八道：「有一事我卻感不解！」

蕭翎道：「什麼事啊？」

商八道：「就是兄弟中這一刀，我第一次過那迴廊之時，亦曾留心瞧過，不見有人，事後想那段曲折迴廊，也不宜藏人，這一刀簡直不知從何而來。」

091

蕭翎沉吟了一陣，道：「如是那迴廊曲轉之處，是一座活動的機關，可以隨時轉動……」

商八接道：「不錯，兄弟就沒想到這一層，好惡毒的佈置啊！就算一刀砍你不死，還有那狂雨一般的暗器猝然而至，就算是一流好手，只怕也難避開，小弟福至心靈，竟然躍上屋面，逃得性命。」

杜九道：「你逃上屋面，就沒有人追你了嗎？」

商八道：「那片屋面，緊靠前宅，而且遊人正多，我行動又極快速，一點屋面，就躍落人群之中去了。」

蕭翎道：「這麼說來，那三江書寓，實是有些古怪了。」

展葉青道：「那沈木風耳目遍佈天下，到處都設有巢穴，他既派出了百名高手，暗算蕭兄，咱們為什麼不挑他幾處分舵，以牙還牙。」

蕭翎道：「展兄說得不錯，今日咱們休息一晚，明晚上去那三江書寓瞧瞧，到時再見機而行。」

商八道：「大哥最好能和無為道長、孫老前輩商商一下，再作決定。」

展葉青道：「不知在下師兄，是否住進六和客棧之中？」

商八道：「住進來了，兄弟出去之時，曾經查看過了暗記，令師兄和孫老前輩，全都已住進六和客棧，只是不知他們住在哪座房中。」

蕭翎道：「那沈木風耳目靈敏，咱們今宵分班守夜。」

一宵無事，天亮之後，無為道長和孫不邪先後進入跨院之中。

蕭翎正想請兩人來，兩人卻未約而至，急急把昨夜商八經歷之事，告訴兩人。

無為道長道：「看來，咱們已然無法和那沈木風避免衝突，挑他一處暗穴，那就等於挖了他一隻眼睛。目下鄂州地面，雖有沈木風的屬下，但沈木風決不會把全部力量集中於斯，縱然是和他對了面，也可抵擋一陣。」

孫不邪道：「道長機智多謀，想必已胸有成竹。」

無為道長微微一笑，道：「計謀倒是有，但不知能否適用，貧道說出後，如有不適之處，還望諸兄指教。」

當下把籌思之策，很仔細地說了一遍。

孫不邪點頭讚道：「好極！好極！先亂敵人，乘虛而入。」

這當兒，突然啪的一聲輕響，一顆石子，落入院中。

無為道長一揮手，低聲說道：「諸位小心。」

蕭翎道：「怎麼回事？」

無為道長搖搖手，不要蕭翎問話。

過了片刻，突聞室外啪啪連續兩響，無為道長才起身說道：「貧道已在四周布下把風之人，適才那落石輕響，乃是有傳警之意，有著可疑人物到來。」

蕭翎道：「那兩聲連響，可是那可疑之人已去嗎？」

無為道長點點頭，應道：「不錯。」

站起身子，接道：「貧道要先走一步了。」

孫不邪接道：「老叫化也該找幾個助拳跑腿之人，就此別過了。」

蕭翎望了商八一眼，道：「兄弟雖是一些皮肉之傷，但失血甚多，需得好好養息幾日。」

商八笑道：「有得半日養息，大約已經夠了。」

蕭翎想到如是留下他一人在此養傷，那也是危險得很，當下不再言語。

近午時分，蕭翎帶著中州二賈和展葉青，離開了六和客棧，直奔群英樓。

這群英樓乃鄂州城中，最大的一家酒樓，蕭翎登上群英樓時，無為道長和東海神卜司馬乾已經先到。

無為道長青袍長髯，足登福字履，頭戴方巾，又是一番裝束，臉上早經易容，如非事先約好，蕭翎一眼也無法瞧出是無為道長改扮。

司馬乾布招銅鑼，仍是一個賣卜的先生。

此刻午時未到，樓上酒客，已坐有六成。

蕭翎目光一轉，緩步走入了一個客房之中，只見兩個中年佩劍武士，早已在房中等候，送上一個包裹。

蕭翎立刻換上衣服，抹去臉上易容藥物，片刻間回復了本來面目，啟簾而出，選了一張靠

窗的位置坐下。

那地方十分顯眼，凡是登上樓的客人，一眼間就可看到。

商八、杜九、展葉青，分在蕭翎身旁不遠處桌位上，暗中保護，六道目光，不時打量四周客人，心中甚是緊張。

蕭翎落座不足一刻工夫，東北角處，突然有一個酒客起身下樓而去。

商八心中一動，低聲對杜九說道：「小心那小子。」

杜九微微頷首，目光一直盯著那人。

只見他行到樓梯口處，停了下來，又回頭打量了蕭翎兩眼，才下樓而去。

眾人不知那沈木風要用什麼惡毒手段對付蕭翎，生恐一個失神，蕭翎爲人謀算。

片刻工夫，一個雙手捧著茶盤的酒保奔上樓，先把盤中一盤熱炒，放在四個酒客的桌子上，轉向蕭翎奔來，欠身說道：「這位客爺要吃什麼？」

蕭翎隨口要了兩樣菜，叫了一壺茶，那酒保才重又轉身而去。

四 敵蹤隱現

片刻工夫，那酒保已托著酒菜，送上來了。

這酒保送上酒菜過快，引起商八疑心，低聲對杜九說道：「情形有些不對，你想，無論大小酒樓，都該有個先來後到，這酒保對咱們龍頭大哥，似乎特別垂青，你要小心了。」

說話之間，果見那酒保直對蕭翎行去，杜九暗中運氣，蓄勢戒備，只要那酒保稍有異樣行動，立時便以迅雷不及掩耳的舉動，發出掌力。

只見那酒保放下了盤中酒菜之後，欠身退了下去。

杜九暗暗鬆了一口氣。

那酒保繞到展葉青的身側，問過他要的酒菜，才回身而去。

蕭翎斟了一杯，正待舉杯飲下，突然一個細微的聲音傳入耳際，道：「不能飲酒吃菜。」

這聲音甚是陌生，而且又不似男子口音，蕭翎的目光轉動，全樓不見一個女子。

心中暗自奇道：這是何人？暗中來警告我。

又過了一陣工夫，那酒保竟又轉了回來，望望蕭翎桌上的酒菜，道：「可是酒未燙熱？」

蕭翎搖搖頭，道：「不是……」

酒保道：「那是菜不可口了？」

蕭翎冷冷說道：「也不是。」

那酒保望了桌子上酒菜一眼，道：「既然酒熱菜好，客人何以不食用一些？」

蕭翎心中一動，暗道：一個酒保，怎的是如此多管閒事。

這些時日中，他江湖閱歷大增，心中動疑，表面上卻不動聲色，淡淡一笑，低聲對那酒保說道：「在下聞得這酒菜之中，似有異味……」

那酒保笑道：「客官說笑了。」

蕭翎道：「你如信其無毒，何不先乾一杯，請啊！請啊！」

口中說話，雙手一齊動作，右手疾出，點了那酒保右腿「風市」穴。

左手端起酒杯，暗用內力，強把一杯酒，灌入那酒保口中。

他手法乾淨俐落，雖然勉強那酒保喝下杯中之酒，但滿樓酒客，卻是大都未曾發覺。

蕭翎放下酒杯，緩緩站起身子，輕輕在那酒保背心上，拍了一掌，那酒保身不由己地嚥下了口中之酒，蕭翎順勢拍活那酒保穴道，低聲說道：「老兄多多珍重。」

那酒保穴道已解，立時轉身向樓下奔去，但他飲下之酒劇毒無比，行到樓梯口處，毒性已發，砰一聲摔倒地上，口鼻中鮮血滲出。

蕭翎目睹酒中奇毒如此之烈，暗道了一聲慚愧，心想如非有人警告，我全然無備之下，飲

下此等毒酒，只怕是一樣難逃危運。

那酒保突然摔倒不起，頓時引起滿樓酒客注意，紛紛轉臉望去。

這時，瞥見一個酒客，離位而起，一伏身抱起那酒保，快步下樓而去。

蕭翎目光一轉，暗暗忖道：這滿室酒客之中，只怕有著不少百花山莊的高手混在其中，敵暗我明，不宜在此多留了，探手入懷，摸出一塊散碎銀子，放在桌上，起身下樓而去。

杜九低聲對商八說道：「想不到沈木風竟是真在酒樓之中埋有暗樁，咱們走吧！」雙雙起身下樓而去。

展葉青目光四顧了一眼，高聲喝道：「這酒菜之中有毒啊！小心了。」

那酒保無故摔倒，已引起了甚多酒客的疑心，再經展葉青這一嚷，頓時引起一片驚慌混亂。

展葉青借著混亂，急急下樓。

且說蕭翎下得樓梯，直向店外行去，到得店門口處，耳際間又響起了那柔細的清音，道：

「小心暗算。」

蕭翎回目一顧，未瞧出那傳警之人，心中暗道：他既不肯現身，那是不願和我相見了。

抬頭看去，只見大街上人來人往，接踵擦肩，正是午市熙來攘往時間，難道百花山莊中人，敢在這等熱鬧所在下手……

心念未完，瞥見寒芒一閃，一蓬毒針，電射而至。

蕭翎吃了一驚，急急向旁側一閃，避開毒針。

但聞一陣砰砰的輕微之聲，一蓬毒針，大部都釘在店門之上，少數幾支，卻射在店中。

兩聲極短促的慘叫，傳了過來，緊接著是兩聲大震，兩人撞倒木桌，滾落實地，氣絕而逝。

那毒針細如牛毛，中人之後無聲無息，而且奇毒強烈，那兩個中針之人，固然是糊糊塗塗死去，就是站在旁側之人，也是瞧不出這兩人，何以會突然倒了下去。

蕭翎眼看傷及無辜，心中大是憤怒，凝目在人群之中搜查，但見人群來往，竟是瞧不出可疑之人。

這時，中州二賈、展葉青，已從樓上奔下，目光一掠兩個倒在地上之人，急步出店而去。

蕭翎氣憤填胸，竟然在店門口處，目光炯炯，四下搜尋兇手，忘了行動。

商八急步向蕭翎身側行去，藉機說道：「大哥快來。」

蕭翎心神一清，想到還有大事要辦，舉步隨在中州二賈身後行去，心中忖道：這沈木風施展這等莫可預測的手段，加害於我，當真是防不勝防了，今後，必得處處小心了。

展葉青緊隨在蕭翎身後五尺處，留神四外，暗中保護。

蕭翎心中餘怒未息，暗中留心戒備，只要發現暗襲之人，立於重手懲處。

行過了兩條街道，到了一處十字路口，但見路旁廊下，排滿了各色攤販，不停地招呼客人。

蕭翎目光一轉，只見五、六丈處，有一條僻巷，大街上人聲吵雜，行人混亂，最是難防暗襲，不如轉入僻巷，正待施展傳音之術，招呼商八、杜九，卻瞥見一個滿身褸衣的中年叫化子，迎面行了過來，雙目盯注在自己臉上，蕭翎心中一動，暗道：久聞丐幫弟子，遍佈大江南北，這人注視於我，或是丐幫弟子，奉那孫不邪之命而來……

心念轉動之間，那中年叫化，已然行到蕭翎身前三、四尺處。

低聲說道：「你是蕭大俠？」

蕭翎道：「不錯，兄台可是丐幫……」

話未說完，瞥見那丐幫弟子，雙手齊揚，右手打出一蓬毒針，左手拔出一把匕首，猛向蕭翎撲了過來。

在這等極近距離之下，陡然施襲，匕首好擋，那毒針卻是極端難防。

幸得蕭翎在連遇暗算之下，心中早有防備，和那中年叫化說話時，並未鬆懈戒備，看他雙手揚動，立時劈出一掌，人卻仰身向後倒去，貼地橫翻三尺。

形勢迫人，蕭翎不得不在大街之上，眾目睽睽之下，施出「鐵板橋」的功夫，閃避那近身施襲的毒針。

那中年叫化武功不弱，眼看蕭翎迅快無比地翻向一側，避開了毒針奇襲，劈出的掌力，直逼過來，立時橫移兩步，先把掌力避開，左手一抖，匕首電射蕭翎，人卻轉身一躍，放腿向正西奔去。

但聞幾聲短促的呼叫之聲，四、五個無辜路人，俱傷在毒針之下。

蕭翎眼看又有數人中了毒針而亡，心中激怒無比，伸手接住了疾射而來的匕首，陡然一躍而起，揚腕投出。

那柳仙子的暗器手法，在武林中號稱一絕，蕭翎在大怒之下，運足腕勁擲出，勢道奇速，挾帶著一片嘯風，破空閃電而去。

那中年叫化，身法甚快，蕭翎匕首反擲出手，他已跑出了兩丈多遠，不聞蕭翎追來，不覺間回頭望去。

就在他回頭一望的剎那，匕首已疾射而到，只見白芒一閃，閃避已自不及，一把匕首，正中頂門，深沒及柄。

那中年叫化，十分剽悍，右手一抬，竟把匕首拔了出來，又向前奔跑丈餘，才倒地死去。

只聽大街上一陣混亂的呼喝道：「不得了，打死人了！」剎那間狂呼亂叫，步履雜亂，人群奔跑。

商八行到蕭翎身前，一扯蕭翎衣袖，道：「快走，隨在小弟身後。」

蕭翎黯然一歎，隨在商八身後行去。

這時，商八、杜九，都已了然目下形勢，百花山莊中人，雖是裝扮作各色不同的身分，暗中施襲，但卻志在蕭翎一人，兩人早已暗中商量，分在蕭翎身前身後而行。

商八轉入了僻巷之後，閃入一個高大的門樓下，伸手從懷中取出一個人皮面具，道：「大

哥快些戴上。」

蕭翎戴上面具，杜九已從懷中取出了一件折疊好的青衫，遞了過去，道：「大哥再罩上這件衣服，他們就瞧不出來了。」

蕭翎接過衣服，急急穿好，展葉青也已趕到，急急說道：「街上一片混亂，地保衙役，即將趕到，咱們不宜在此多留，快些走吧！」四人魚貫而行，繞過僻巷，又轉入另一條大街之上。

商八道：「咱們最好裝作互不相識，但也不要離開太遠，以便彼此照應。」

幾人行了一段，未再遇施襲之人，蕭翎看看時光還早，專在街上蹓躂，亦非辦法，轉身行入了一座酒店之中。

這座酒店，規模不大，似是專做一些販夫走卒的生意，此刻午時已過，店中稀稀疏疏，坐著三、四個人。

四人魚貫入店，各自坐了張桌子。

店中除了做成的幾樣小菜之外，別無可吃之物。

蕭翎等分別點了酒、菜，各自吃了起來。

四人酒、菜剛送上，酒店外突然行進來四條大漢。

這座酒店之中，不過六、七張木桌。

蕭翎等四個人，就坐了四張。

餘下三張，也早已有人坐了。

這四個大漢，部分著著疾服勁裝，當先一人揹了一支奇形外門兵刃閻王筆之外，另外三人各揹了一柄單刀。

蕭翎目光一轉，看這四個大漢，各自掛著一只鏢袋，袋中高高鼓起，一眼之下，即可覺出，四人那鏢袋之中，裝滿了暗器。

只見那當先一個身揹閻王筆的大漢，直行到蕭翎對面坐了下去。

餘下三人，竟然也分在商八、杜九、展葉青位置對面坐了下去。

商八、杜九以及那展葉青，都已經改裝，很難瞧出，縱然是識得之人，也無法瞧出幾人身分。

那身揹閻王筆、坐在蕭翎對面的大漢，打量了蕭翎一眼，突然伸出手去，把蕭翎面前的一壺酒，提了過來，也不問蕭翎是否同意，立時自斟自飲起來，他酒量既豪，動作又快，片刻工夫，那一壺酒已然被他喝個點滴不剩。

蕭翎心中雖然不悅，但卻強自忍了下去。

那大漢把一壺酒喝完之後，隨手又把一個空的酒壺推到了蕭翎的身邊。

蕭翎長長吁一口氣，仍未作聲。

只聽那在靠門口和杜九同坐一桌的大漢，高聲說道：「等一會兒，如是有了什麼事故，諸位還請坐著別動，免得受到無妄之災。」

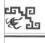

蕭翎吃了一驚，暗道：這室中除了我和兩位兄弟之外，就是那展葉青了，另外兩個老態龍

鍾之人，自無可疑之處，難道他們已經知道了我們四人的底細不成……

忖思之間，突見這座小店大門，被人推開，一個赤手空拳的長衫老人，大步而入。

那老人四顧了一眼，緩緩走向商八身前，道：「在下借坐一個位子如何？」

商八的桌位之上，原已坐了一個身揹單刀的大漢，此刻再加上一個青衫老人，已是坐了三

人。

金算盤商八，久年在江湖之上走動，論他武功成就，也算得江湖上一流的高手，機智沉

著，又非常人能及了，雖然覺著這兩人來得可疑，但卻仍然忍了下去，不動聲色，只在暗地裏

打量了兩人一眼。

只見那赤手空拳的老人，兩邊太陽穴高高突起，分明是一位內外兼修的高手，那身揹單刀

的大漢，看上去雖也強壯矯健，但如比起那青衣老人，顯是相差甚遠了。

商八心中暗道：這些人不知是何來路，但看情形又不似和我等為敵。

過了片刻工夫，那身揹閣王筆的大漢，再也忍耐不住，起身行到那青衣老人身前，恭恭敬

敬地行了一禮，道：「莊主，我瞧他們不會來了。」

那青衣老人搖搖頭，道：「他們既然約了咱們，決然不會失約，咱們再等一會兒。」

蕭翎心中暗道：原來，他們和人約會，不知何以選了這樣一處所在。

商八和那老人面對而坐，看他形貌，似是聽人說過，但一時之間，卻是想不起來。

心有所思，不覺間多瞧了那青衣老人兩眼。

只聽那身揹單刀、坐在身側的大漢，冷笑一聲，道：「有什麼好瞧的。」

商八心中一震，趕忙別過臉去。

那身揹閣王筆的大漢心中忽然動了懷疑，冷冷望了商八一眼，道：「閣下是何人物？」

商八道：「小的趕車的車夫。」

那大漢突然一伸手，向商八手腕上抓了過來。

商八心知只要自己一閃避，立刻將暴露了身分，當下靜坐不動，任那人握住了手。

只見青衣老人揮手說道：「不要多惹是非。」

那身揹閣王筆的大漢，似是對那青衣老者十分敬畏，立刻鬆了商八的手腕。

只聽砰的一聲，店門又被人推開，一個二十五、六歲的藍衫少年，推門而入。

蕭翎一見來人，不禁心頭一震，暗道：看來那沈木風也到鄂州城來了。

原來，來人竟是沈木風的大弟子單宏章。

只見單宏章目光轉動，四顧了一眼，說道：「哪位是朱老爺子？」

那青衫老人緩緩站起身子，道：「區區便是洛陽朱文昌。」

單宏章一抱拳，道：「久仰大名，今日幸會。」

朱文昌微微一笑，道：「好說，好說，兄台如何稱呼？」

單宏章道：「在下姓單，雙名宏章，此有請帖一張，敬請朱老前輩過目。」

朱文昌接過請帖，看了一眼，道：「閣下和沈莊主怎麼稱呼？」

單宏章道：「那是家師。」

朱文昌道：「好，請上覆令師，就說老朽如約前往。」

單宏章笑道：「秦、尤、許三位老前輩都將如約而去，朱老前輩請早些來。」

朱文昌道：「單兄放心。」

單宏章一抱拳，道：「晚輩就此別過。」

朱文昌道：「老朽不送了。」

單宏章道：「不敢有勞。」轉身大步而去。

那單宏章走後不久，朱文昌也緩緩起身，大步向外行去。

那身揹閣王筆的大漢舉手一揮，三個背插單刀的大漢，齊齊站起身子而去。

蕭翎壺中之酒，和面前酒杯，被大漢拿了過去，等幾人走後，才叫過酒保，重新添了一壺，換過酒杯。

只見商八仰起頭來，自言自語地說道：「朱、秦、尤、許，那是武林四大賢了。」

蕭翎站起身來，緩步行到商八的座位之前，說道：「商兄弟，你識得那青衣老人嗎？」

商八搖搖頭，道：「但洛陽朱文昌的名頭，卻是聽人言過已久，朱、秦、尤、許，武林四大賢，以朱文昌為首，想不到那沈木風竟然找到了這四位從來不問江湖是非的賢人頭上。」

微微一頓，接道：「據聞那武林四大賢人武功高強，只是他們生性淡泊，一向不和武林人

106

物來往，在殺伐不息、名利爭逐的江湖之上，獨樹一幟，故有四大賢人之稱。」

蕭翎站起身子，道：「看情形，那沈木風已經親身趕來鄂州城中，現在我們行蹤已洩，倒也不便在此久停，咱們走吧！」算過酒錢起身而去。

這時蕭翎戴的人皮面具，臉色青中透黃，右頰之上，還多了一撮黑毛，看上去極是醜怪。

商八和蕭翎走在一起，杜九和展葉青走在一起，四人藉機瀏覽了一下鄂州城的形勢，牢記於心中。

待到華燈初上，四人才行到了一條陋巷之中，折入了一家豆腐店中。

兩個武當弟子，早已在店中等候，蕭翎等取下人皮面具，重又換了一身裝束。

展葉青一身湖青長衫，裝作一個貴家公子模樣，臉上稍經修飾，掩去本來面目。

商八長衫瓜帽，外罩黑馬褂，套上了一個人皮面具，打扮成一個紹興師爺式的大管家。

杜九也戴了一個人皮面具，三綹長髯，掛上腰刀，形如長隨。

蕭翎青衣小帽，戴上一個娃娃臉面具，裝作展葉青隨身小廝。

四人裝束停當，一個武當弟子欠身說道：「敝掌門已和孫老前輩約好，不論事情如何，五更時分，在此相會。」

蕭翎點頭道：「好！你們好好守護此地。」

另一個武當弟子低聲對展葉青道：「三師叔身分，是江南巡閱使程大人的二公子，程志青。」

展葉青微微一笑，道：「記下了……」

目光轉到蕭翎的臉上，道：「蕭大俠，兄弟想給你取個名字，暫叫程翎如何？」

蕭翎微微一笑，道：「名字很好。」

四人借夜色掩護，轉出陋巷，只見一輛黑色篷車，停在路中。

一個扮作車夫的武當弟子，跳了下來，迎上來，道：「孫老前輩在車中等候。」

四人登上篷車，只見孫不邪已然恢復了原來裝束，身著百綻大褂。

蕭翎一抱拳，道：「老前輩，可曾找到了貴幫中人？」

孫不邪道：「老叫化已找得幾個小叫化子，聽候差遣，不過，一切行動，都由無為道長計畫，老叫化只有一句話告訴你們，進入那三江書寓之後，不要再手下留情，據我丐幫弟子所報，沈木風已然趕來鄂州，同行高手甚多，萬一打了起來，那也不用手下留情了……」

目光轉到展葉青的臉上，道：「令師兄調度有方，佈置周密，運籌帷幄之才，實是常人難及。」

展葉青聽他誇獎師兄，心中甚喜，說道：「老前輩過獎了。」

孫不邪道：「老叫化這身打扮豈能進入妓院，就此別過。」雙肩一晃，穿門而去。

這時，車輪轆轆，篷車正飛奔在大街上。

蕭翎低聲對展葉青道：「如非情勢所迫，最好不要動手，免得使那沈木風派來鄂州的主腦人物逃走。」

談話之間，篷車突然慢了下來。

原來，已然行近了三江書寓。

杜九挑起車簾看去，只見人潮洶湧，萬頭攢動，兩側花燈高挑，爭奇鬥豔，引得狂蜂浪蝶，紈綺子弟，一個個趨之若鶩。

人群攔道，馬車難行。

杜九一躍下車，怒聲說道：「閒人讓道！」雙手一分，推得七、八個人跟跟蹌蹌地向後退去。

別人看他雖是便衣青帽，但掛著腰刀，氣勢凶惡，正是身著便裝的武林打扮。

原來，明朝中葉，常有巨宦大官，私下行訪，那護駕的武官衛士，自是也著便裝，但卻又在隱隱之間，表現出他的身分，身著便裝，卻又要掛上一支金把垂纓的腰刀，此事行得多了，民間自有傳聞。

那些被杜九推開之人，心中原是不服，但見他那一身裝束和華貴的馬車，誰也不敢多言，只好忍了下去，紛紛讓開去路。

馬車直行到三江書寓門前，停了下來。

商八掀開車簾，當先而下，蕭翎、展葉青魚貫下了馬車。

杜九、商八當先開道，大步向三江書寓行去。

卧龍生 精品集

蕭翎緊隨在展葉青的身後，亦步亦趨。

這三江書寓在這鄂州城中，乃是最負盛譽的一家妓院，院中姑娘，個個美豔多姿，因此，在這塊妓院林立之地，也以那三江書寓的生意最好。

展葉青氣勢不凡，進得那三江書寓的大門，立時有兩個龜奴迎了上來。

杜九一橫身，攔住兩個龜奴，冷冷說道：「別要驚著二公子。」

兩個龜奴應了一聲，停了下來。

商八繞過展葉青迎了上去，打著官話，道：「咱們二公子，久聞你們三江書寓的豔名，特地抽空來此瞧瞧，可有上好的客室，帶咱們二公子去坐坐，只要咱們公子爺玩得開心，你們有得賞錢可拿。」

那商八精通多處方言，說來是叫人難辨真假。

蕭翎暗中打量那兩個龜奴一眼，身著土布褲褂，但眉宇間卻現出一種桀驁不馴之氣，被商八一頓官話，打的呆在當地，半晌不言不語。

顯然這三江書寓中，亦有了嚴密的戒備，這兩個龜奴，分明是武林高手改裝，一副生手生腳的模樣。

杜九冷笑一聲，道：「咱們師爺給你們說話，你們聽到沒有？」

兩個龜奴相互瞧了一眼，左面那人答道：「小人禮貌不周，客爺勿怪……」

伸手指著北廂一個繡簾低垂的門戶，說道：「還有一個空房，諸位客爺，請房裏坐吧！小

110

人去招呼姑娘們見客。」

商八晃著腦袋，道：「咱們二公子是何等身分，豈能在這等混雜之處取樂。」

杜九抬頭一看，道：「那假山之後，是何處所？」

右面一人道：「那是後院，今日已被熟客訂滿。」

杜九道：「攆他們走就是。」大步向前行去。

兩個龜奴全是生手，一時間，不知該如何應付，呆呆地站著不動。

展葉青冷笑一聲，道：「你們這家書寓，可是不想開了……」人卻緊隨在杜九身後行去。

杜九已聽商八說過三江書寓的大略形勢，大膽行到通向後院圓門前面，一掌擊在門上，喝道：「快些開門。」

原來，那圓門竟然是緊緊的閉著。

但聞呀然一聲，圓門大開，一個身著綢褂的中年大漢，擋在門口冷冷說道：「閣下找哪一位？」

杜九冷冷然道：「逛窯子來。」

那青衣大漢打量了杜九一眼，道：「後院客滿，閣下明日請早。」伸手去關木門。

杜九右腿一抬，踹在一扇門上，道：「給我滾開！咱們二公子特地趕來，豈能掃興而歸？」

那青衣大漢正待發作，展葉青和蕭翎已然趕到。

展葉青怕兩人可能會衝突起來，急急說道：「這人開門很快，賞他一片葉子。」

商八應了一聲，由懷中取出一片金葉子，遞了過去，道：「還不快謝二公子賞賜。」

那青衣大漢瞧了手中金葉子一眼，少說也有二兩左右，立刻欠身說道：「多謝二公子的厚賞，小人替諸位帶路。」當先向前行去。

蕭翎藉機四顧一眼，果然發覺屋面上一片通明。

但這後院情景，和前院大不相同，前院是每一間客房裏，燭火如晝，屋簷下吊著花燈，弦管盈耳，歌聲不綴，但這後院之中，卻別是一番情調，屋面上燭火通明，院中走廊，卻不見一盞花燈，每一間客房門窗，都有厚厚的布簾垂遮，不見燈光外洩，笑語之聲也只是隱隱可聞。

顯然這後院客室，是經過特殊設計建築而成的。

那青衣大漢帶著幾人，走完了一道長長的走廊，將到盡處，才推開一扇木門，招手一揖，道：「幾位請裏面坐，小人立時叫姑娘們見客。」

杜九心中暗道：這小子把我們帶到此地，只怕是不懷好意，要當心他一些才是，當下說道：「房裏有人嗎？」

那青衣大漢道：「如是有人，小人怎敢帶諸位來此。」

杜九道：「好！你進去燃起燈火！」那青衣人應了一聲，當先行入室中。

杜九站在門口，暗運功力戒備，卻是不肯隨他而入。

只見火光一閃，室中亮起了一支火燭。

燈光燃起，杜九才緩步而入。

這是一座兩丈方圓的寬敞客室，四周都垂著深紫色的布簾，檀桌、錦墩，佈置得十分豪華。

那青衣大漢緩緩說道：「小人去替幾位叫姑娘來。」

杜九冷冷說道：「不用慌，咱們公子是萬金之軀，區區職責所在，不得不小心一些。」

急步繞著垂落簾子，行了一遍，道：「你去吧！快些要他們送上酒、菜，最好的姑娘叫兩個來，先陪咱們公子喝酒，如是咱們公子爺吃得高興，說不定會留宿，那就是你們的造化了。」

那青衣大漢聞言轉身出門而去。

展葉青帶著蕭翎，步入客室，那商八卻留在室外。

蕭翎低聲說道：「由那廊簷到這座客室，竟有兩重門戶，堅壁厚門，哪裏像是妓院？」

杜九低聲應道：「小弟已查過牆壁，至低限度，這絨幔之後，沒有敵人埋伏。」

蕭翎道：「那百花山莊萬花樓上，層層有機關埋伏，這三江書寓，如若真是那沈木風經營之地，只怕這室中也有埋伏，咱們小心一些。」

只聽到商八輕咳了一聲，道：「好標緻的姑娘。」

他這幾句話聲音雖低，但卻用丹田之力道出，展葉青等聽得十分清晰，急急就座，蕭翎站在身側，杜九卻退到垂簾入口處，肅然而立。

只聽蓮步細碎，環珮叮噹，垂簾啓處，魚貫走進來四個美貌少女。

當先一個，身著白衣，鬢插紅花，薄施脂粉，淺掃娥眉，打扮得甚是樸素。

第二個綠衫綠裙，胸插翠花，也是一身素裝。

第三、第四兩位姑娘，卻是濃妝豔抹，全身紅衣。

一個二十上下，面目清秀的小廝，隨後而入，欠身一禮，說道：「這四位是咱們三江書寓最紅的四塊金牌……」

展葉青指指那兩位素妝少女，說道：「賞他一片金葉子。」

商八早已隨在那小廝之後，走了進來，伸手往袖中取出一片金葉子，遞到那小廝手上，道：「這是公子爺賞錢，留下前面兩位姑娘。」

那小廝怔了一怔，接過賞錢，低聲對兩位穿紅衣女子說道：「走啦。」當先轉身而去。

兩個穿紅衣的少女，望了展葉青一眼，嘟起小嘴，隨那小廝而去。

展葉青望望兩位姑娘一眼，道：「姑娘請坐。」

蕭翎站在展葉青的身後，暗中卻留神著二女的一舉一動，只見二女道謝一聲，落落大方地在兩側坐了下去。

那展葉青自幼在武當山中長大，從未和女人單獨相處，此刻面對著兩個絕美佳人，雖是逢場作戲、別有用心而來，一時之間，倒也不知該說些什麼。

過了良久，才想起一句話，道：「兩位姑娘的花名如何稱呼？」

那白衣姑娘微微一笑，道：「賤妾白梅，這位是綠荷妹妹。」

展葉青輕輕咳了一聲，道：「兩位姑娘在這三江書寓很久了嗎？」

白梅道：「薄命女子斷腸花，但淪落風塵也不過三月時光。」

展葉青聽她口齒伶俐，暗暗忖道：這女人能說會道，只怕不是好與人物……

忖思之間，酒、菜已經送上。

展葉青道：「在下姓程。」

白梅挽起酒壺，替那展葉青斟了一杯酒，道：「請教客爺貴姓？」

白梅倒滿了自己酒杯，道：「有幸得遇程公子，賤妾奉敬一杯。」舉杯一飲而盡。

展葉青舉杯放在唇邊，嗅了嗅，道：「有負姑娘雅意，在下是滴酒不沾。」

綠荷拿起展葉青面前的筷子，道：「公子不會吃酒，那麼多用點小菜。」

挾起盤中一塊雞肉送上，說道：「我們姊妹得蒙公子垂青，心中感激不盡，公子酒不沾唇，賤妾等自是不敢勸酒，請吃下這塊小菜如何？」手中雞肉，直向展葉青口中送去。

展葉青心中為難，只覺吃也不是，不吃也未免太過示弱，正自猶豫難解，忽見一隻手伸了過來，食、中二指，挾住了綠荷手中的一雙檀木筷子，道：「咱們公子是何身分，姑娘怎能如此失禮。」

展葉青目光一轉，瞧那出手之人正是蕭翎，微微一笑，也不阻止。

五　青樓波折

蕭翎暗運內功，一股暗勁，順著筷子，傳了過去。

二女舉止，不似常在風塵中人，蕭翎心中早已動疑，存心藉機會試試二女，是否身懷武功。

只見綠荷明亮的雙目，轉注在蕭翎臉上，眨動了兩下，突然尖叫一聲，放開了手中筷子。

蕭翎這些時日中，江湖閱歷大增，心中暗道：我傳出的內力，雖然不重，但如她不會武功，受此一擊，必將是花容失色，氣血翻湧，哪裏還能叫得出來，而且我傳出的力道，十分迅快，此女明明在承受一擊之後，毫無傷損，故意丟下筷子，裝作驚慌之狀，高聲尖叫，有意傳警，這其間雖只有片刻時光之差，但其用心結果，卻是大不相同……

心念轉動，口中卻冷冷說道：「姑娘好心機啊！好做作啊！」

綠荷望著展葉青道：「公子這位書僮，好生無禮……」

展葉青淡然一笑，說道：「他可是傷著了姑娘嗎？」

綠荷道：「雖未傷著，但卻駭我一跳。」

展葉青道：「他未和姑娘手指相觸，肌膚相碰，不知如何會駭了姑娘一跳？」

綠荷兩道清澈的眼神盯注在展葉青的臉上，道：「公子當真沒有瞧到嗎？」

展葉青道：「我是未瞧出來。」

綠荷緩緩站起身子，道：「賤妾雖然淪落在風塵之中，但自幼卻也讀過幾年詩書，而且行有行規，公子垂青賤妾，賤妾自是甚感榮寵，公子就算輕薄賤妾，那也罷了，但公子縱容一個隨身小廝，對賤妾這般無禮，那也未免欺人太甚了……」

白梅輕輕拉了綠荷一把，說道：「妹妹快些坐下，這位程相公瀟灑文雅，氣度華貴，自是大有來頭的人物，妹妹豈可對待相公無禮。」

綠荷借階下臺，緩緩又坐了下去。

白梅目光轉注到展葉青的身上，道：「公子不要生氣，我這位妹妹脾氣一向很壞，唉！因此之故，也不知得罪了多少客人。有道是大人不見小人怪，公子萬金之軀，自是不會生我們小窰姐的氣了，奴家敬你一杯。」端起酒杯，又乾了一個滿杯。

蕭翎暗道：好啊！轉來轉去，不是要他吃酒就是勸他吃菜，看來這酒、菜之中，果然是有些名堂了。

展葉青端起酒杯，做了一個樣子，仍是酒未沾唇，又放回了原處。

白梅也不再勸展葉青，卻望著蕭翎說道：「小管家，今日我這綠荷妹妹，是你家相公招來，在我們行規中說，別人輕薄不得，只要你家相公，今宵不肯寵幸我綠荷妹妹，小管家有興

岳小釵

致可明日再來，招我這位綠荷妹妹奉侍，那時，小管家怎麼輕薄，她也不會生氣了。」

蕭翎只聽得雙頰發燒，如非戴著人皮面具，定可看到他滿臉羞紅。

商八久走江湖，江湖上玩樂之地的竅門，無不熟悉，擔心展葉青和蕭翎被這個妖豔的女郎套住，落入圈套之中，立時緩步走了過去，道：「這位小管家，雖是咱們公子的隨從，但兩人自小在一起長大，彼此之間，相處甚洽……」

只聽室外傳入了一聲高喝，道：「白梅、綠荷，見客。」

白梅、綠荷緩緩站起身子，道：「公子請稍坐片刻，賤妾見客之後就來。」

展葉青從未進過妓院，眼看兩人起身欲去，竟不知如何才好，商八一橫身，攔住了去路，道：「兩位姑娘欲往何處？」

白梅道：「啓簾見客。」

商八冷冷說道：「咱們公子在北京城中，會過無數名妓，也是不准她們再行見客，兩位身價多少，開出盤價，咱們包下了。」

綠荷道：「行有行規，貴公子縱然多金，咱們姐妹也不敢貪多，有背行規。」

商八冷笑一聲，道：「咱們今宵留定了兩位。」

目光轉注到杜九的臉上，道：「喚那龜奴進來。」

杜九應了一聲，大步行出室外，片刻工夫，帶了一個身著青衣小帽的大漢，行了進來。

商八望了大漢一眼，道：「你可是當值之人？」

那青衣大漢應道：「不錯，師爺有何吩咐？」

商八冷冷說道：「這兩位姑娘的身價若干，咱們公子包下了，不用啓簾見客。」

那青衣小帽的龜奴，掃掠白梅、綠荷一眼，面現難色，沉吟了一陣，道：「這兩位姑娘，是我們三江書寓中頂尖的紅姑娘，結交的客人都是本地仕紳名流，很多客人，常有非兩位不歡之癖，如是貴公子包下兩位姑娘，只怕今晚，咱們這三江書寓，非被鬧一個天翻地覆不可。」

商八道：「小小一個鄂州府的仕紳名流，算不得什麼。咱們公子既然是看上了兩位姑娘，就非得留下不可。」

那龜奴陪笑說道：「這麼辦吧！小人暫帶兩位姑娘出去應酬一下，半個時辰之內，定把兩位姑娘送回。」

展葉青冷冷說道：「這人說話無禮，掃我酒興，打他一個耳光子。」

杜九應聲出手，一掌劈去。

那龜奴眼看一掌劈來，橫向旁側閃去。

杜九出手，何等快速，那人避開了杜九左掌，卻不料杜九右掌隨後而至，呼的一聲，掌個正著。

這一掌落勢甚重，打得那龜奴身子搖了兩搖，幾乎撲倒在地上。

那龜奴受此一擊，心中大怒，大聲喝道：「你怎麼可以出手傷人？」

杜九冷冷說道：「你如再激怒了咱們公子，當心劈下來你的腦袋！」

白梅柳腰款擺，蓮步姍姍地走向杜九，道：「這位出手好快喲！」

商八眼看已出了手，立刻就將有一場激戰，看那龜奴閃避杜九第一掌的身法，十分快速，並非是平庸之輩，立時舉手向外一揮。

中州二賈，久年相處，彼此之間舉手投足，都能了然對方心意，杜九不再理會白梅和那龜奴，閃身出室，守住室外的門口。

商八卻一橫身，攔住了白梅和那龜奴去路，道：「姑娘快請回座位上去。」

白梅輕歎一聲，道：「王子犯法，和庶民同罪，那位出手傷人，未免有些過份了。」

那龜奴藉白梅和商八談話的機會，暗中運氣調息。

蕭翎低聲對展葉青道：「這兩個丫頭桀驁不馴，如不給她們一點苦頭吃吃，只怕難以馴服。」

展葉青微微點頭，霍然站起，右手一揮，疾向白梅腕脈之上抓去，口中怒聲說道：「臭丫頭，如此放肆。」

白梅眼看展葉青出手快速異常，哪裏還敢裝作，嬌軀一閃避了開去，道：「這是為何？」

展葉青冷冷道：「原來姑娘有著如此快速的身手，那無怪不肯馴服了。」

口中說話，手卻未停，雙手連揮，拍出三掌。

這三掌都是武當門中綿掌中的奇招，一般武師避開一招，也非易事，但那白梅卻能輕易把三招盡皆避過。

商八道：「姑娘好身法。」

右手一伸，疾向白梅右臂抓去。

白梅嬌軀向前一傾，疾快一個旋身，輕巧絕倫地竟又把一擊避開。

商八一皺眉頭，道：「姑娘身手果非等閒。」

雙手施展開擒拿手法，連攻四招。

白梅嬌軀連閃，竟把四招一齊避開。

她連連避開了展葉青和商八兩個高手擒拿的攻襲，竟未還一招。

蕭翎眼看那白梅身手如此矯健，亦不禁為之暗暗驚駭，忖道：這丫頭如若果是百花山莊中人，武功只怕還在金蘭、玉蘭之上，不知是何身分。

白梅雖然連連避開了展葉青和商八兩人的掌勢、擒拿，但心中卻知遇上了第一流的高手。

避開了商八擒拿手法之後，緩緩說道：「幾位究竟是何身分？官場中人，卻難有這等身手。」

商八道：「姑娘身法雖然奇奧，但江湖上的見聞，卻是有限得很。」

白梅冷笑一聲，道：「彼此既然已經挑明，幾位也不用再隱瞞身分了。」

商八道：「姑娘這等身手，亦非煙花院中人物，不知可否先見告身分？」

白梅右手纖指沿著衣襟輕輕一劃，一襲外衣，有如刀割一般的整齊，接著一抖嬌軀，身著

外衣突然落在地上，露出一身緊裹嬌軀的勁裝。

緊接著，左手一彈，羅衫落地，露出了玄色長褲。

這時商八擋在出口之處，展葉青站在酒席之前，蕭翎仍然站在展葉青的身後。

綠荷仍然是穿著外衣長裙，斜倚在一張木椅之上不動。

白梅一身玄色勁裝，站在商八和展葉青兩人之間，腰中橫束著一條白色的絲帶，分插著四把匕首。

目光轉動，掃視了商八和展葉青一眼，道：「幾位已然陷身絕地，此刻不說，等一會兒亦是非說不可，那是敬酒不吃吃罰酒了。」

商八道：「姑娘的口氣很大，不知在百花山莊中是何身分？」

白梅怔了一怔，道：「諸位好像已經很清楚我們的底細了。」

商八道：「難道姑娘還覺得這三江書寓很隱秘嗎？」

白梅目光轉注到綠荷的臉上，緩緩說道：「綠荷妹妹，眼下這幾位，都是經過刻意裝扮而來，雖然掩去了本來面目，但都是當今武林中的一流高手，姊姊一人之力，只怕難以對付得了，還有勞妹妹出手了。」

綠荷淡淡一笑，緩緩脫去長裙、外衣，露出一身綠色的緊身勁裝，腰中也橫束了一條白色絲帶，和白梅一般的分插著四把匕首。

商八目光一掠兩人，兵刃插著的方位，立時說道：「這兩位丫頭的武功，同是一條路子，咱們能找出一個人的破綻，那就不難收拾兩個人了。」

綠荷冷冷說道：「幾位試試再誇口不遲。」

雙手一招，各握著一把匕首。

蕭翎心中暗道：那綠荷適才一聲尖叫，這龜奴又被我等留在此地，只怕他們已經得到消息，此刻不見動靜，只怕是正在佈置了。

只聽商八說道：「好！我來試試姑娘匕首上的奇幻招數。」

蕭翎身子一側，搶在商八的前面，道：「不用勞動你了……」

目光轉到綠荷的臉上，說道：「姑娘對在下心中記恨甚深，此刻當可報得適才之辱了。」

綠荷冷笑一聲，道：「你是死有餘辜。」

雙手陡然一抬，兩道寒芒，疾向蕭翎身上刺來。

燭光下，兩把匕首幻起一片寒芒，籠罩了蕭翎前胸數處大穴。

她這出手一擊，只瞧得展葉青和商八心中一凜，暗道：這丫頭好快的手法，好奇幻的招數。

心中輕敵之心，一掃而空。

蕭翎一提真氣，腿不屈膝地向後退了一步，便輕輕把一招避開。

綠荷怔了一怔，道：「你究竟是何身分？」

蕭翎道：「一個小廝而已。」

綠荷冷冷說道：「閣下武功不在你們公子之下。」

蕭翎道：「承蒙誇獎了。」

心中暗暗盤算道：這兩個丫頭武功的確不弱，如不早些把她們制服，等一下強敵趕到了，內外夾攻起來，那時就更難對付了……

忖思之間，瞥見那青衣小帽的龜奴，突然一躍而起，疾向商八撲了過去，手中寒光閃閃，竟然也拿了一把匕首。

商八冷哼一聲，左手疾點那人右脈穴，右手平胸推出，一招穿心拳，擊了過去。

這一擊快速絕倫，而且攻守兼備。

只聽一聲慘叫，那龜奴疾退兩步，一跤跌摔在地上，鮮血湧出，身子掙動了一下，氣絕而逝。

商八心中一直記著一刀之恨，出手十分狠毒，一擊致命。

他一擊震斃了那龜奴之後，左手已奪下了那人手中的匕首。

白梅看那龜奴被商八一拳擊斃，心中吃了一驚，暗道：這幾人都是一流高手，實非好與人物。

蕭翎藉二女心神轉注到那龜奴屍體之時，雙手悄然套上了千年蛟皮手套。

展葉青望了那龜奴屍體一眼，冷冷說道：「兩位姑娘如若還不知早日悔悟，這龜奴就是兩位的榜樣了。」

白梅冷峻地望了展葉青一眼，緩緩道：「只怕未必。」

突然躍起，左、右兩手，各執一把匕首，疾向商八衝了過去。

就在白梅躍起的同時，綠荷也緊隨躍起，撲向蕭翎，右手一揮，迎胸刺去。

蕭翎早已有了打算，眼看綠荷一刀刺來，右手一揮，疾向那刀上抓去。

綠荷心中暗道：我這匕首，鋒利無比，就算你練過鐵沙掌的功夫，也要傷在匕首之下。

去勢微緩，故意讓蕭翎抓住匕首，暗運功力，左右一搖。

在她想來，這揮手一搖，必可使蕭翎斷去五指，鮮血淋漓，哪知事情竟是大謬不然，對方抓住了匕首，不但毫無損傷，自己反覺得手中匕首，有如被一道堅固的鐵鉗鉗住，竟是難再移動。

綠荷暗運功力，一挫腕，仍是無法收回匕首，這才知道遇上了生平未遇的勁敵，不禁大吃一驚，左手一揮，拍向蕭翎的右腕。

蕭翎心中暗道：這丫頭可惡得很，非得讓她吃些苦頭不可，默運內力，陡然向前一帶，奪過了綠荷手中匕首。

這時，綠荷的左掌，剛好劈下，啪的一聲，正擊在自己右臂之上。

但她武功不弱，在千鈞一髮之間，收住了劈出掌勢的力道，手掌雖然擊中在右臂上，但卻是並未受傷。

蕭翎左手疾收，快逾閃電一般，扣住綠荷的左肘關節，微一加力，綠荷驟感到骨疼如折，全身力道盡失，無能反擊。

蕭翎制住綠荷，轉目望去，白梅和商八正展開了一場激烈絕倫的惡鬥，白梅手中兩把匕首，招招如電光石火一般，攻向商八要害大穴，商八全力反擊，施展擒拿手法，空手入白刃，扣向白梅緊握匕首的雙腕。

但那白梅刀滑異常，商八雖然盡出怪招，仍然無法擒拿住白梅的手腕，不過白梅那凌厲的攻勢，已被商八壓制了下去。

蕭翎目注兩人搏鬥之情，心中暗道，再有十回合，商八可控制全局，二十回合內，可以奪下白梅手中匕首，但此刻形勢不同，拖延時間，於我有百害而無一利，此非爭名比武，何不暗助商八一臂之力。

心念一轉，暗提真氣，發出了修羅指力。

一縷暗勁，疾湧而去。

白梅只覺到右腿突被一股無聲無息的力道擊中，全身頓感麻木。

商八雙手伸來，輕而易舉地握住了白梅雙腕，微一用力，奪下白梅手中匕首。

白梅覺出腿上受擊甚重，已無抗拒之能，也不再出手還擊，任那商八出手點了兩臂穴道，目光一掃蕭翎和展葉青，道：「哪一個暗中出手傷了我？」

蕭翎淡淡一笑，道：「區區在下。」

商八突然舉起手中匕首，尖利的鋒芒，輕輕在白梅臉上移動，說道：「姑娘如是珍惜這如花玉容，那就據實回答在下的問話。」

126

白梅冷冷地望了商八一眼，道：「那要看你問什麼了！」

商八一緩緩說道：「沈木風現在何處？」

白梅冷笑一聲，道：「沈大莊主行蹤神秘，豈是我等可以猜測，他也會陡然在此室之中出

現……」

語聲微微一頓，接道：「你可是認爲今宵還能離開這三江書寓嗎？」

陡聞室外傳來一聲怒喝，道：「再接一掌試試。」

聲音中帶著一股冰冷的味道，正是杜九所發。

展葉青右手一扯，脫去長衫，嗆的一聲抽出長劍，道：「我去接應杜兄。」大步向室外行

去。

只聽室外兵刃相擊的聲音陣陣傳來，想是打鬥十分激烈。

商八一皺眉頭，道：「強敵已全面發動，這個丫頭要如何處理？」

蕭翎道：「百花山莊中人，個個積惡甚多，但兩個丫頭已無法反抗，殺之不武。」

商八手中匕首微微一挑，在白梅左頰之上，劃了一道血口，冷冷說道：「姑娘可是認爲在

下下不得手嗎？那沈木風是否已來了鄂州？」

白梅突然一閉雙目，兩行淚水，順著眼角流了下來，緩緩說道：「殺剮毀容，任憑於你，

不用多問我了。」

她臉上是一股自憐自惜神色，但卻緊咬牙關，不肯再言。

蕭翎輕輕歎息一聲，道：「不能太怪她們，百花山莊規令森嚴，她久處在沈木風積威之下，心中早已畏懼萬分，殺了她們，也是無用，點了她們穴道算啦。」

商八道：「大哥說得是。」

伸手又點了白梅的兩處穴道。

只見垂幔一動，一道寒芒疾射而出，直射向蕭翎後心。

蕭翎右肘一抬，點了綠荷穴道，左手疾向後背一抄，抓住了一支銅鏢。

右手一抖，把奪得綠荷的匕首投入了垂幔之中。

只聽垂幔後一聲悶哼，傳了出來，想是有人被蕭翎匕首擊中。

商八一伸手，抓住垂幔一用力，沙的一聲，竟把垂幔扯下了一片。

凝目望去，只見一個全身青衫的大漢，倚壁而立，前胸之上，插著一支匕首，深沒及柄，看樣子早已氣絕而逝。

壁間一座暗門，尚未關閉。

商八低聲說道：「小心了，這室內有機關佈設。」

蕭翎道：「咱們衝出去吧！」一側身子，當先向前行去。

只見劍光耀目，展葉青揮動手中長劍，正和一個青衣大漢，鬥得十分激烈。

杜九似是已被人逼到院落之中，展葉青揮劍擋在門口。

蕭翎身子一側，掠過展葉青身旁而過，左手一伸，抓住了那青衣大漢手中長劍。

128

他手中套著千年蛟皮手套，刀劍難傷，別人不知內情，看他空手來抓長劍，心中自是毫無畏懼。

那人長劍被蕭翎抓住，不禁微微一呆，就在他一怔神間，展葉青一劍刺來，透胸而過。

蕭翎順勢奪過那大漢手中長劍，飛步出了室門。

抬頭看去，只見杜九被四個大漢團團圍在中間，合力迫攻。

這時，院中高挑著兩盞紅燈，景物清晰可見。

那四個大漢的武功，都很高強，兩人施劍，兩人用刀，攻勢猛烈異常，杜九一手鐵筆，一手銀圈，分拒雙劍雙刀，處境極是危險。

蕭翎一提氣，疾衝而上，手中長劍左右擺動，擋開了兩柄長劍。

杜九眼看蕭翎到來，精神大振，銀圈封開雙刀，鐵筆奇招突出，點中了一個使刀大漢的左肩。

那大漢被杜九一筆洞穿肩頭，受傷甚重，疾向後面退去。

蕭翎飛起一腳，又踢在那大漢左膝之上，咯噔一聲，那大漢一條腿，生生被踢斷。

那人連受兩處重創，哪裏還能站立得住，一屁股坐在地上。

蕭翎動作奇快，左腿踢出的同時，右手長劍也遞了出去，唰的一聲，劈斷了一個執劍大漢的左臂。

四個圍攻杜九的高手，片刻間傷了兩個人，餘下兩人，心中大為震駭，哪敢戀戰，同時急

攻兩招，倒躍而退。

那大漢奔行之間，突聞衣角飄風之聲，直撲下來。

回頭看去，只見蕭翎連人帶劍疾撲過來，來勢奇快，有如電閃雷奔一般。

那大漢吃了一驚，暗道：這人來勢好快。

急忙舉起手中長劍，疾向蕭翎迎去。

蕭翎左掌拍出一掌，擊在那人長劍之上。

那大漢倒是堅強得很，雖被劈落了一隻臂膀，冷哼一聲，仍然向前奔去。

蕭翎左手一抬，發出修羅指力。

一縷暗勁，急射而去，正擊在那大漢背心之上。

那大漢既斷一臂，又為修羅指力擊中，哪裏還能支撐得住，悶哼一聲，倒在地上死去。

蕭翎殺機已動，發出修羅指力的同時，右手長劍也投擲出手，白虹一道，破空飛去，直向那執刀大漢後背擊去。

那大漢聽金刃破空之聲，疾飛而至，疾轉身軀，回手劈出一刀。

哪知蕭翎的劍勢中含蘊力道奇強，那大漢揮手一刀，只不過把劍勢震得約略一頓，閃閃寒芒，穿胸而入，屍體栽倒，氣絕而逝。

蕭翎殺了兩人，回頭看去，只見那兩個受傷之人，亦為杜九所殺。

奇怪的是，這幾人死去之後，竟是不見再有人來，四面一片悄然。

抬頭看屋面，燈光如晝，照得屋頂一片通明。

展葉青大步行了過來，道：「咱們一番打鬥，已驚動了整個三江書寓，此刻不再見強敵出現，只怕是別有陰謀。」

蕭翎流目四顧一眼，道：「不錯，咱們該小心一些才是。」

語聲甫落，忽然南面屋門，響起了一聲冷笑，道：「你們早已在我等包圍之下，四面暗器，都是極為細小的淬毒之物，如若我一聲令下，四面將一齊發動，爾等縱然本領再強一些，也難逃出那千百萬密如驟雨、細若牛毛的暗器襲擊，勢必要被傷在暗器之下不可。」

蕭翎不願暴露身分，低聲對展葉青道：「展兄和他答話，兄弟暗中觀察一下情形。」

展葉青微微頷首，高聲說道：「閣下是什麼人？」

暗室又傳出那人的聲音，道：「你不用問老夫是誰，眼下爾等只有兩途可循，不是放下兵刃，束手就縛，就是死在各種淬毒暗器之下。」

蕭翎道：「看四周形勢，他亦非完全是虛言恐嚇，若他所說的是真，那確實不宜避開，為今之計，只有先行設法，退回咱們飲酒室中，再設法激他發出暗器，也好量情籌思破敵之法。」

展葉青一皺眉頭，低聲說道：「蕭兄，此刻咱們該當如何？」

只聽商八的聲音傳了過來，道：「兩位最好識趣一些，老夫一向不知憐香惜玉。」

蕭翎等轉目望去，只見商八左手牽著白梅，右手扣著綠荷腕脈，大步行了出來。

杜九沉聲說道：「老大，快退回去。」

商八搖搖頭，道：「屋裏不能停，他們要施放毒煙，咱們退回房中，那是自投羅網了。」

杜九冷冷說道：「原來他們想把咱們誆回房中，施以毒煙相害。」

說話之間，商八已走到了幾人身前。

展葉青低聲說道：「這院落四周，滿伏暗器，此刻咱們已陷入他們的暗器陣中了。」

商八四顧一眼，只見院落中一片平坦，除了地上青草之外，可以說是毫無可資藏身之地，不禁一皺眉頭，道：「他們如要施放暗器，說不得只好借用這兩位姑娘的嬌軀，當作盾牌了。」

但聞北面一座房中，傳出了另一個冷冷的聲音，道：「爾等不見棺材不掉淚，不叫你們見識一下，大約你們還不肯相信了。」

蕭翎低聲說道：「四面都有暗器，不可大意，咱們各顧一面。」

語聲甫落，陡然向前躍飛五尺，抓住一具屍體，反身一躍，退回原地。

這一陣去來，不過是眨眼之間，當真是快如電光石火。

北面室中又傳出一聲冷笑，道：「我只想叫爾等先見識一下，開開眼界……」

語聲微微一頓，接道：「放出飛鷂。」

一陣鳥翼劃空之聲，兩隻灰色飛鷂，由窗口飛了出來。

這兩隻鷂鷹，大約在籠中關了不短時間，出籠之後，立時振翼直上。

132

兩隻飛鴿，剛剛飛過屋面，忽聞一陣沙沙之聲，燈光下，只見千百枚銀線，閃閃生光，兩隻飛鴿，同時墜落實地死去，落地之後，竟然未再掙動一下。

顯然，那暗器不但密如驟雨，而且都經過劇毒淬煉。

北面暗室中又傳出那冷漠的聲音，道：「爾等之中，誰是蕭翎？」

蕭翎怔了一怔，一時之間，反不知是否該挺身承認。

猶豫之間，商八已哈哈大笑，道：「咱們之中並無蕭翎，如是那蕭大俠，也在此地，只怕你們早已死傷於他的掌、劍之下了。」

杜九伸手抓住了白梅，擋在身前，說道：「南、北兩面各有一屋，皆藏有敵人，咱們衝到那室中去，再設法破隙而出。」

一向足智多謀的商八，此刻竟然也想不出一個主意來，沉吟不語。

但四人心中都明白，如是四周暗器的密度，都如北面的佈置一般，幾人很難有機會衝入屋中。

奇怪的是，那人問了一句之後，竟然不再說話，暗夜中，雙方默默地對峙著。

良久之後，商八才低聲對蕭翎說道：「大哥，他們似是在等人，時間對咱們極為不利，我瞧只有衝入室中，咱們四人之中，大哥是唯一有生存機會的人，因此，不用顧及到我們了......」

蕭翎搖搖頭，道：「不成，每一個人都有生存的權利，咱們四人為何應該是我。」

卧龍生 精品集

展葉青輕輕歎息一聲，道：「蕭大俠還未了解中州二賈他們兩人的心意，在此等情形之下，我等要盡可能保護你蕭大俠的安全。」

蕭翎一皺眉頭，道：「這是什麼話，咱們四人生死同命，在下開道，咱們先闖入北面房中，再作道理。」

目光一轉，只見白梅雙目圓睜，瞧著自己，似是有話要說。

蕭翎心中一動，道：「商兄弟，你點了她們的啞穴？」

商八道：「我怕這兩個丫頭，胡亂喊叫，所以點了她們的啞穴。」

蕭翎道：「商兄弟，解開這位白梅姑娘的穴道。」

白梅長長地吁一口氣，望著蕭翎，低聲說道：「你是蕭大俠？」

蕭翎道：「不錯，在下蕭翎。」

白梅道：「有一位玉蘭姑娘，你可認識嗎？」

蕭翎想到金蘭、玉蘭，同時陪伴，久已失蹤，不禁心頭黯然，輕輕歎息一聲，道：「不錯，姑娘也認識玉蘭姑娘？」

白梅道：「我和玉蘭情如手足……」

突然放低了聲音，道：「不能向那北面房裏闖，在那密如狂雨的暗器之下，你們沒有機會。」

134

蕭翎微微一怔，道：「姑娘可有良策？」

白梅道：「只有一個辦法，但得蕭大俠信任我們才行。」

蕭翎道：「什麼辦法？」

白梅道：「放了我和綠荷妹妹……」

商八冷笑一聲，道：「小丫頭想得倒好，商老二大風大浪行舟無數，難道真的還會在陰溝裏面翻船嗎？」

白梅道：「這麼說來，你是一點也不了解那沈木風了，別說我們兩個女婢，就是我們再重要十倍的人，他若是想殺你們，也不會顧慮到你們擄的人質。」

蕭翎低聲道：「商兄弟，解開她們的穴道。」

商八呆了一呆，道：「當真放了她們？」

蕭翎道：「可不是當真嗎？」

商八拍活了白梅身上另外兩處穴道，接道：「這位綠荷姑娘呢？」

蕭翎道：「一併放去。」

商八依言施為，盡解二女穴道之後，道：「兩位可以去了。」

白梅道：「這樣不成，不能讓他們瞧出來是你們放了我們。」

杜九冷冷說道：「要裝作是你們自行掙扎逃走？」

白梅道：「不錯！為了掩人耳目，還得借重兩位，和我們姊妹動手幾招。」

商八道：「咱們送佛送上西天，兩位見著他們之後，要他們多發幾枚暗器。」

呼的一掌，疾向白梅拍了過去。

白梅一閃避開，低聲說道：「蕭大俠，聽到我尖叫之聲，立刻向北室中闖去。」

蕭翎道：「記下了。」

商八道：「女人的話，不可聽信。」雙掌一緊，連攻四招。

幾人這一番對答之言，聲音都放得很低，那埋伏在四周之人，縱然能聽到一點聲音，也都是隱隱約約，難知內情。

綠荷回手一掌，拍向展葉青，道：「可敢硬接我一掌試試？」

展葉青冷笑一聲，揮手硬接一掌。

他對蕭翎決定釋放二女一事，心中大不以為然，但見商八唯蕭翎之命是從，自己不好出手攔阻，心頭那股氣，實難忍下，不禁形諸於神色之間，綠荷一掌劈到，立時把一股怒火，盡皆發在綠荷的身上，右手一揮，全力推出一掌。

雙掌接實，響起了一聲輕震。

綠荷嬌嚶一聲，被震得連退了四、五步。

白梅也隨著虛攻一掌，倒躍而出，高聲說道：「妹妹傷得重嗎？」一面說話，一面奔向北面密室中。

展葉青道：「蕭兄這仁慈之風，果然人所難能，實叫兄弟佩服得很。」

蕭翎知他心中憤怒自己釋放二女一事，微微一笑，也不和他爭辯。

展葉青道：「不過，江湖上，奸詐百出，蕭大俠這等仁慈，實是不適在江湖上走動。」

蕭翎道：「留下二女，各位也未必就能脫得今宵之危，何不放了她們。」

展葉青道：「蕭兄惜敵，但敵人卻未必憐我，仁釋二女，無疑是縱虎歸山……」

話未說完，突聞一聲尖叫，傳了過來。

蕭翎縱身而起，道：「快衝過去。」

展葉青、商八、杜九，緊隨蕭翎之後，衝向正北方去。

但聞一陣沙沙之聲，正南方的屋中，暗器打出百縷銀針，疾射而來。

蕭翎掄動手中屍體，抵擋銀針，道：「快衝過去。」

四人動作奇快，一躍丈餘，正南方銀針發出，四人已躍離原地甚遠，那銀針雖然異常惡毒，但力道難及，成了強弩之末，蕭翎手中屍體，擋住了部分銀針，展葉青等卻藉機登上廊沿。

這時，如若北方室中，也打出暗器銀針，在不及一丈的距離中，蕭翎、展葉青等，縱然武功再強，也要傷在那淬毒的暗器之下。

但那室中靜寂如死，竟然不見暗器發出。

蕭翎用屍體一擋銀針之後，縱身而起，躍上廊沿。

只見商八、杜九、展葉青等，各執兵刃，緊依廊沿壁間走去。

蕭翎飛起一腳，踢開門戶，身子閃到一側。

只聽一個微弱的女子聲音，道：「諸位……進來吧！」

聲音正是白梅所發，但微弱異常，似是受了重傷一般。

蕭翎左掌護面，閃身入室。

商八、杜九，隨後衝入。

杜九掏出火摺子，隨手一晃，登時亮起了一道火光。

凝目望去，只見四個勁裝大漢，都已橫屍室中，綠荷滿身毒針，早已氣絕而亡，白梅倒臥在門後，只餘一縷弱息。

這是一幅淒慘的畫面，二女以生命、鮮血，換得了蕭翎等四人的安全。

蕭翎一伏身，抱起白梅，道：「姑娘，你傷得很重嗎？」

白梅搖搖頭，道：「我不行了，蕭大俠不用為我擔心，日後，你殺了沈木風，就算為我報了仇。」

蕭翎歎息一聲，道：「姑娘如非為了救助我等，如何會受此重傷，蕭翎等必當用盡心力，拯救姑娘的生命。」

白梅搖搖頭，道：「不用了，這室中的機關，都已被我毀去，你們從後窗沿著廊沿走，別讓屋面的燈光照著，向西行走到廊沿盡處，越牆而出，那就算脫險了……」她一口氣，說完了心中之言，累得嬌喘不息。

蕭翎看她雙目緊閉，似是已無法支撐下去。

立時一提真氣，右手按在她背心之上，一股熱流，直攻入了白梅的命門穴中。

白梅長長喘一口氣，道：「不知我可否一見蕭大俠的真面目？」

蕭翎道：「好。」伸手取下臉上人皮面具。

白梅打起精神，瞧了蕭翎兩眼，道：「好好照顧我那玉蘭妹子。」言罷，閉目氣絕而逝。

蕭翎黯然歎息一聲，放下白梅屍體。

四顧了一眼，道：「她衝入室中，出其不意的突施辣手，殺了兩人，餘下兩人，一人放出毒針，綠荷反擊，殺了那人，白梅和另外一人動手，落得個兩敗俱傷！」

展葉青望了蕭翎一眼，臉上泛現愧色，道：「兄弟誤解兩位姑娘棄暗投明之心，這裏謝罪了。」

蕭翎分對兩具屍體，恭恭敬敬，各行一個長揖。

蕭翎歎息一聲，道：「有朝一日，咱們殺了沈木風時，各位不要忘記遙祭兩位姑娘。」

商八道：「小弟記下了。」

蕭翎道：「咱們走吧！不能辜負了兩位姑娘捨命相救的一番心意。」當先向前行去。

幾人依照白梅所囑之言，打開後窗，果然有一道長長的走廊。

蕭翎暗運內力，扭斷窗格，沿走廊向西行去。

到了一處屋角所在，忽見寒芒一閃，一柄單刀迎面劈來。

蕭翎右手一抬，抓住單刀，用力一奪，那人生生被拖了出來。

展葉青長劍探出，唰的一聲斬斷了那人一條右臂。

只見那人身子一轉，砰的一聲撞在壁上，消失不見。

原來，這壁間竟有轉動的機關。

商八恍然大悟，道：「是了，我中了那一刀，就是如此，他在轉動的機關中，陡然出刀，叫人防不勝防。」

說話之間，已然到廊沿盡處，蕭翎一提氣，當先飛過一道矮牆。

只見那矮牆之外，花木扶疏，亭台聳立，竟是一個幽靜的花園。

但見人影連閃，商八、杜九、展葉青紛紛躍了過來。

商八目光一轉，道：「這地方有些不對，咱們得快些出去。」貼壁而行，向西行去。

幾人疾行過西側牆邊，幸無變故發生。

越牆而出，只見燈火明亮，行人往來，竟然又到了三江書寓的前面。

幾人輕功雖佳，但在華燈高挑，千百行人注視之下，幾人越壁而出，自難免被人瞧見。

幾人動作迅速，俱是滑溜無比，眨眼之間已隱入人群之中不見。

蕭翎道：「咱們要往何處去？」

三江書寓中的變化，一切都出了四人的意料之外，幾人想好的應變計畫，似是都不適用。

六　雙姝奮身

幾人沉默出城，來到一處江邊。

杜九流目四顧一眼，只見停身處一片荒涼，遠遠江濤隱隱，傳了過來。

蕭翎回目一顧，道：「有人來了。」

但見兩條人影，疾奔如飛，片刻間，已到了幾人身前。

蕭翎凝目望去，只見來人身著灰衣，手中各執一木棒，竟是丐幫弟子。

他吃過苦頭，幾乎被那毒針打中，見來人雖是丐幫衣著，也不敢稍鬆戒備。

只見左首那丐幫弟子說道：「哪一位是蕭大俠？」

蕭翎還未來得及答話，商八卻一挺身，道：「什麼事？」

那丐幫弟子打量了商八一眼，道：「小叫化奉我幫中孫長老之命而來，請蕭大俠趕去救人。」

蕭翎微微一怔，道：「救什麼人？」

那叫化道：「武林四大賢人為那沈木風設計所困，情勢緊急，敝幫孫長老和武當無為道

長，都已趕往相助，但恐實力又有了變敵，要我等趕到三江書寓，通知蕭大俠，即刻趕往相助……」

商八心中忖道：原來情勢又有了變化，無怪無人接應我們了。

但聞展葉青冷冷說道：「兩位奉命到了三江書寓，何以知我等來到此地？」

那中年叫化道：「小叫化在三江書寓之外，遇上了一個算命先生，指示小叫化一路追來。」

蕭翎暗道：那人定是司馬乾，看來是不會有錯了。

當下問道：「現在何處？」

那叫化子道：「現在羅氏宗祠。」

蕭翎道：「好！有勞兩位帶路。」

兩個叫化子陡然轉身，折向東南行去。

四人展開輕功，緊追在兩個叫化的身後。

行約七、八里路，兩個帶路的叫化子突然停了下來。

左手一人揚手指著一片黑色的房舍，道：「那就是羅氏宗祠。」

展葉青道：「兩位不去嗎？」

兩個叫化子齊聲應道：「我等還要上黃鶴樓上一行，而且孫長老有命，不許我等進入祠中。」

也不待蕭翎等再行答話，轉身急奔而去。

蕭翎道：「咱們進去瞧瞧。」

商八道：「此刻，咱們不用再穿這等偽裝的衣著了。」

蕭翎道：「不錯！」摘下了人皮面具收入懷中，脫去小廝衣著，露出本來面目，當先行去。

群豪齊齊脫下外衣棄去，魚貫而行。

這是一座很荒涼的祠堂，但建築的氣勢，卻很宏偉。

蕭翎邁步登上了六層石階，只見祠門緊閉，傾耳聽去，不聞一點聲音，心中奇道：難道那武林四大賢人，都已遇害不成。

心念轉動之間，舉手一推木門。

但聞呀的一聲，木門大開，原來那木門竟是虛虛地掩著。

進得大門，眼前是一處庭院，院中長滿了荒草，顯然這羅氏一姓，已經沒落，宗祠竟是無人看守整修。

行過了荒草庭院，又到了一座二門前面，敢情這座宗祠，還是兩進院落。

商八搶在蕭翎前面，道：「情勢有些兒不對，大哥小心戒備了。」揮手一掌拍在木門之上。

他掌力雄渾，這一掌又是用出全力劈出，但聞砰的一聲，那木門應聲而開。

凝目望去，只見一片黑暗，仍然瞧不出有什麼可疑之處。

143

商八低聲說道：「大哥，據那丐幫弟子所言，孫老前輩和無爲道長，都已趕到此地，怎的不見一點動靜，何況那武林四大賢人，雖然個個超脫拔俗，不願在武林恩怨中打轉，但他們的武功，卻是各有大成，沈木風縱然能夠把他們困住，也難在一時之間，置他們於死地，何以不聞一點聲息呢？」

蕭翎一皺眉頭，道，「不錯，這其間確有可疑……」

杜九道：「小弟爲大哥開路。」

也不管蕭翎是否答應，舉步向前行去。

蕭翎知他全是一片維護自己之心，也不忍出口阻攔，舉步緊隨在杜九身後而行。

展葉青低聲對商八道：「咱們落後八尺，防備暗器施襲。」

商八經過了那三江書寓的凶險一戰後，已知面臨的強敵是一位殘酷、狂悍的敵手，武功、機智，無一不超人，而且手段又極惡毒，哪裏還敢大意，伸手從懷中摸出了金算盤提在手中。

展葉青右手長劍交到左手，右手也從懷中摸出了兩柄七休劍，扣在手中。

兩人準備妥當，蕭翎和杜九，已然遠行到八尺開外。

四人戒備而行，直到正廳門前，仍是不見任何動靜。

杜九飛起一腳，踢在廳門之上，只震得壁窗嗦嗦作響。

那廳門雖牢，也擋受不了杜九這一腳，呀然大開。

杜九一側身衝入大殿中，晃燃了一支火摺子。

144

火光下，四面望去仍是不見人蹤，心中大為氣惱，罵道：「兩個臭叫化子，若是再叫我碰

上，非得拔了他們舌頭不可。」

這時，商八和展葉青，亦到了大廳外面。

商八仰臉望著天上星斗，喃喃自語地道：「難道這是調虎離山之計……」

語聲未落，突然一陣輕微的呻吟之聲，傳了過來。

杜九臉色一變，疾快地把手中的火摺子投向那呻吟聲傳來之處。

蕭翎冷冷喝道：「什麼人？」

只聽一個斷斷續續的微弱聲音應道：「我，小叫化子。」

蕭翎聽那聲音十分耳熟，尖聲叫道：「你是彭兄弟嗎？」

那微弱的聲音道：「正是小叫化子。」

杜九道：「在供台後面。」

蕭翎搶在杜九前面，道，「我去接他出來。」

大步行近供台，伸手從下面拖出一個人來。

目光到處，不禁一呆。

原來拖出之人，穿著一身百花山莊的武士衣服。

蕭翎沉聲喝道：「你是誰？」

那人似是受傷很重，強行振作精神答道：「彭……」

蕭翎細聽那聲音，確似彭雲，接道：「你是彭雲兄弟，為何穿了百花山莊的武士衣著？」

彭雲道：「我傷得很重，沒有氣力說話，快些……到後面救人……」

蕭翎道：「救什麼人？」

彭雲道：「武林四大賢人和無……為道長……」

蕭翎吃了一驚，道：「他們現在何處？」

彭雲道：「祠後不遠……」說完四個字，人已暈了過去。

蕭翎望了杜九一眼，道：「你守著彭兄弟，用內力助他恢復，我先到後面瞧瞧。」轉身一躍，退出大廳。

展葉青和商八站在大廳門口之處，聽得甚是明白，展葉青聽得掌門師兄有難，連話也顧不得和商八講，急急縱身而起，追在蕭翎身後。

商八低聲說道：「杜老三，小叫化緩過氣，帶他離開此地，回那豆腐店中等候。」

杜九點點頭，抱起一陣風彭雲，退在大廳一角，暗運內力，在那彭雲前胸推拿。

商八說完幾句話，也不待杜九回答，縱身而起，緊隨在展葉青身後而去。

且說蕭翎一馬當先，放腿飛奔，片刻間已到了祠堂後面。

這座宗祠之後，是一片很大的池塘，星光下水波蕩動，不見人蹤。

蕭翎心中大奇，暗道：「那兩個丐幫弟子會說謊話，難道那一陣風彭雲，也會說謊不

146

成。」

但眼下是一片茫茫水波，四下不見人蹤。

展葉青行到蕭翎身後，低聲說道：「敝師兄現在何處？」

蕭翎道：「不知道，所以咱們得仔細找找。」

展葉青心中暗道：一片池水，哪裏還會有人。

忖思之間，突聽一聲長笑起自水池正中，聲音沙啞、陰森，聽得人汗毛聳立，心頭悚然。

蕭翎厲聲喝道：「沈木風！」

只聽池中人應聲道：「不錯。」

蕭翎心中暗道：這人當真是詭計多端，不知怎的，竟然停身在水池之中。

口中卻冷冷說道：「藏身水中，並非難事，倒也不值得賣弄。」

只聽沈木風沙啞的聲音說道：「蕭兄弟可要到小兄舟中一敘嗎？」

蕭翎凝目望去，只見池中一片黑暗，哪有人蹤，當下說道：「彼此既已照面，那也不用再故弄玄虛了。」

語聲甫落，突見水池正中，燈光輝煌，現出一座方舟。

這船異於常舟，全船成了一座方形，舟中人影閃動，景物清晰可見。

商八道：「是啦，舟停池中，再用很厚的銀灰油布蒙起，星光幽暗，視界不清，咱們未曾想到，很容易被他欺騙過去了。」

只見沈木風站在船頭之上，高聲說道：「諸位請來舟中一敘如何？」

商八道：「沈大莊主舟中想已有很多人了。」

沈木風哈哈大笑，道：「一個老叫化，一個牛鼻子老道，還有四位佳賓，在江湖上盛名甚著，但卻是不在江湖上出現。」

蕭翎道：「武林四大賢人？」

沈木風道：「不錯，蕭兄弟得丐幫中人相助，耳目倒是靈敏得很。」

蕭翎道：「兄弟極願到沈大莊主的舟中觀光一番。」

沈木風道：「歡迎得很，可要為兄派小舟迎駕嗎？」

蕭翎估計那巨舟離岸上，大約有五、六丈遠，中間如不接力，無論如何難以渡過去，如若施展「登萍渡水」的輕功，自己大約可以渡過，但不知商八和展葉青是否可以渡過。

心念一轉，高聲說道：「沈大莊主如肯派船相迎，那是最好不過了。」

沈木風道：「蕭兄弟稍候片刻。」說完，舉手一揮。

一隻小舟，直向岸邊行來。

蕭翎低聲對展葉青和商八說道：「兩位要小心一些，不可食用舟上之物。」

蕭翎的目光一轉，只見兩個操舟之人，雖然身著勁裝，但卻赤手空拳，未帶兵刃。

兩個勁裝大漢齊欠身行了一禮，道：「恭迎三莊主。」

蕭翎冷冷說道：「在下蕭翎，不敢當三莊主的尊稱。」

148

兩個大漢道：「大莊主吩咐小的這麼叫，小的們豈敢不遵。」

蕭翎不再理會兩人，舉步跨上小舟。

商八、展葉青緊隨蕭翎之後，登上小舟。

兩個黑衣大漢，立時搖櫓划舟，直向大船行去。

沈木風高大微駝的身軀，蕭立在船頭之上，伸出手來，道：「三弟可好？」

蕭翎身子一側，跨上大船，道：「不敢有勞沈大莊主。」

他心知沈木風為人卑下惡毒，只要和他手指相觸，說不定就會中毒。

展葉青、商八緊隨蕭翎之後，登上大舟。

面對著一代梟雄沈木風，三人心中都有沉重、惶懼的感覺，不知他何時會突然暗施算計，個個都暗中戒備。

木風好像很陌生了。」

沈木風緩緩轉過身子，兩道森寒的目光，逼視在蕭翎的身上，說道：「蕭兄弟，你對我沈

蕭翎道：「在下不敢高攀。」

沈木風冷冷說道：「一個人忍耐有限，如是兄弟你逼我過甚，為兄也無法顧念舊情了。」

蕭翎道：「沈大莊主已對在下施盡了惡毒手段，蕭某還活著，那是我命不該絕。」

沈木風冷哼一聲，道：「好一個命不該絕！」

語聲微微一頓，又道：「不過，我沈某人一向主張人定勝天。」

蕭翎緩緩說道：「大莊主才智過人，武功高強，也許有此能耐。」

沈木風緩緩說道：「過獎了，貴好友孫不邪、無爲道長，此刻都在艙中，蕭兄弟也該進入艙中瞧瞧了。」

蕭翎目光一轉，見孫不邪和無爲道長並肩坐在上席，左、右兩側，各坐著兩個青衣老人。

桌上滿擺菜餚，和一壺酒，但六個人卻是正襟危坐，神態木然，似是被人點了穴道一般。

蕭翎流目四顧，只見舟中四周都被一層紫綾幔起，不見板壁，靠北面有一座緊閉的木門，想是通往內艙之中。

艙內除了四個青衣老人和孫不邪、無爲道長之外，再無其他之人。

商八身子一側，搶在蕭翎的前面，道：「兄弟帶路。」緩步進入艙中。

蕭翎目光轉注到沈木風的臉上，道：「沈大莊主先請。」

沈木風不再說話，緩步行入艙中。

蕭翎緊追沈木風的身後，展葉青卻守在艙門邊，未進艙中。

沈木風目顧展葉青冷笑一聲，道：「那艙門外和艙中，相距不過是數尺距離，如若他們兩位在艙中有了變化，你也是一樣逃不過去。」

展葉青冷然一笑，道：「不勞沈大莊主費心。」

蕭翎目注孫不邪和無爲道長，緩緩說道：「這四個青衣老人，想來是你約請的武林四大賢人了。」

沈木風道：「不錯，蕭兄弟的耳目很靈敏。」

蕭翎道：「這六位老前輩可都是被你點了穴道嗎？」

沈木風微微一笑，道：「蕭兄弟武功淵博精深，不妨試試看能否解開他們的穴道。」

蕭翎緩步走到孫不邪身前，仔細地打量了一陣，慢慢伸出右手，按在孫不邪的背心之上，暗運內力，攻入孫不邪的內腑。

一股強烈的熱流，攻入了孫不邪內腑之後，催動了孫不邪的行血，只見孫不邪臉上紅光閃動，顯是行血湧集，身上有幾處經脈不通。

但卻查不出傷在何處。

蕭翎收回右掌，轉望著沈木風，道：「他們不是被點穴手法所制。」

沈木風道：「那麼照你蕭大俠的看法，他們是何物所傷？」

蕭翎口中冷冷說道：「不論你沈大莊主用的什麼手法，傷了他們，但在下既然來了，必得設法把他們救離此地。」

沈木風笑道：「好大的口氣，六人現都在此，爲兄倒要瞧瞧你如何救走他們。」

蕭翎心中暗道：我既無能解開幾人穴道，想救起幾人，只有設法把沈木風制服，逼他解開幾人受制的經脈，但此人一向老謀深算，顧慮周到，這座木舟之上，亦不知埋伏有多少人手。

但此刻情勢，已是難有第二種選擇之途。

當下說道：「沈大莊主年事漸高，時間對你愈來愈是不利，但我蕭翎的體能、武功，卻是在與日俱增，咱們之間的一場拚搏，拖延時間愈長，對我的勝算越大，大莊主以為如何？」

沈木風淡淡一笑，道：「對我沈木風而言，此等事，不能一概而論。」

蕭翎回顧了孫不邪等人一眼，道：「今日你沈木風如若能把我蕭翎也折在此地，今後武林中敢和你作對之人，將是愈來愈少。」

沈木風冷笑一聲，道：「蕭兄弟可是想和為兄的比試一下武功嗎？」

蕭翎道：「決一死戰，不是你死，便是我亡。」

沈木風淡然一笑，道：「除非是情勢和境遇，已使我無法選擇，我仍然希望你重返百花山莊……」

他仰起臉來，長長吁了一口氣，道：「蕭兄弟，你說得不錯，為兄的年已老邁，如是武林霸業有成，我沈某人也不能號令天下幾年，繼我主盟武林霸業之人，自然是蕭兄弟了。」

他乃一代梟雄人物，陰沉毒辣，一向使人莫測高深，但這幾句話，卻是說得黯然神傷，對蕭翎現出一片惜愛之情。

蕭翎正待接言，瞥見那沈木風舉起雙手擊了一掌。

那緊閉的內艙木門，突然大開，一個全身紅鱗的怪人，移步行來。

蕭翎疾快地移動身軀，背對商八，轉目望去。

只見紅色怪人，行頭十分可怖，紅髮披垂，自頸以下，全是一片片紅色的鱗甲，雙手奇長，戴著三寸左右的指甲，臉上也被一種紅色的物體罩著，只露出一對閃爍的眼睛。

蕭翎自見到沈木風出現舟上之後，已知登舟之後，處境必將凶險萬分，早已暗中套上了千年蛟皮手套。

商八心中暗打主意道：這怪人身上的紅鱗，不知是何物做成，應該先探它一下堅硬的程度如何？

右手一抬，打出一顆寶石。

這寶石堅硬無比，尤甚鋼鐵，四面棱角，尖利異常，商八身懷此石，當作暗器，犀利實非鋼鐵鑄煉的暗器能及，且其物珍貴異常，如非情勢險惡，商八是甚少使用。

今宵形勢不同，商八出手一擊，用出了十成勁力。

燭火下，寶光閃閃，正擊在堅鐵之上，那堅硬銳利尤甚金鐵鋒芒的寶石，突然被反彈回去，擊但聞砰的一聲，如擊在堅鐵之上，那紅鱗怪人的前胸之上。

在艙門口的木壁上，登時深嵌入木壁之中。

蕭翎冷冷說道：「紅衣五龍。」

沈木風道：「只是五龍之一，蕭大俠如能把他制服，咱們再動手不遲。」

昔日蕭翎率領馬文飛等群豪，大鬧百花山莊，勇破十八金剛劍盾大陣，和數百黑衣武士的圍攻，突圍而出，亦遭遇過紅衣五龍攔路，蕭翎舉手一劍，就把一個紅衣怪人震倒。

原被那金蘭、玉蘭誇讚屬害無比的五龍，卻被蕭翎一劍震倒，但事後蕭翎才知是南宮玉暗中相助，早用鎖功毒粉，暗鎖五龍武功。

今宵再度相遇，已無南宮玉暗中相助，這紅衣五龍的功力如何？要憑真實武功對付了。

蕭翎提聚真氣，目注那紅衣怪人，想尋找一處下手所在。

但那人全身都爲紅鱗掩去，除了兩目之外，再無法找出可對下手之處。

只聽沈木風接道：「有一件事，必得先行告訴你蕭大俠，這人身上的紅鱗，已經過了劇毒淬煉，只要被刺破見血，一個時辰之內，毒攻內腑而亡，世上沒有可以解救的藥物。」

蕭翎道：「多承相告。」

說話之間，那紅衣怪人依然緩步逼到蕭翎身側。

蕭翎看那紅衣怪人，舉動之間十分緩慢，心中暗道：他身上披著淬毒鱗甲，行動轉身之間，必然要大受影響，如是在廣敞之地，和他對手，可以用靈活的輕功對付他，但此舟狹小，運轉不便，勢必得施用雄渾掌力，對付他不可了。

他心中有了計較，反而鎮靜下來，慢慢那紅衣怪人直逼到身前兩、三尺處，仍舊肅然而立，不肯輕易出手。

忽然蕭翎右手一揚，迅若電光石火，拍出一掌。

這一掌出手之快，只瞧得那沈木風也不禁暗暗的讚歎。

那紅衣怪人，眼看蕭翎起手一掌，直向前胸擊來，也不讓避，右手一起，五指尖銳的指

154

卧龍生 精品集

甲，有如五把尖刀，直向左肩抓來。

蕭翎左手一揚，封住那怪人右手，右掌卻已擊中了那人前胸。

這一掌，蕭翎用了八成以上的內力。

但聞砰的一聲大震，那紅衣怪人被蕭翎擊中前胸的一掌，震得向後退了三步。

沈木風哈哈一笑，道：「蕭大俠，那紅鱗上劇毒奇烈，快些運氣閉上穴道，如想保得性命，只有齊肘間斷去雙手。」

蕭翎冷笑一聲，道：「不勞費心。」

揚手一指，疾向那紅衣怪人點了過去。

原來，他心想這一掌，如若擊實，縱然不能把那紅衣怪人震斃當場，亦可使他暈倒地上，難再掙動，哪知事情竟然是大出預料，那紅衣人只被震得退後三步。

蕭翎心知只有先把那紅衣怪人擊傷之後，才能全力對付那沈木風，是以，見那紅衣人未受大傷，立時發出修羅指力，指向那紅衣怪人的前胸處「紫宮」要穴，一般暗勁，直湧過去。

那紅衣人連受兩次重擊，雖是鱗甲護身，亦是有些支持不住，身子不由搖了幾搖，似要栽倒地上。

沈木風吃了一驚，暗道：數月不見，這蕭翎的功力，似是又有了很大的進展，此人得天獨厚，稟賦、師承兩大要件，盡得上選，今宵如不殺他，只怕日後，很少再有殺他的機會了。

心念一轉，忽然發出一聲低嘯，那搖搖欲倒的紅衣人，聽得那嘯聲之後，忽然穩住了身

子，兩道森冷的眼神，逼視在蕭翎的臉上。

沈木風眼看那紅衣人，仍有再戰之能，立時冷笑一聲，道：「蕭翎，我已再三相勸，但你仍執迷不悟，今宵是不能再放過你了。」

一抬右手，直向蕭翎拍去。

他身軀高大，雙手特長，距蕭翎雖有著四尺距離，但一探身出手，竟然可及蕭翎的後背。

蕭翎前有強敵，那滿身紅鱗的怪人雙目殺機閃動，緩步逼了過來，使蕭翎不敢稍分心神。

沈木風又出手由後側擊到，蕭翎明知沈木風的功力深厚，人所難及，揮掌開碑，彈指碎石，但也無法回身迎敵，只好運起乾清罡氣，護住身子，準備避過要害，受他一擊，先把這紅衣怪人擊倒之後、再鬥沈木風。

且說商八眼看沈木風突然出手攻向蕭翎，雖明知不敵，但也不能不管，右手一揮，寶光閃動，一語不發，金算盤疾向沈木風右臂上肘擊去。

這等人身關節所在，最是脆弱，商八為解蕭翎之危，只好攻其必救。

但聞沈木風冷笑一聲，左手突然疾翻而起，屈指一彈，正擊在商八的金算盤上。

商八只覺手中的金算盤突然向上翻去，直似要脫手而出，不禁心頭駭然，急用內力，向下一擊，金算盤才未脫手。

驀見寒光一閃，兩道白芒，疾飛而至，直向那紅衣怪人飛去。

原來是展葉青發出了兩柄七休劍，並排而至。

沈木風左手指力，擊開了商八手中的金算盤，右手已然拍近蕭翎右肩。

掌勢還未觸及蕭翎的右肩，覺著被一股無形的力道所阻，不覺叫道：「護身罡氣。」

右掌突然加上幾成力道，立掌如刀，劈了下去。

蕭翎這護身罡氣，還未登大成之境，一般江湖人物，故是難以傷他，但像沈木風這等深厚功力的人物，蕭翎自然是無能抵禦，只覺一股強力，沖破護身罡氣，擊在肩頭之上，忽覺得肩頭上如被人砍了一刀，一條右臂登時麻木難抬，肩頭上劇疼難耐，心知受了重傷，肩骨不碎，亦被擊斷。

他生性倔強，一咬牙，忍痛不言，橫裏移開三尺。

沈木風不聞蕭翎呼叫之聲，不知他受傷輕重，但自己運氣擊破蕭翎護身罡氣，雖然擊中蕭翎一掌，但亦被蕭翎護身罡氣的反震之力，震得右臂痠痛，麻木難動，一時間整條右臂，已然難再運用。

這些變化，不過一剎那的工夫，電光石火，目不暇接。

但聞錚錚兩聲，展葉青打出的兩支七休劍，正擊在那紅衣怪人的肩頭之上。

原來這紅衣人雖有刀槍難入的鱗甲護身，但他身受了蕭翎雄渾掌力一擊，雖未當場暈倒，內腑也已受了重傷，展葉青兩支短劍飛來，已無能閃避，兩支短劍，盡都擊中。

展葉青這七休劍，乃千年寒鐵製成，專破內家氣功。

但這鋒利的寶刀，卻是無法透穿那紅色鱗甲，兩劍撞在那紅色鱗甲之上，盡皆落地。

但聞商八大喝一聲，金算盤一招「浪撞礁岩」，全力向沈木風撞擊過去。

沈木風右臂麻木難動，只好閃身避開，左手疾劈一掌。

商八一擊不中，第二招還未出手，沈木風掌勢已到。

但見寒光一閃，一柄長劍，疾向沈木風左臂之上削去。

原來展葉青疾躍而入，劈出一劍。

沈木風左手一沉，避開劍勢，橫裏推出一掌。

這一掌變化奇快，展葉青讓避不及，只覺一股強烈的勁力逼來，迫得只好向艙外跳去。

沈木風冷森一笑，道：「蕭翎，這池中木舟，只怕就是你喪身之地……」

話還未完，那紅衣人已然把蕭翎逼到船艙一角，伸出十個戴著尖銳指甲，龍爪一般的怪手，緩緩向蕭翎抓去。

這時，突然錚錚錚三聲弦響，緊接著一蓬金芒，破空而入，擊向那紅衣人。

蕭翎為情勢所迫，只好強忍著右肩傷痛，準備拚出左手，全力擊出一拳，自己縱然被他尖利的十指抓死，這一拳，也要他重傷當場。

就在他準備拚個同歸於盡之時，那一蓬金芒及時而至。

只聽那紅衣人一聲怪吼，抓向蕭翎的雙手，突然反蒙著自己的眼睛，一陣顫動摔倒地上。

蕭翎死裏逃生，不禁一呆，耳際間琴聲幽幽，傳了過來。

沈木風突然厲喝一聲，左手一揮，把商八打了兩個跟頭，飛身躍起，一腳踏在那紅衣人身

158

前，然後一伏身，挾起那紅衣人，躍出艙門，登上一隻小舟，破浪而去。

這幾下起落如飛，動作快極，展葉青雖然守在艙外甲板之上，眼看著沈木風登上小舟離去，竟未及阻攔。

之下！

要知他被沈木風一記掌力逼出艙外，雖然未受重傷，但已被沈木風的強勁掌力震動內腑，正自暗中運氣療息，沈木風起落如飛，一踏甲板，躍上小舟而去，根本就來不及出手阻擋。

其實以那沈木風的武功，就算展葉青沒有受傷，也無法阻攔得住。

蕭翎望著沈木風挾起那紅衣人躍出艙去，才如夢初醒一般，暗道：好險啊！好險。

如若那沈木風在挾起那紅衣人，飛躍出艙之時，順手給自己一掌，豈不是要傷在他的掌力之下！

這片刻時光中，他兩歷生死大劫，想起來，不禁為之駭然不已。

凝神聽去，那琴聲不知何時，已然沉寂不聞。

商八究竟是老江湖，大危過後立時警覺到情勢不對，低聲說道：「大哥，咱們快些把人救走。」

蕭翎望了四個青衣老人和孫不邪、無為道長一眼，道：「咱們得先設法解開六人穴道。」

商八道：「不用了，等把六人救上岸去，再設法解他們穴道不遲。」

說話之間，已當先扶起兩個青衣老人。

蕭翎一手一個，扶起了無為道長和孫不邪，展葉青抱起了另外兩個青衣老人。

159

七　似水柔情

三人行上甲板，但見四周水波茫茫，那一艘小舟為沈木風所乘去，已無可渡之物。

這三人都不會水中功夫，望著四周水波，不禁興起了英雄無用武之地的感歎。

蕭翎輕輕歎息一聲，道：「怎麼走？」

商八道：「這池塘不大，距岸亦不過數丈之遙，咱們跳水，也得走上岸去，愈快愈好。」

展葉青道：「為什麼？」

商八道：「這艘方舟之上，只怕是別有佈置。」

蕭翎道：「咱們快些走了。」

一提真氣，正待躍入水中，瞥見商八放下兩個青衣老人，砰砰兩掌，擊落兩扇艙門，投入水中。

蕭翎當先一躍，飛落在一扇艙門之上。

放下無為道長、孫不邪，自己卻躍入水中。

商八、展葉青緊隨躍下，兩扇艙門的浮力，把六人運到岸上。

展葉青低頭瞧瞧滿身濕淋的衣服，回顧那池塘中燈光輝煌的方舟一眼，心中暗道：這未免庸人自擾了，如若我們能從容一些，那就不致如此狼狽了⋯⋯

心念轉動之間，突聞砰砰兩聲爆震，震得方舟四面分裂，大火熊熊而起。那木舟上的佈設，似都是易燃燒之物，大火一起，立刻燒了起來。

展葉青心中暗道了兩聲慚愧，目光轉注到商八的臉上，道：「如非商兄洞察細微，及時離開那木舟，此刻，咱們都已經葬身那火窟之中了。」

蕭翎輕輕歎息一聲，道：「看來一個人在江湖中行走，單憑武功，也是難以生存，還要加上機智、運氣才行。」

商八望了孫不邪和無為道長一眼，說道：「大危已過，此刻咱們要設法解開這六人穴道才是，武林四大賢人，一向不捲入江湖恩怨之中，數十年如一日，武林中人也不願去招惹他們，此番沈木風加害四人未成，咱們如能救醒，沈木風又多了四個強敵。」

蕭翎道：「我懷疑那沈木風，並非單純點了六人穴道，能否救醒他們，目前尚難預料。」

商八道：「大哥之意，可是說那沈木風在六人身上，下了奇毒？」

蕭翎道：「不錯。」

語聲微微一頓，接道：「適才舟上搏鬥形勢，咱們已處劣勢，如非有人暗中相助，小兄早已傷在那紅衣怪人手中了。」

商八沉吟了一陣，道：「什麼人暗中相助呢？」

蕭翎道：「小兄亦爲此大惑不解，但在我最爲險惡之時，他卻適時出手，似是用金針一類的暗器，打傷了那紅衣人的雙目。」

商八道：「如金針一類暗器，卻難及遠，那暗助之人，最遠離咱們在三丈以內。」

蕭翎道：「正是如此，可是咱們竟然都未能發覺他的行蹤。」

商八道：「大哥可記得那金針來路嗎？」

蕭翎道：「就小兄記憶所及，那金針似是由艙門射入。」

展葉青道：「如若有人站在甲板之上發射暗器，在下自信，決不會逃過我的雙目。」

蕭翎沉吟了一陣，道：「展兄，可曾聽到什麼聲音嗎？」

展葉青道：「蕭兄正和那紅衣怪人惡鬥之際，似是有一陣幽幽的琴聲，傳了過來。」

蕭翎道：「這就是了，昔日令師兄和孫倉老前輩，在湖畔和那沈木風率領的高手相遇，雙方即將動手之時，聽到一陣樂聲傳來，沈木風倉皇逃走，事後，令師兄和孫老前輩談起，那樂聲似是洞簫和琴聲配合而成的一種音韻；今日咱們又親耳聽到了那琴聲，沈木風仍然驚惶而去，以致預作佈署的惡毒手段，都未及施展出來。」

商八道：「這證明了一件事，沈木風對於那琴、簫之聲，非常畏懼，只是不知何人有此能耐，能令一代梟雄沈木風聞弦而逃。」

蕭翎道：「小兄懷疑那一蓬金針，亦是那彈琴之人所發。」

商八道：「奇怪的是，他一直不肯和咱們相見。」

蕭翎凝目思索了一陣，欲言又止。

展葉青心惦師兄安危，接口說道：「蕭兄，孫老前輩和敝師兄，都是閱歷豐富、足智多謀之人，如能先解開他們穴道，或可有助解此疑團。」

蕭翎道：「展兄高論甚是，不過，在下卻覺得成功的希望不大，但不能不盡力一試。」

商八抬頭一看，說道：「此地不便，咱們到羅氏宗祠中去。」抱起青衣人，當先行去。

三人各抱兩人，行入祠堂大廳，放下了六人，商八道：「我查看一下四周形勢。」

展葉青道：「商兄請便。」

雙手齊出，先在無為道長身上開始推拿起來。

蕭翎凝目觀看，默然不語。

只見無為道長仍是毫無動靜。

之久，無為道長仍是閉目而坐，動也不動一下，展葉青施展推宮過穴的手法，推拿了一頓飯工夫

展葉青停下手，拂拭一下臉上的汗水，道：「恐怕是一種獨門點穴手法，小弟不成，還要勞煩蕭大俠了。」

蕭翎道：「兄弟只怕也難成功。」

蹲下身去，緩緩伸出右掌，抵在無為道長的背心之上，暗中運氣，一股熱流攻入無為道長

163

的命門穴中。

片刻之後，蕭翎收回右掌，左手疾出，連拍了無為道長身上四處大穴。

蕭翎用盡了所有解穴之法，哪知無為道長仍是端坐如故，毫無反應。

蕭翎長歎一口氣，道：「不成，看來咱們是無能解救他們了。」

這時，商八已悄然行入廳中，伸手按在無為道長前胸之上，只覺他心臟仍在跳動，道：

「他們都還活著。」

蕭翎苦笑一下，道：「單以無為道長而論，他體內確有幾處經脈不通，只不知那沈木風用的什麼手法，咱們竟然無能解開他們的穴道。」

商八道：「各大門派的點穴之術，大都不同，有斬脈、震穴、拂穴各種手法，只要他們氣息未絕，總還有救，大哥也不用心急，慢慢總可找出解救之法。」

突聞簫聲嫋嫋傳了過來。

蕭翎搖搖手，不讓兩人講話，凝神聽去。

那簫聲雖然柔細，但聽在幾人耳中，卻如巨雷下擊一般，都不禁為之一怔。

只覺那簫聲，充滿著淒苦、哀怨，如泣如訴，悲傷無比，靜夜之中聽來，不禁使人為之黯然。

倏然間簫聲中斷，一縷餘音，嫋嫋散去。

商八道：「那簫聲雖然輕逸飄渺，但抑揚頓挫，無一不清晰可聞，吹簫者，定然是武林高

人，才能有這等充沛之氣。」

蕭翎道：「琴音所至，簫聲婉然相隨，看將起來，那彈琴、品簫的兩位高人，都在左近了

……」

話未說完，琴聲忽鳴，幾聲調弦之音過後，琴聲一轉，一縷如語如唱的弦韻，傳了過來。

傾神聽去，那琴聲似在敘述著一個悱惻纏綿的故事，淒婉動人。

蕭翎、商八等，都不自覺地為那琴聲所動，只覺心頭之中，湧塞著萬般淒苦、千種憂悶，

不自覺地隨著那幽幽琴音，潸然淚下。

忽然琴音頓住。

蕭翎、商八等如夢初醒，不自覺地舉起手，一拭臉上淚痕。

商八長長吁一口氣，道：「商老二除了奠祭母親之時，哭了一次之外，這一生之中，今天

是第二次落淚了。」

展葉青道：「兄弟也為那琴音所感，落下淚來。」

蕭翎道：「這琴音卻是太過悲切，不知是何人所彈。」

展葉青望了無為道長等一眼，道：「如若不是這裏有著六位受傷之人，今夜咱們定可以找

到那彈琴的人。」

語聲甫落，簫聲又起。

曲折的簫聲，似是較那琴聲，更為淒涼。

蕭翎一皺眉頭，道：「咱們得去瞧瞧！」

商八道：「大哥一個人去嗎？」

蕭翎道：「這裏有六位受傷的人，咱們自是不能丟下他們不管，兩位請在此照顧他們，我去瞧瞧就來。」

商八道：「如果遇上敵人，大哥請長嘯爲號，我等也好趕往相助一臂之力。」

蕭翎沉吟了一陣，道：「如果彈琴吹簫的人，要和咱們爲敵，那也不會相助咱們了……」

商八還待接言，蕭翎已大步出廳而去。

這時陰雲蔽天，四周一片黑暗，連一點星光，也難見到。

蕭翎順著那飄來的簫聲，緩步前行而去。

他全神貫注那簫聲之上，也不知行到何處。

只覺那簫聲愈來愈近，夜色中隱隱見到一個人影，似是坐在一塊大石之上。

蕭翎長長吁一口氣，定定心神，運足了目力四下打量一陣，才發覺這是一片荒涼郊野，夜色中可見不遠處聳立的小山。

蕭翎重重地咳了一聲，希望能驚動那吹簫的人。

那吹簫人卻似陶醉在簫聲之中。

人與那凄涼的簫聲，渾然合一，對蕭翎的重咳聲，聽而不聞。

蕭翎呆了一呆，暗道：我這聲重咳，用力甚大，怎的他還是渾然不聞……

忖思之間，突聞一聲斷喝，道：「什麼人？」

這聲音突如其來，並非是由那吹簫人口中發出。

蕭翎轉眼看去，只見不遠處一株大樹後，緩步走出了一個人來。

忽然間，蕭翎覺出那人的聲音很熟，只是一時之間，卻又想不起是什麼人。

正想回答，突聞一個柔細的聲音傳入了耳際，道：「不要接口，最好戴上面罩，不要洩露了你的身分。」

這柔細的聲音，傳入蕭翎耳中之後，頓然使蕭翎呆在當地，那聲音更是熟悉，幾乎要失聲驚叫。

蕭翎定定神，強自抑制下心中的激動，轉過身子，迅快地取出面具，戴在臉上。

轉臉望去，只見那出現樹前的人影，緩緩向前行來。

婉轉簫聲，此刻卻突然停了下來。

一個冷傲的聲音，傳了過來，道：「是玉棠表弟嗎？」

那行向蕭翎的人影，突然停了下來，應道：「不錯，正是小弟。」

蕭翎心中暗道：果然不錯，這人就是一度假冒我名字的藍玉棠。

那冷傲聲音，微帶慍意地說道：「舍妹到處找你，你可知道。」

只聽藍玉棠應道：「令表妹性情太急，小弟受不了她那頤指氣使的氣焰，實不敢再見她

了。」

但聞那吹簫人冷冷說：「你和舍妹的事，我不願多管，但你一直追隨我的身後，不知是何用意？」

藍玉棠道：「一則為表兄護法，二則……二則……」

那吹簫人冷哼一聲，道：「你用心何在，難道我做表兄的還不知道嗎？」

藍玉棠道：「此事，表兄和小弟都無法決定，還是聽憑於人。」

那吹簫人一躍而起，直對藍玉棠行了過來。

蕭翎運足目力望去，只見那吹簫人一襲長衫，手中倒提一支玉簫，極快地行到了藍玉棠的身前，相距約四、五步時，停了下來。

這時，天風吹散了蔽天陰雲，星光隱隱，透了下來。

只見那提簫人和藍玉棠相對而立，四目相注，過了足有一盞熱茶工夫，那提簫人突然揮動手中玉簫就地一劃，道：「從此刻起，為兄和你斷去表兄弟的情誼，日後如若再要追蹤於我，別怪為兄的手下無情了。」

說完一番話，突然轉身而去，身形閃了兩閃，消失在夜色之中不見。

藍玉棠望著那持簫人身影消失良久，才輕輕歎息一聲，緩緩向蕭翎行來。

蕭翎知他起手劍勢，快速無比，一面暗中運氣戒備，一面心中暗道：他受了表兄之氣，不要發洩在我的身上。

心念轉動之間，藍玉棠已然行近身前。

只見藍玉棠伸出右手，指著蕭翎，喝道：「閣下什麼人！深更半夜到此作甚？」

蕭翎心中暗道：這話問得好無道理，此地非你所有，你既能來，我又為什麼不能來呢？

這些話，都是他心中所想，但卻未講出口來。

藍玉棠不聞蕭翎回答之言，心中大為惱怒，伸手握著劍把，雙目凝注在蕭翎的臉上。

這時，兩人相距，不過是兩、三步遠，兩人又都有著過人的目力，淡淡星光下，看得十分清楚。

蕭翎過度的沉著，和那一對炯炯的眼神，使藍玉棠已警覺到遇上勁敵，一時間，倒是不敢隨便出手。

雙方又相持了一刻工夫，藍玉棠突然鬆開握著劍把的右手，道：「你是岳姑娘從人。」

蕭翎心中暗道：小釵姊姊長我幾歲，做她從人，有何不可。

當下微一頷首，仍不答話。

藍玉棠冷傲之氣盡消，黯然一歎，伸手從懷中摸出一個潔白的封簡，雙手捧著，交給蕭翎，道：「有勞上呈岳姑娘，就說我藍玉棠今生一世，此心不變，但求能再賜予見我一面。」

蕭翎望著藍玉棠的背影，只覺他背影中流現出無比的淒涼，不禁暗自一歎，道：此人武功絕世，為人孤傲，此刻，怎的竟變得如此模樣。

長長歎息一聲，緩緩轉身而去。

只見藍玉棠緩步而去，逐漸消失不見。

蕭翎低頭瞧瞧手中的白簡上，寫道：奉呈岳姑娘小釵玉展。

裏面沉甸甸的，那是不只一封信了。

回頭望去，只見夜色迷濛，身後不見人蹤，不禁心中大急，暗道：適才明明是岳姊姊的聲音，要我不要暴露了自己的身分，此刻那持簫人和藍玉棠都已行去，怎的不見岳姊姊現身相見呢？

蕭翎想大聲呼叫，但也怕驚動了藍玉棠，只好悶在心裏發急。

原來，他已從持簫人和藍玉棠斷親絕交的舉動，和藍玉棠適才悽惶無主的愁苦神情中，隱隱約約，猜到一點內情出來。

蕭翎愣愣地站在夜色中，足足有一刻工夫之久，仍然不見那岳小釵現出身來，再也忍耐不住，低聲呼道：「小釵姊姊啊！你在何處？為什麼不現身和我相見呢？」

只聽嗤的一聲嬌笑，傳了過來。

靜夜中聽得十分清晰。

蕭翎聽音辨位，已覺那嬌笑之聲，發自四丈外一塊大石之後，也不及言語，暗中一提真氣，呼的一聲，一式「海燕掠波」，直飛過去。

說道：「姊姊啊！我……」

只見大石後緩緩站起一個頭梳雙辮，十五、六歲的勁裝少女，接道：「蕭相公，小婢可不

敢當你這種稱呼。」

蕭翎呆了一呆，才拱手說道：「姑娘是……」

那勁裝少女笑道：「我是岳姑娘使喚的丫頭，蕭相公貴人多忘事，咱們早就見過了啊！」

蕭翎仔細地打量了那勁裝少女一眼，怎麼也想不起來在哪裏見過，愣在當地講不出話來。

那勁裝少女聳聳肩，道：「人家都走了，你還戴著面具作甚？」

蕭翎取下面具，道：「咱們在哪裏見過，恕我蕭翎眼拙，實是記不得了。」

那勁裝少女微微一笑，道：「在一座山谷之中，還有南海五凶……」

蕭翎一拍腦袋，道：「是啦！就是姑娘你假扮那青衣童子，混在南海五凶身側……」

語聲微微一頓，接道：「我那岳姊姊哪裏去了？」

那勁裝少女略一沉吟，道：「她走啦……」

蕭翎急急說道：「行蹤何處，姑娘知道嗎？」

那勁裝少女道：「知道是知道，只不知她肯不肯見你。」

蕭翎道：「一定肯見我的，快帶我去，唉！我已經五、六年沒有見過小釵姊姊的面了。」

那勁裝少女搖搖頭，道：「不一定啊！那藍玉棠和玉簫郎君，不知道用了多少心機，一直跟在岳姑娘的身後，苦苦哀求，岳姑娘就不肯見他們，你怎麼能肯定，她一定會見你。」

蕭翎愣了一愣，道：「那不一樣，岳姊姊一向對我愛護，常常牽著我玩，照顧我吃飯穿衣，我想她一定和我想念她一樣，想念著我。」

勁裝少女道：「此一時，彼一時也，那時你年紀幼小，現在已經長大了。」

蕭翎心中大急，道：「我說她定會見我，你偏不肯信，那你去問問她吧！」

勁裝少女沉吟了一陣，道：「好吧！我替你傳報一聲，你守在這裏別動……」

蕭翎無奈地接道：「好吧！我在這裏等就是。」

那勁裝少女不再多言，縱身而起，身形一閃不見。

蕭翎坐在那大石之上，等了足足一頓飯工夫之久，仍然不見那勁裝少女轉來。

不禁急了起來，心中暗道：她如不肯給我通報，那將如何是好？

忖思之間，瞥見一條人影，緩緩行了過來。

蕭翎大步迎了過去，果然是那勁裝少女，迫不及待地問道：「可是我那岳姊姊要你來接我的嗎？」

勁裝少女搖搖頭，道：「你自信心太強了。」

蕭翎心中一急，大聲說道：「不可能啊！她爲什麼不見我？」

勁裝少女道：「這我怎麼知道。」

蕭翎怔了怔，道：「怎麼？岳姊姊不見我嗎？她怎麼說？」

勁裝少女慢吞吞地說道：「我說了你要見她，姑娘就沉吟不語，很久很久，才對我說，告訴他，不要見了。」

蕭翎心中激動，說道：「你帶我去，我非要見她不可。」

勁裝少女搖搖頭，道：「她不見就是不見，我怎麼敢帶你去。」

蕭翎仰起臉來，長長吁一口氣，鎮定了一下慌亂的心神，道：「這實在叫人難以相信。」

勁裝少女柔聲說道：「不只是你，很多人想見我家姑娘，都被她拒絕於千里之外，希望你不要難過才好。」

蕭翎抬頭望天，自言自語地說道：「怎麼了？當真是叫人百思不解……」

突然一蹀腳，把手中的白簡，遞了過去，接道：「這是那藍玉棠托我轉給岳姊姊的物件，有勞姑娘代轉了。」

勁裝少女接過白簡，道：「你可有什麼事，要我轉告姑娘的嗎？」

蕭翎搖搖頭黯然說道：「我想不明白，她為什麼不見我。」

勁裝少女道：「她不肯見你自有原因，只是你不知道罷了。」

蕭翎苦笑一下，道：「好吧！請你轉告她，以後不敢再勞她幫助我了，過去相救之情，我這裏謝過了。」說完，抱拳一揖。

勁裝少女點點頭，道：「我一定字字轉告，一句不漏。」

蕭翎道：「打擾了姑娘很久，在下這裏也謝過了。」

一揖之後，不再多言，轉身大步而去。

蕭翎頭也不回地，一口氣走回羅氏宗祠的大廳之中。

只見商八和展葉青，並肩站在庭院當中，一見蕭翎，齊步迎了上去。

展葉青道：「我們正等得心急，蕭大俠沒有和人動手吧？」

蕭翎搖搖頭，道：「沒有，孫老前輩等怎麼樣了？」

商八道：「他們穴道已經解開，而且又服了解毒藥物。」

蕭翎奇道：「當真嗎？」

只聽孫不邪的聲音，由那大廳中傳了出來，道：「不錯啊！蕭兄弟快請進來，老叫化心中憋了很多事，必得問個明白不可。」

蕭翎大步行入廳中，果然孫不邪和無為道長，連同那武林四大賢人都已經醒了過來。

孫不邪急急問道：「蕭兄弟，這是怎麼回事啊？」

蕭翎道：「怎麼回事？我也糊塗了……」

回頭望著商八，接道：「是誰解開了他們穴道？」

商八道：「大哥不知道嗎？這就奇怪了！」

蕭翎道：「快說清楚是怎麼回事？」

商八道：「大哥去後不久，就有一位黑衣人來到了此地，他說奉大哥之命而來，療救孫老前輩等幾人之傷……」

蕭翎接道：「那人是什麼樣子，男的？還是女的？」

商八道：「他似是戴著面具，男子裝束……」

蕭翎道：「聽口音呢？」

展葉青道：「完完全全的男子口音。」

蕭翎一皺眉，道：「以後怎麼樣了？」

商八道：「我和展兄要攔阻於他，卻不料他陡然出手，點了我們兩人的穴道。」

蕭翎歎息一聲，道：「說下去。」

商八道：「我們穴道被點，無法阻攔於他，看他進入廳中，推活了孫老前輩等六人穴道，且給他們一粒丹丸，臨去之際，又拍活了兄弟和展兄的穴道。」

蕭翎道：「他可說明了身分嗎？」

商八道：「沒有。」

展葉青接道：「他臨去之際，叫我等轉告蕭大俠，他一向不願過問江湖中事，武林中殺殺砍砍，生生死死，都和他無關，他曾經看到一個人，連殺了一十八位武林人物，他亦未出手管過閒事。」

蕭翎接道：「這麼說來，這人的生性，倒是冷僻得很。」

展葉青接道：「他說話的聲音，也是一片冷漠，叫人聽來，油生寒意，但是他對蕭大俠卻又是十分敬重。」

孫不邪接道：「聽來他似乎有事請求你蕭兄幫忙。」

蕭翎只覺腦際一片零亂，說道：「求我幫忙？」

展葉青道：「大概不錯，他說，孫老前輩和敝師兄，以及武林四大賢人，死活都和他無關，他出手相救，完全是爲你蕭兄，不用感激他，交情都賞到你蕭兄身上，日後，他還有借重蕭兄之處。」

蕭翎聽得一片茫然，但見十幾道眼神，一齊投注在自己身上，心中暗暗忖道：今宵之事，千頭萬緒，複雜異常，與其讓他們都糊塗，那倒不如我一人糊塗算了。

當下微微點頭，道：「他還說什麼？」

展葉青道：「就這幾句話，說完之後，立時躍失於夜色之中。」

蕭翎心中憋了一肚子怨憤和悲傷之氣，原想見得商八等之後，一吐積憤、悲苦，哪知竟然又發生了這樣一件莫名其妙的事，只好強自忍下心中憂憤之氣，緩緩說道：「孫老前輩覺得如何？」

孫不邪道：「那人的丹藥很靈，似是已解了沈木風灌入老叫化腹中之毒。」

蕭翎目光轉到無爲道長的臉上，道：「道長覺得如何？」

無爲道長道：「貧道亦覺得好了甚多。」

蕭翎目光一掠武林四大賢人，道：「四位傷勢如何？」

那居首青衣老人，抱拳說道：「洛陽朱文昌，拜謝蕭大俠相救之恩。」

第二個青衣老人接道：「濟南秦士廷，見過蕭大俠。」

第三個青衣老人接道：「金陵尤子清，多謝援手之情。」

第四個青衣老人接道：「江州許詩堂，敬領賜助大德。」

蕭翎看四人神情，聽四人口氣，果是一派斯文氣質，毫無火性，不禁好奇問道：「四位賢人素不捲入江湖恩怨之中，不知如何會和那沈木風結了嫌怨？」

洛陽朱文昌微微一笑，道：「咱們和那沈木風毫無恩怨。」

蕭翎心道：既然毫無恩怨，他為什麼要把你們四大賢人置之死地而後甘心，口中反問道：「那沈木風又為什麼要加害幾位呢？」

濟南秦士廷道：「濁者自濁，清者自清，咱們確和那沈木風談不上恩怨二字。」

蕭翎暗暗忖道：好啊！這四人當真是食古不化，如果是那沈木風把你們殺了，你們就清起來了。

長長歎一口氣，道：「這麼說來，是那沈木風的不對了，無緣無故地把四位邀集來一起，點穴、下毒，加以傷害。」

金陵尤子清接道：「問心本無愧，何必想吉凶。」

江州許詩堂接道：「君子胸懷，明月清風，生不負人，死而何憾。」

蕭翎心中忖道：這四人果然是賢得可以，卻也迂腐得可以，那沈木風真要把他們殺了，他們亦是毫無怨恨之意……

但聞孫不邪冷哼一聲，道：「四位果然是大賢大聖的人物，老叫化和無為道長，冒險捨命，趕去相救，那算是白費心了，早知如此，還不如讓那沈木風把四位殺了算啦，也免得老叫

卧龍生 精品集

化和四位一般，受那點穴、吞毒之苦。」

朱文昌微微一笑，道：「受恩當知報，積怨應早消，咱們對孫大俠和無爲道長的捨命相救之情，那是永銘肺腑了。」

孫不邪道：「老叫化豈是施恩望報之人。」

無爲道長突然接道：「四位在武林中數十年，從不過問江湖中事，獲得四大賢人之稱，賢則賢矣，只是未免有些獨善其身，不分是非。」

蕭翎心中暗道：久聞武林四大賢人，武功甚是高強，今宵如能勸得他們爲武林正義，挺身對抗那沈木風，不但可增加不少實力，且可號召甚多息隱高人重出江湖，對付那沈木風。

只聽秦士廷道：「是非之說，原本是兩面之詞，我們脫出於是非之外，難道還不對嗎？」

孫不邪冷笑一聲，道：「諸位既已脫出了是非之外，那沈木風卻又爲何追四位吞下毒藥，置四位於死地？」

無爲道長接道：「四位袖手看武林大劫，自樂於山水之間，反自覺洋洋得意，深夜捫心自問，賢是不賢？」

洛陽朱文昌怔了一怔，欲言又止。

原來他一時間，竟是想不出回答之言。

孫不邪道：「四位所以被武林同道尊爲四大賢人，那是因爲不肯捲入武林恩怨之中，武林中名利之爭的私恩私怨，四位能夠拋置不理，的確是可敬，當得大賢之譽，但這次沈木風加害

四位情勢，那就大大的不同了⋯⋯」

濟南秦士廷接道：「哪裏不同了？」

孫不邪道：「沈木風志在武林霸業，手段殘酷，積惡無數，連四位素和武林無恩無怨的大賢人也要加害，用心可想而知，加害四位賢人的怨恨，四位可以不予計較，但這武林大義，正邪存亡，難道四位也不過問嗎？」

金陵尤子清接道：「如依閣下之見，我等理該如何？」

孫不邪道：「挺身而出，爲武林仗大義，和那沈木風一決生死。」

江州許詩堂道：「閣下之意，可是要我等捲入武林殺伐之中嗎？」

無爲道長道：「目下江湖，道消魔長，四位同受武林同道尊仰，而且賢與不肖，勢不兩立，諸位既有賢名，難道就放任那不肖之徒，縱橫於江湖之上，爲所欲爲，不加過問嗎？」

朱文昌目光轉動，掃掠了秦士廷、尤子清、許詩堂一眼，道：「三位賢弟，丐幫孫不邪長老和無爲道長，似是說得甚有道理，不知三位賢弟認爲如何？」

秦士廷點點頭，道：「說的道理，的確是不錯，只是要咱們執刀劍屠戮武林，小弟實有著心中難安之感。」

尤子清道：「小弟認爲那孫不邪和無爲道長之言，確有道理，沈木風迫咱們服下毒物，咱們可以放手不究，但卻不能放任那沈木風爲惡於江湖之上。」

許詩堂道：「數十年來咱們一直是我行我素，不理江湖上是是非非，如今一旦要改變宿

願，小弟頗有著茫然無措之感。」

無爲道長眼看著四大賢人之中，已有一半被勸說得心動，如若太過於迫急，反而有害無益，當下說道：「四位請慢慢商量，或可找出當與不當，貧道等決不敢勉強。」

朱文昌站起身子，道：「我們研商出結果之後，如何告訴諸位？」

孫不邪道：「第三日中午時分，仍然在此相見，三日時光，總夠諸位研究了吧！」

朱文昌道：「足足有餘了，咱們就此一言爲定，不論我等研商的結果如何，三日之後，我等定當如約而來。」言罷，舉步向外行去。

秦士廷、尤子清、許詩堂齊齊站起身子，緊隨朱文昌身後而去。

孫不邪目注武林四大賢人的背影消失之後，搖搖頭歎息一聲，道：「這四人當真是頑固得可以，老叫化見過了甚多生性奇特之人，但像武林四大賢人的怪癖，卻是從未見過。」

蕭翎仰起頭來，長長吁一口氣，接道：「他們那不計私怨的氣度，和一般武林中人，有仇必報的行徑，比較起來，實有天壤之別，那實是當得賢人之稱了，但他們那等不顧大局、不辨是非的行徑，難道也可當得賢者之稱嗎？」

無爲道長道：「虛名誤人，如若他們沒有那四大賢人之譽，那也不會有這樣的忍耐功夫了，這是一個很微妙的問題！表面之上瞧去，四人不計名利，不記嫌怨，氣度博大，人所難及，但如再深看一層，四人這等作爲，無非要保持那四大賢人的美名……」

孫不邪接道：「不錯！道長高見，一語中的。」

無為道長緩緩站起身子，道：「什麼時光了？」

展葉青道：「四更左右。」

無為道長道：「咱們也該去了，別要他們等得太久。」

孫不邪轉臉望了蕭翎一眼，道：「蕭兄弟，老叫化有點事情請教。」

蕭翎道：「不敢當，老前輩有何指教？」

孫不邪道：「老叫化聽商八講，蕭兄弟追那簫聲而去，可曾見到那吹簫之人嗎？」

蕭翎想到岳小釵不願和自己相見一事，不禁心頭黯然，長長歎息一聲，道：「見到了。」

短短的三個字，竟然使大廳中所有的人，為之一驚，連無為道長那等鎮靜的人，也為之緊張起來，雙目轉注在蕭翎的臉上。

孫不邪咳了一聲，道：「你當真見到了那吹簫的人？他是一位何等模樣的人物？」

蕭翎道：「夜色中，在下雖然無法瞧得非常清晰，但就所見到而言，應是一位年輕人，一襲長衫，頦下無鬚。」

無為道長轉臉望著孫不邪，問道：「老前輩可知近代武林中，哪一位洞簫吹得最好？」

孫不邪道：「簫王張放。不過，就老叫化子所知，那簫王張放，已經陷身於禁宮之中。」

無為道長道：「不錯，就貧道所知，近代江湖之中，以那簫王張放的洞簫，吹得最好，據說他的簫聲能夠引誘飛鳥落地，吹出百鳥爭鳴之音，技絕一代，故有簫王之譽。」

孫不邪道：「自那簫王陷身於禁宮之後，江湖上再無聽到有吹簫的高手，那吹簫之人，卻

陡然在江湖上出現，到底會是誰呢？老叫化實是想不出來。」

蕭翎心中暗道：我知道啊！那彈琴的人，是小釵姊姊，至於那吹簫之人，我已見到了他，我雖不知他的姓名，但卻知他是那藍玉棠的表兄。

岳小釵拒絕相見，使蕭翎的心中充塞著一股憂憤痛苦，他用盡了心思，仍是想不出那岳小釵為何會拒絕和自己相見，他本想說出詳情，以洩心中憂苦，但卻又強自忍了下去。

只聽無為道長輕輕歎息一聲，道：「孫老前輩，也不用多費心機去想了，那彈琴吹簫之人，既然暗中相助咱們，自可斷言是友非敵，此刻，雖然不願和咱們相見，但總有相見之時。」

孫不邪道：「不錯，那沈木風雖然退走，但卻未必就離鄂州，咱們得早回約定之處。」

群豪魚貫相隨，離開了羅氏宗祠。

挺身而起，大步向外行去。

蕭翎心有所思，也未問孫不邪等遇險經過，倒是孫不邪，慢行一步，和蕭翎並肩而走，說出了遇險詳情。

原來，孫不邪和無為道長得丐幫中弟子報告，知道武林四大賢人，被沈木風誘到羅氏宗祠後的池中木舟之上，想到沈木風的惡毒，武林四大賢人必然要吃大虧，這四人雖然不和江湖上人來往，但在武林中卻是盛名甚著，而且武功十分高強，如被那沈木風迫脅所用，必將使江湖

182

為之哄動，其影響之大，實難計算，兩人追蹤而至，登上木舟，只見燭光高燒，四君子分坐在艙中一張方桌四面，卻未見那沈木風的人在何處。

無為道長為人心細，見狀力主慎重，孫不邪卻救人心切，一躍入艙。

四下流顧，仍然不見那沈木風的人蹤何處。

無為道長眼看孫不邪進入艙中，也只好隨後而上，兩人行到四大賢人的身側，舉手在四人身上推拿了一陣，但四人仍然是端坐不動。

這當兒，突聞木門呀然，後面艙門開啟，一個紅衣怪人，緩步向兩人行來。

孫不邪猛發一掌，正擊中那紅衣人的前胸。

但見紅衣人一頓之下，又向前面行來。

無為道長長劍出鞘，一劍點向那紅衣怪人，正中肩頭。

哪知劍尖如刺在堅石之上，那紅衣人竟然是毫髮無傷，就在兩人驚異之間，沈木風疾躍而出，點中了兩人穴道。

孫不邪述完經過，歎一口氣，又道：「以後的事，就是灌下毒藥，蕭兄弟已經知道了。」

談話之間，已到了約定的豆腐店外。

只見燭光盈盈，石磨隆隆，一個身著褸衣的老人，正在推動石磨。

孫不邪當先而行，直入店中。

那推磨人望了孫不邪和無為道長一眼，道：「人都在內室等候。」

群豪行入內室，只見司馬乾、杜九及武當弟子，都集中在室中等候。

木榻上仰臥著一陣風彭雲。

蕭翎急步行近木榻，低聲叫道：「彭兄，好一些嗎？」

彭雲啓開雙目，微微一笑，道：「大約是死不了啦。」

緩緩挺身而起，掙扎下榻，對著孫不邪拜了下去。

孫不邪一揮手，道：「你躺著吧！」

彭雲不敢抗命，依言躺了下去。

孫不邪道：「傷在何處？」

彭雲道：「左胸之上，幸得杜老前輩細心施救，已然大見好轉了。」

只見無爲道長伸手把在彭雲脈穴之上，瞧了一陣，道：「不妨事，明日再服兩帖藥，就可以復元了。」

商八看室中狹小，人數眾多，站著已很擁擠，當下說道：「此地不是居留之地，咱們換個地方才行。」

彭雲道：「小要飯的知道一處隱秘所在。」

商八問道：「什麼地方？」

彭雲道：「城外五里，有一座無人居住的宅院，竹林環繞，十分廣大，裏面設備，應有盡有。」

孫不邪道：「既有如此去處，咱們也不必在此停留了，早些趕去……」

目光一掠彭雲，道：「你能走路？」

彭雲道：「慢一點走，大約還可支持。」

杜九道：「我瞧還是杜老三揹著你走吧！」

彭雲道：「那就多謝杜兄了。」

無爲道長道：「趁天色還未大亮，咱們出城去吧！」

杜九揹起彭雲，當先帶路，一行人直向城外行去。

八 暗露絕技

數里行程，在群豪腳下行來，不須一刻工夫，便已趕到。

此時，天色已亮，抬目看去，只見綠篁依依，環繞著一座規模很大的宅院。

孫不邪一皺眉頭，低聲問彭雲，道：「這座宅院，毫無破落之徵，亦無荒涼之感，怎的會無人居住呢？」

彭雲道：「錯不了，小要飯的記得清清楚楚。」

無爲道長道：「既然到了此地，咱們不妨瞧瞧，如是宅中住的有人，咱們不去打擾就是。」

商八加快腳步，搶在最前面，說道：「好，在下先去瞧過。」

穿過竹林，直到大門前面。

只見一對黑漆大門，緊緊地關閉著，不禁一呆，暗道：如是這宅中無人，大門怎會關閉，只怕那小叫化子受傷不輕，神智不清，也許記錯了地方。

一時之間，呆在門前，不知該如何才好。

186

但聞身後傳來了彭雲的聲音，道：「小叫化記得清清楚楚，決錯不了，商兄推開大門瞧瞧。」

商八心中猶豫不決，聽得那彭雲之言，只好伸手推去。

一推之下，那木門文風未動，想是門內已經上了木栓。

商八搖搖頭，道：「不對，如是室中無人，這木門怎會關起？」

彭雲四下打量了一眼，道：「奇怪呀！小要飯的記得清清楚楚，就是此地，決錯不了，商兄越牆而入，進去瞧瞧如何？」

商八看那彭雲神智清醒，不似胡言，心中亦動了好奇之感，一提氣，越牆而入，啓開木門。

彭雲說道：「杜兄揹我進去。」

杜九抬頭看去，只見一道紅磚鋪成的走道，由大門處，直達二門，打掃得十分乾淨，哪裏像無人居住的樣子，心中暗道：這樣的宅院，怎似無人居住。

心中念轉，人卻依言踏階而上，直向門內行去。

商八低聲說道：「老三，離我遠些，你揹著要飯的，萬一遇上突襲，只怕應變不易。」

杜九應了一聲，落後三步。

商八重重咳了一聲，說道：「有人嗎？」

彭雲低聲說道：「如是有人早該問咱們了……」

語聲未落，突聞一個冷冷的聲音傳了過來，道：「什麼事？」

商八微微一怔，停下腳步，一抱拳，道：「打擾好夢，抱歉萬分。」

那冷冷的聲音又傳了過來，道：「你們擅闖私宅，該當何罪，還不快退出去。」

商八回顧了彭雲一眼，道：「咱們退回去吧！」轉身向外行去。

彭雲低聲說道：「商兄，那人，也不是這宅院中的主人。」

商八道：「為什麼？」

彭雲道：「商兄如若不信，何不問他一聲。」

商八想到那人講話口氣冷漠，倒不妨氣他一氣，當下說道：「閣下亦非這宅院主人，怎生講話如此無禮。」

他講這一番話，無非是想氣那人，卻不料那冷漠聲音竟然應道：「世間事，總該有個先來後到，誰要你們來的晚了一步。」

彭雲低聲說道：「怎麼樣？他們只不過早到一日，這宅院，並非他們產業。」

商八目光轉動，暗道：此刻天色已亮，彭雲還要養傷，這宅院甚是廣大，他們既非本宅主人，咱們借住一些，又有何妨？

心念一轉，高聲說道：「如說這宅院嗎？咱們三日之前，已經有人在此住過，只不過因事他去，今日歸來罷了……」

語聲微微一頓，又道：「要說先來後到，咱們是早先閣下幾日了。不過，此宅亦非我等所

有，閣下等既已借住，咱們也不能攆走諸位，好在這宅院甚大，多住幾人，也是無妨……」

只聽那冷漠的聲音接道：「不成，聽我相勸，還是快退出去。」

商八心中暗道：我商老二是何等人物，吃四方，賺八面，今日要叫你給唬了出去，那還能在江湖上混嗎？

當下高聲說道：「如是在下不願退走呢？」

那冷漠的聲音道：「除非你們活膩了，不想再活。」

商八目光轉動，只聽出那聲音來自緊靠大廳的西廂之中，卻是不見人蹤何處。

杜九聽那人口氣很大，心中有氣，低聲說道：「老二啊！咱們得上去瞧瞧。」

商八道：「好！你不用去了，照顧小叫化子要緊，那人口氣之大，想來也不是省油的燈。」大步直向廳中行去。

這座前院，十分廣大，占地約有畝許，商八停身之處，距大廳還有五丈以上距離。

商八行近大廳兩丈左右處，突然聽得那冷冷的聲音又道：「不教而殺，謂之虐，但我已經警告過諸位了，你們自己尋死，那就不能怪我了。」

商八心中對那發話人，毫無輕視之心，早已暗中運氣戒備，聽得這人一番話後，更生警惕。

杜九緩緩放下彭雲，低聲說道：「聽那人口氣咄咄逼人，也許真有一點本領，杜老三得去為我們老二，打個接應了。」

189

突聞商八冷哼一聲，急向後退了回來。

杜九吃了一驚，縱身而起，飛落在商八的身側，急急問道：「老二，受了傷嗎？」

商八眉頭緊皺，不答杜九的話，卻捲起了左手袖管。

杜九冷目望去，只見商八左手小臂上，刺著一枚小箭。

說它是箭，其實比針大不了多少，傷處泛起了一片深紫之色。

杜九伸手欲拔毒箭，商八卻突然一收左臂，疾退兩步，道：「針上劇毒強烈，不可用手觸及。」

說話之間，蕭翎、孫不邪、無爲道長和司馬乾連袂而入。

彭雲急急說道：「道長快去看看，商老二中了毒藥暗器。」

無爲道長加快腳步，奔行到商八身側，低頭望了那暗器一眼，駭然說道：「蛇頭追魂箭。」

商八道：「怎麼？很危險嗎？」

無爲道長道：「怎麼？道長無法解去箭上之毒嗎？」

無爲道長道：「不錯，貧道聽先師說過這等暗器，奇毒無比，但自貧道出江湖之後，從未聽說過這蛇頭追魂箭在江湖上出現過，此刻驟然出現，顯然那施暗器之人，是大有來歷的人物了。」

蕭翎道：「怎麼？道長無法解去箭上之毒嗎？」

無爲道長道：「據貧道所知，除了施放暗器之人的獨門解藥之外，天下名醫很少人能夠解

這追魂箭上之毒。」

伸手點了商八臂上兩處穴道。

蕭翎回顧了杜九一眼，道：「施放暗器之人，還在此地嗎？」

杜九瞧了那臨大廳的西廂一眼，道：「大約還在西廂之中。」

蕭翎道：「有勞道長替我商兄弟穩住毒傷，在下去向他討取解藥。」舉步向廳中行去。

蕭翎自出道之後，連會武林高人、梟雄，時間雖然不長，但經驗卻是長進了不少，一面向那西廂行進，一面暗中運氣戒備。

口中卻說道：「室中哪一位高人，在下蕭翎求見。」

但聞西廂之中，傳出來一個冷漠的聲音，道：「無暇接見。」

蕭翎怔了一怔，道：「在下以禮求見，兄台這等拒人於千里之外，就不覺太過無禮嗎？」

那冷漠的聲音重又傳了過來，道：「在下等素不和武林人物搭訕，閣下還是離開的好。」

蕭翎原想入侵住宅，屈在己方，好言討些解藥，治療好商八身受之毒，也就算了，卻不料對方的口氣，竟如此冷漠難聽，不禁動了怒火，冷笑一聲，道：「閣下口氣如此之大，未免有些小視天下英雄了。」

那西廂之中，又響起那人冷若冰霜的聲音，道：「從此刻起，在下不再回答任何問話，閣下如再向前一步，當心那蛇頭追魂箭，取爾之命。」

蕭翎凝立不動，長長吸了一口氣，雙手伸入懷中，戴上了千年蛟皮手套，緩緩說道：「蕭

某敬謹候教。」

過了半晌，仍不聞那西廂中有人答話。

這時，孫不邪已跟進蕭翎身側，低聲說道：「據老叫化所知，當今武林之世，能施用那蛇頭追魂箭的人物，只有一人，但那人早已陷身禁宮之中，禁宮未開，自是不會出來，這人不知是何許人物，竟然也會施用毒絕一代的奇形暗器，蕭兄弟，你要小心一些才是。」

蕭翎點點頭，道：「多謝老前輩的關心……」

語聲微微一頓，接道：「老前輩不要和晚輩一齊涉險了。」

孫不邪點點頭，移步退了下去。

蕭翎提高了聲音，道：「蕭翎已經告罪，閣下置之不理，蕭某只好闖進去了。」

他心想商八武功不弱，那人能一擊射中商八，足證明那人手法，的確是非同小可，是以，亦不敢絲毫大意，一面移步前行，一面全神貫注，留神著四面八方的動靜。

行約七、八步，瞥見寒芒一閃，電射而至，不但來勢奇速，而且無聲無息。

蕭翎右手一揮，接住了一枚蛇頭追魂箭，心中暗道：此人手法之快，果然是驚人得很……

但聞那西廂中傳出來冷漠的聲音，道：「好手法，出道江湖以來，很少有人能夠接得住我這蛇頭追魂箭……」

語聲微微一頓，接道：「不過我那蛇頭追魂箭上，淬有劇毒，奇惡無比，閣下用手接到，只怕也無法逃過中毒之厄。」

蕭翎冷冷說道：「只怕未必！」

那西廂之中，傳出來一聲哈哈大笑，道：「閣下如是不信在下之言，你何妨運氣一試。」

蕭翎緩緩舉起手中的蛇頭追魂箭，冷冷地說道：「來而不往非禮也，但願閣下也能接住你自己的暗器。」

說話之中，已經暗運功力，話落口，高舉的右手一彈，手中的蛇頭追魂箭疾飛而出，直向西廂飛了過去。

他暗器手法得自柳仙子，柳仙子又是以暗器、輕功，稱絕江湖，這彈指發射追魂箭的手法，只瞧得孫不邪暗暗稱讚不已。

那西廂中人，一直長笑不絕，看到蕭翎彈指發箭之後，笑聲突然中斷。

顯然，那人亦為蕭翎那彈指發箭的手法震駭不已。

蕭翎右手彈出蛇頭追魂箭，左手已然暗暗地護往要害，快速向西廂衝去。

那西廂距蕭翎不過兩丈多遠，蕭翎一躍之下，已然落到西廂門前。

只見雙門緊閉，連窗子都是關得十分嚴緊。

蕭翎心知此刻處境險惡異常，也顧不得打量四周的形勢，飛起一腳踢中木門。

但聞砰的一聲大震，木門大開。

蕭翎在飛腳踢向木門的同時，人也向旁側閃避開去。

他對那人發射蛇頭追魂箭的手法，心中亦存畏懼，心知如若在自己踢開木門的一瞬，那人

及時發出蛇頭追魂箭來，勢必要傷在那追魂箭下不可。

哪知，那人竟未發出追魂箭來。

蕭翎等候了片刻，才突然一個翻身，閃入室內。

凝目望去，只見靠後窗處，站著一個青衣人。

那人面窗而立，背對大門，對蕭翎行入室中，渾如不覺。

蕭翎輕輕咳了一聲，道：「在下幸未辱命。」

進了西廂。

那青衣人冷冷說道：「在下入得江湖之後，就聞得蕭翎大名，今日一見，果不虛傳。」

蕭翎道：「過獎了！閣下蛇頭追魂箭，無聲無息，快如電閃雷奔，在下也是初次見識。」

那青衣人語氣大見緩和，說道：「你闖入西廂中來，有何見教？」

蕭翎道：「在下一位兄弟傷在閣下的蛇頭追魂箭上，在下想討點解毒之藥。」

那青衣人緩緩說道：「只有這一件事嗎？」

蕭翎道：「不錯，只有這一椿事情。」

青衣人道：「想要解藥不難，但在下也有一個條件。」

蕭翎道：「什麼條件？」

青衣人道：「在下奉上解藥之後，諸位要立刻遠離此地，如蒙見允，在下就立刻奉上解

藥，閣下如是不肯答允，那就只有讓你那位兄弟毒發而死了。」

蕭翎略一沉吟，道：「如若在下那位兄弟，是傷在別人手中，閣下能夠慷慨贈藥，別說只

此一個條件，就是十個、八個條件，蕭某亦無不答應的道理，可惜的是，在下那位兄弟，是傷

在你閣下的蛇頭追魂箭下，蕭某同來之人甚多，必得和他們商量……」

青衣人似是已經不耐煩，怒聲說道：「這麼說來，閣下是不答應了？」

蕭翎道：「此刻還難決定！」

青衣人道：「好！你去和他們商量之後，再來此地和我談吧！」

蕭翎心中微生懊意，道：「殺人償命，欠債還錢，閣下傷了人，難道就可以不聞不問了

嗎?討取解藥，和遠離此地，乃是兩件事情，不能混爲一談。」

青衣人冷笑一聲，道：「閣下之意呢？」

蕭翎道：「在下想請問一句，除了我等遠離此地之外，不知是否還有其他之法？」

青衣人冷冷說道：「還有一個辦法。」

蕭翎道：「請講。」

青衣人道：「那解毒藥物，就在我的身上，閣下要有本領，儘管出手搶奪。」

自進入房中之後，蕭翎和那青衣人談了很多的話，那青衣人始終未回過一次頭。

蕭翎沉吟了一陣，道：「既是如此，在下就放肆了。」

青衣人道：「不用客氣，儘管出手。」

蕭翎暗中運氣，護住了全身要害大穴，緩步行了過去。

他一直行到那青衣人的背後，那青衣人仍然背他而立，站著不動。

蕭翎右手揚起，正欲劈出，但卻又突然停了下來，說道：「閣下何不回過頭來。」

青衣人身子轉動，慢慢地轉過臉來。

蕭翎一和他目光接觸，不禁嚇了一跳。

只見那人一張臉，其黃如金，閃閃生光，倒是說不出它哪裏難看，但怎麼看也不像一張人臉。

蕭翎鎮靜了一下心神，緩緩說道：「閣下戴的面具不錯。」

伸出手去，緩緩向那人左腕之上抓去。

那人肅立不動，直似不知蕭翎抓向左腕。

蕭翎出手一抓之勢，暗含著很多變化，既可易抓為索，亦可彈指擊出，全看那青衣人如何應付，再行隨機應變。

但事情竟然又出了蕭翎的意料之外，那人竟然沉著無比，眼看蕭翎手指就要觸及手腕，那青衣人仍然靜站不動。

蕭翎右手加速，一把扣住青衣人的左腕。

只覺那青衣人的左腕堅硬、冰冷，有如一塊金鐵一般，不禁心頭駭然。

但聞那青衣人冷笑一聲，右手突然伸出，反向蕭翎右腕劃去。

蕭翎目光一轉，看他右手纖細白嫩，但卻留著很長的指甲，左手一抬，擋開一掌，右手同

時鬆開那青衣人的左腕，疾退三步。

青衣人冷笑一聲，道：「閣下已經中了劇毒，一盞熱茶工夫之內，劇毒就要發作，你可以去準備後事了。」

他不知蕭翎手中戴著千年蛟皮手套，百毒不侵，刀槍難傷。

蕭翎心中暗道：這一雙千年蛟皮手套，幫了我不少大忙。

哈哈一笑，道：「閣下暗器經過了劇毒煉製，右手指甲上，竟然也含有劇毒，足見是一位用毒的大行家了，可惜在下不畏百毒。」

青衣人仍是有些不信地說道：「我指上之毒，與眾不同，不論何等英雄人物，只要沾染上少許，片刻即將發作。」

蕭翎道：「閣下既是不信，那也是沒法子的事。」

陡然欺身而上，一掌迎胸拍去。

那青衣人眼看蕭翎仍能施襲，心中驚愕萬分，兩手一抬，迎向蕭翎的掌上擊去。

蕭翎適才扣住他左腕穴脈，覺得如抓在金鐵之上，對他那長袖掩遮的左手，早已留上了心，看他抬起左手攻來，立時一沉掌勢，避開一擊。

凝目望去，只見那人露出的左手，一片黝黑中突出三個兩寸長短的尖利鋒芒。

原來，這人的左手，竟是鋼鐵鑄成的一隻假手。

蕭翎冷笑一聲，道：「閣下以鐵手當兵刃，當真是異想天開。」

197

那青衣人不答蕭翎問話，左手、右掌，片刻間各攻三招。

這幾招綿密迅快，迫得蕭翎連退了三步，才找出反擊之機，雙掌連環攻出，倏忽之間，還擊八掌。

一面暗自忖道：如若不把此人制服，只怕不易取到解藥。

就這一分心神，那青衣人又找到了反擊的機會，展開了一輪快攻。

只見他鐵手上鋒尖閃光，右手掌勢疾如流星，鐵手難及的空隙，右掌卻適時而至，遞補上左手留下的空隙。

蕭翎雖然戴著千年蛟皮手套，但眼看青衣人手上閃動的寒光，心理上生了一種畏懼，不敢和他鐵手相觸。

這一來，蕭翎不覺吃了大驚，一時間，竟然無反擊之能。

正搏鬥間，突聞一聲低喝，道：「住手！」

那青衣人聞聲而退，倒躍五尺。

蕭翎停下手，轉眼望去，只見一個面目俊秀，身著藍衫，手提玉簫的少年，當門而立。

那手提玉簫的藍衫少年兩道森寒的目光，投注在蕭翎身上，打量了一陣，道：「閣下什麼人？」

蕭翎道：「在下蕭翎。」

他眉際間充滿著殺機，但語氣卻十分客氣。

那藍衫人臉上怒容忽消，微微一笑，道：「原來是蕭兄，久仰了……」

語聲微微一頓，接道：「兄弟剛一見到蕭兄之面，就有點懷疑是你，要不然，兄弟也不會這般客氣了。」

蕭翎道：「兄台如何稱呼？」

藍衫人沉吟了一陣，道：「朋友們都稱我玉簫郎君。」

蕭翎應道：「閣下號稱玉簫郎君，手中又提著玉簫，定然是一位吹簫的能手了。」

玉簫郎君微微一笑，道：「這音律之學，兄弟是稍解一、二。」

目光一掠那金面青衣人，接道：「蕭兄怎會和兄弟的從人打起來？尚望見告一、二，兄弟定要讓他給蕭兄賠罪。」

蕭翎心中暗道：他對我這般客氣，定然是有他的原因，不管原因為何，我應該藉此機會，先討來解藥再說。

心念一轉，緩緩說道：「賠罪實不敢當，在下一位兄弟，傷在蛇頭追魂箭下，兄弟到此只望能討些解藥。」

玉簫郎君望了那青衣人一眼，緩緩說道：「你怎地又施用那絕毒的暗器傷人了，還不快把解藥拿出來。」

那青衣人道：「他們要強行借宿這座巨宅，我只好給他們點顏色瞧瞧，使他們知難而退了。」

蕭翎心道：這兩人名雖主僕，但僕人對主人，並非十分敬畏。

那青衣人口中雖然和玉簫郎君頂嘴，但右手卻已從懷中摸出了一個玉瓶，倒出了一粒丹

九，遞向蕭翎。

蕭翎手上戴著千年蛟皮手套，不畏劇毒，伸手接去。

玉簫郎君微微一笑，道：「只要你那位朋友確是中蛇頭追魂箭之毒，服下這粒藥九，一個

時辰之內，傷勢就可以完全復元了。」

蕭翎道：「多謝賜藥盛情。」

玉簫郎君輕輕咳了一聲，道：「兄弟有一個不情之求，還望蕭兄答允。」

蕭翎心中暗道：既是不情之求，又要我答允，那是毫無商量的餘地了。

口中卻說道：「什麼事，只要兄弟力所能及，我是無不答允。」

玉簫郎君道：「兄弟今宵要借此宅院，和一位朋友談些事情，不想有其他之人混雜其中，

還望蕭兄答允，能夠給兄弟一個方便。」

蕭翎道：「此刻兄弟還難決定，在下去和兩位同行到此的前輩，商量一下，再回兄台之話

如何？」

玉簫郎君冷笑一聲，道：「你說的可是老叫化和那牛鼻子老道嗎？」

蕭翎道：「是的！那老叫化乃丐幫中碩果僅存的孫老前輩，那道長，乃是當今武當派的掌

門人，無為道長。」

玉簫郎君說道：「武當派空得虛名，自號為五大劍派之首，其實那幾招登不得大雅之堂的劍招，只能唬唬鄉愚之輩罷了⋯⋯」

他仰起臉來，長長吁一口氣，道：「至於丐幫嗎？那更見不得人了，一群老少混雜、褸衣百結的烏合之眾，人數雖多，但卻不堪一擊。」

蕭翎聽得怔了一怔，暗道：好大的口氣，那沈木風也不敢說出這等誇大之言。

口中卻緩緩應道：「閣下瞧不起丐幫和武當派中人，自是有著驚人的絕技，但兄弟卻是和他們相處融洽，敬重他們為人，因此，必先得和他們商量一下，才能決定。」

玉簫郎君答道：「我只要蕭兄答允，離開此地，餘下之人不肯走，那是自找苦吃了。」

蕭翎道：「這個，容在下先和兩位同來之人商量一下，再來回話。」

也不讓那玉簫郎君再接口，轉身向外行去。

那青衣鐵手人心中大為不滿，冷哼一聲，欲待追襲，卻被那玉簫郎君伸手勸阻。

蕭翎大步行出室外，奔到商八身前，伸手遞過手中丹丸，說道：「快把這粒解藥服下。」

那蛇頭追魂箭，果然是惡毒無比，商八中毒不久，已然是難再支撐，臉色鐵青，冷汗涔涔而下。

但他神智還很清醒，接過蕭翎手中的丹藥吞了下去。

此刻蕭翎心中第一件要事，就是希望商八的傷勢早癒，是以，雙目一直投注在商八的身

上，瞧著他的變化。

果然，這獨門的解毒丹丸，有著神奇無比的速效作用，商八服下不久，已見功效，頭上的冷汗首先消退。

蕭翎長長吁一口氣，低聲對杜九說道：「帶他到一處安靜所在運氣調息，那贈藥人告訴我，對症用藥，一個時辰之內，就可完全復元。」

商八望了蕭翎一眼，欲言又止，在杜九扶持之下，行到一株花樹下面，盤坐調息。

孫不邪待商八去後，才低聲問蕭翎道：「你見過那人了？」

蕭翎道：「見到了他們主、僕兩人。」

無為道長道：「我們見到一個執簫藍衫人行入室中……」

蕭翎道：「那是主人，還有一位左臂上裝著一隻鐵手的青衣僕人，射中商兄弟的毒箭，就是那僕人所放。」

蕭翎點頭說道：「主人武功如何，在下未曾試過，但和青衣僕人交手數招，的確是高明得很。」

無為道長一皺眉頭，道：「僕人有此能耐，那主人的武功，更是高強了。」

孫不邪道：「你可曾問了他姓名？」

蕭翎道：「他未說出姓名，但卻自號玉簫郎君。」

孫不邪喃喃自語道：「玉簫郎君、玉簫郎君？從未聽過這名字啊！」

202

蕭翎道：「看他年歲，不過二十五、六……」

略一沉吟，接道：「如若在下沒有看錯，那玉簫郎君，就是咱們在羅氏宗祠中聽到的吹簫之人。」

無為道長道：「那是咱們的朋友了，應該上去見過才是。」

蕭翎搖搖頭說道：「不用了，他生性孤傲，只怕是不願和咱們談話……」

凝目思索片刻，接道：「他願在暗中幫助咱們，只怕是別有原因，唉！那玉簫郎君，對我還算客氣一些，但他那位青衣僕人，卻一直把我視作深仇大恨的人，怒目相視，大有立刻撲殺之心。」

孫不邪搖搖頭，道：「當年老叫化闖蕩江湖之時，也遇到了不少生性冷僻的怪人，但如像這等既敵又友的人，卻是從未見過。」

蕭翎緩緩說道：「有很多事，在下是無法了然，想來，這其中必有著十分微妙的原因。」

孫不邪道：「什麼原因呢？」

蕭翎心中暗道：此事只怕和我那小釵姊姊有關，內情未明之前，又不便說出口來，只好支吾以對，道：「此刻內情，在下亦是難作揣測，只好等著瞧了。」

無為道長已瞧出蕭翎似有著難言之隱，示意孫不邪不要再問。

蕭翎轉過話題，道：「那玉簫郎君贈藥之時，曾有一個條件，他要咱們撤離此地。」

一陣風彭雲接道：「為什麼？此地又非他們所有。」

蕭翎道：「大約他要在此地會見一個朋友，不願咱們驚擾。」

無為道長道：「既是如此，貧道之意，不如離開此地算了。」

孫不邪卻道：「不論那玉簫郎君武功如何高強，咱們也不能就此退走。」

蕭翎微微一怔，暗道：這位老前輩好勝之心，看來是尤強過我們年輕人。

口中卻緩緩說道：「那玉簫郎君說得雖然客氣，卻十分堅決，如果咱們不答應，只怕要引起一場紛爭。」

孫不邪道：「如若咱們就此撤走，那未免太過示弱於人了。」

蕭翎道：「老前輩之意呢？」

孫不邪哈哈一笑，道：「總要給咱們一個交代才是。」

這幾句說的聲音甚高，似是有意要那室中之人聽到。

果然，西廂中傳出來玉簫郎君的聲音，道：「什麼人說話敢如此無禮！」

蕭翎心中暗自奇怪，忖道：如是孫不邪故意要和那玉簫郎君為難，倒也不像，不知何故竟要堅持留此。

只聽孫不邪道：「老叫化子。」

但聞一聲冷笑，傳了過來，玉簫郎君緩步行了出來，一臉冰冷肅殺之氣，一語不發，直對幾人行了過來。

蕭翎心中暗道：要糟，看來今日這一架，恐怕是打定了。

卧龍生 精品集

他雖未和玉簫郎君動過手，但想到那青衣人的高強武功，這主人必將是一位絕世高手，生恐他突然一擊，傷了那孫不邪，立時一橫身，擋在孫不邪身前，一拱手，道：「兄台息怒。」

玉簫郎君一皺眉，道：「蕭兄，可是想替人出頭嗎？」

蕭翎心中怒道：我好言相勸，你怎能如此無禮。

當下說道：「在下適才亦曾說明，蕭某一人，難作主意，我等商議此事，留去並未決定，恐他氣勢洶洶而來，那未免有些欺人過甚了。」

玉簫郎君臉色一變，冷冷說道：「在下不願和你為難，你最好置身事外，不用多管閒事。」

蕭翎道：「兄台如此迫逼，蕭某豈能不管。」

玉簫郎君道：「這麼說來，你是一定要管了？」

蕭翎點點頭，道：「情勢逼人，那也只好挺上了。」

玉簫郎君臉上神色連變，顯然心中激動萬分，雙目凝注在蕭翎面上，大有立刻出手之意。

蕭翎亦是全神戒備，蓄勢相待。

雙方相持了一刻工夫，玉簫郎君終於忍了下去，冷冷說道：「看在她的面上，再讓你們商量一下，一頓飯工夫之內，再不撤離此地，別怪在下無禮了。」

說完，也不待蕭翎答話，轉身而去。

蕭翎心中暗道：看在她的面上，她是誰呢？難道指的是小釵姊姊嗎？此刻，他已確定了這

玉簫郎君，就是昨夜吹簫之人，就昨夜所見情勢，這玉簫郎君和那藍玉棠，似是都對岳小釵有著很深的愛戀，使他們表兄弟間，亦鬧得水火不容……

只聽孫不邪喃喃自語道：「果然是那支玉簫……」

蕭翎怔了一怔，道：「那玉簫怎麼了？」

孫不邪輕輕歎息一聲，道：「老叫化見過那支玉簫，雖然相隔十年，但老叫化仍然記憶猶新，只是執簫的人不同罷了。」

蕭翎正想追問內情，突聞無爲道長歎息一聲，道：「好精深的內功。」

蕭翎低頭望去，只見那玉簫郎君行過之處，留下了一行清晰的腳印。

那腳印不但清晰可見，而且深淺如一，心中大是駭然。

暗道：暗中施展內力，留下腳印，難在這力道竟能用得如此均勻。

蕭翎心中想道：既然孫不邪已經知道了那玉簫的來歷，那就不難找出玉簫郎君的出身，亦不用在此地問他了。

不用在此地問他了。

轉眼望去，只見孫不邪仰臉望天，不知在想的什麼心事，當下低聲說道：「老前輩，可是決心留此嗎？」

孫不邪道：「不用了，我已見了那玉簫，咱們自然該走了。」

蕭翎心中暗道：原來，你激怒那玉簫郎君，用心就是想瞧瞧那支玉簫，口中卻說道：「老前輩決定要走嗎？」

孫不邪道：「不錯，咱們已經見過了那玉簫，留在此地，老叫化也沒有什麼用了。」

蕭翎心道：原來他老謀深算，用心只在證實他心中所想之事，不知是不是小釵姊姊？

一時間，只覺得心亂如麻，思潮起伏，不知如何才好。

無為道長似是已瞧出了蕭翎的為難之處，輕輕歎息一聲，道：「蕭大俠可是想留在這裏嗎？」

蕭翎道：「那玉簫郎君限咱們一頓飯工夫之內撤走，咱們如若依他之言，撤離此地，未免是太過示弱，如是決定留在此地，只怕是難免一場惡戰，此時此情，真不知如何才好。」

無為道長略一沉吟，道：「貧道之意，不如取一個中庸之策。」

蕭翎道：「請教道長。」

無為道長道：「如若為著爭宿於這座宅院之中，彼此動手拚命，那難免是有些小題大作了，但如咱們就此撤走，那又未免太過示弱於人。貧道之意，咱們不妨依限撤走，但臨走之際，蕭大俠亦不妨現露一、兩招絕技，給他們瞧瞧。」

蕭翎心中暗道：這話倒也不錯，炫耀一下之後，依限撤走，雙方都可保下面子，倒也不用彼此用出全力拚命了。

當下點頭說道：「就目下情勢而言，那也只有如此了。」

無為道長回顧了展葉青一眼，道：「你帶著隨來此地的弟子，先退出這座宅院。」

展葉青心中雖然有些不願，但他對師兄素來敬重，一言不發，帶著隨來的武當弟子，退了出去。

孫不邪望了一陣風彭雲一眼，道：「你也退出去吧！」

彭雲應了一聲，緩步走了出去。

蕭翎望望那端坐在花樹下，運氣調息的商八，心中暗道：雖是旨在炫耀武技，但亦可能為情勢所迫而真正動手，商八傷勢甚重，留在此地，只怕有些不妥，萬一打起來，無法分神照顧於他，但他此刻正在運氣調息，又不便驚動於他，該當如何才是。

孫不邪一看蕭翎神色，已猜知他心中為難，微微一笑，道：「蕭兄炫耀武功之時，不用分心他顧，老叫化和無為道長，大概可以保護那商八的安全。」

蕭翎道：「好！那就重托兩位了。」

頓飯時光，彈指即過，蕭翎等也不過剛剛把事情安排好，那西廂中已傳出玉簫郎君的聲音，道：「時限將屆，諸位要作何打算？」

這幾句話說的聲音不大，但卻字字句句，鑽入人耳之中，聽得清晰異常。

蕭翎高聲說道：「蕭某還有事情請教。」

西廂中傳出來玉簫郎君的聲音，道：「閣下還有什麼事？」

蕭翎道：「兄台可否請出室外一晤？」

玉簫郎君道：「在下出口之言一向鐵案如山，如若時限屆滿，諸位仍不肯走，只有死亡」

途，蕭兄如想說服在下，那是白費心機了。」

蕭翎心中大怒，冷冷說道：「我等原本想走，但閣下如此說，在下等恐又要改變主意

了。」

玉簫郎君道：「如何一個改變之法？」

蕭翎道：「就憑那幾句話，我等縱然要走，也要一頓飯工夫之後再走。」

玉簫郎君冷笑一聲，道：「蕭翎，我已經對你忍讓的太多了。」

蕭翎道：「在下一生之中，亦從未這般的忍氣吞聲。」

冷哼一聲，不再理會玉簫郎君，卻轉臉望著孫不邪和無為道長，說道：「此人如此狂傲，

實叫人難以忍受，看來咱們還得留在這裏了。」

無為道長道：「小不忍則亂大謀，眼下沈木風氣焰極盛，咱們對付沈木風，已有顧此失彼

之感，何苦再樹大敵，為了息事寧人，咱們早走一步如何？」

孫不邪道：「好吧！老叫化老了，早已沒了火氣。」

蕭翎正待招呼商八等離開，突然聞到一聲冷笑，傳了過來，道：「你們是自絕而死呢？還

是要在下動手？」

孫不邪回目望去，只見玉簫郎君，手提玉簫站在一丈開外，滿臉殺氣，一個青衣人，站在

玉簫郎君身後。

這時，那青衣人，已把臉上的面具取下，露出本來面目，只見他臉色鐵青，隱隱閃光，顎

下雖未留鬚，但看上去，卻在三十以上的年歲。

蕭翎回顧了孫不邪一眼，只見他眉宇間怒容隱現，顯然，玉簫郎君的狂傲，激起了這個丐幫名宿的怒意。

蕭翎冷然一笑，道：「閣下之意，可是說我等自絕而死嗎？」

玉簫郎君道：「如是在下動手，只怕各位要吃上一番大苦頭了。」

蕭翎道：「閣下可知道，大丈夫可殺不可辱。」

玉簫郎君冷然一哂，道：「諸位可是寧死而不受辱了。」

蕭翎肅然說道：「不過，在下等亦不願自絕而死。」

玉簫郎君道：「如何一個死法，諸位自然是可以選擇了。」

蕭翎聽他口氣，愈來愈大，愈來愈難聽，不禁心中火起，暗道：就算咱們非輸你不可，那也難以忍下此種之氣，今日不論勝敗，是非得和你打一場了。

心念一轉，冷冷說道：「咱們不願自絕，自然是要你動手了。」

玉簫郎君臉色一變，冷冷說道：「不見棺材不掉淚，不到黃河不死心，你們哪一個先死？」

蕭翎一挺胸，道：「區區願先試銳鋒。」

玉簫郎君一皺眉頭，道：「人人都說你蕭翎狂傲自負，今日一見，果是不差，你既然一定要自行討死，在下只好成全你了。」

突然欺身而上，一簫點向蕭翎的前胸，道：「躺下去！」

蕭翎已和那青衣鐵手人動過了手，心知身為主人的玉簫郎君，武功必將在鐵手僕人之上，是以早作戒備，就在玉簫郎君揚手一簫點來之時，蕭翎右手也同時橫向簫上拍去，人也橫裏向旁側躍去，口裏應道：「只怕未必。」

話剛出口，突覺一股暗勁，擊中在前胸之上。

蕭翎早已暗運罡氣護身，這一指雖然來得突然，亦為那護身罡氣擋住，幸未受傷，但心中卻是大感駭然，暗道：這一股暗勁，不知何時發出，如若是隨著那玉簫擊來，決不致來得如此快速，倒是難怪他誇口要我躺下了，如是我沒有罡氣護身，這一擊，打中穴道，必將如他所言，躺下不可。

那玉簫郎君眼看暗發的勁力，擊中了蕭翎的前胸，但蕭翎竟是若無其事一般，仍然站著不動，卻被一股反彈之力，把暗勁擋住，亦不禁為之駭然，忖道：原來，他竟練有了玄門絕技——至高至上的護身罡氣。

兩人雖然各自心生驚駭，但彼此間動手相搏招數，並未停下。

但見玉簫郎君手中玉簫一沉，避開了蕭翎抓向玉簫的五指，陡然又翻了上來，點向蕭翎右脈。

蕭翎右腕一挫，收了回來，左手拍出一掌。

一掌發出，招數連綿而出，片刻之間，已然連續攻出十二掌。

玉簫郎君疾快地向後退了三步，道：「閣下用的是那南逸公的閃電連環掌？」

蕭翎停下手，冷冷說道：「不錯，閣下的見識倒是很廣。」

玉簫郎君道：「這套掌法，你由何處學得？」

蕭翎道：「這個麼……歉難奉告。」

玉簫郎君道：「在下相詢之意，是想問個明白，是他親手相授的呢？還是你由那記載的秘笈之上學到的。」

蕭翎道：「自然是親手所授。」

玉簫郎君道：「這麼說來，那南逸公還沒有死……」

語聲微微一頓，又道：「他人現在何處？」

蕭翎道：「他老人家還活在世上就是，現在何處，恕不奉告。」

玉簫郎君道：「哼，你就是不說我也能查得出來。」

玉簫一起，點了過來。

蕭翎掌勢橫擊，斜斜向玉簫劈了過去。

玉簫郎君暗道：這人狂妄得很，竟以手掌接我玉簫，必得給他些苦頭吃吃才行。

念頭一轉，玉簫疾沉，反向蕭翎手上迎去。

但見蕭翎五指一握，竟然把玉簫抓在手中。

玉簫郎君心中暗自怒道：你這是自找苦吃了，怪不得我。

當下暗中運氣，一轉玉簫。

原來玉簫郎君手中玉簫，有著甚多極小尖厲的石尖，以那玉簫郎君深厚的內功，運氣轉簫，很少有人能不為那石尖所傷。

但蕭翎卻仍然緊握著玉簫，不但毫無傷損，而且更加握的緊了一些。

玉簫郎君一皺眉頭，道：「閣下武功，果然高強得很……」

語聲一頓，接道：「鬆開我手中玉簫！」

蕭翎心中暗道：彼此為敵，怎能要我放開你手中玉簫，想是這玉簫名貴，怕它損傷了。

心中念轉，手卻依言放開。

玉簫郎君似是未料到，自己這一喝，蕭翎竟然放手鬆開了玉簫，當下後退了三步，冷冷說道：「蕭兄倒是很聽兄弟的話。」

突然揚起手中玉簫一抖，月光下，只見無數細如牛毛的寒芒，由那玉簫孔中，分飛而出。

原來這看去十分古雅的玉簫，竟然是內有機簧，暗藏毒針。

蕭翎望了那玉簫一眼，冷冷說道：「原來閣下這玉簫，還能發射如此惡毒的暗器，當真是叫我蕭翎又大大的開一次眼界。」

玉簫郎君道：「如非閣下很聽在下之言，只怕早已傷在那毒針之下。」

蕭翎道：「你那簫裏藏毒針的方法，雖然奇妙惡毒，叫人防不勝防，但未必就能傷到我蕭翎。」

玉簫郎君不知蕭翎手上戴有千年蛟皮手套，刀劍難入，當下冷笑一聲，道：「簫中機簧十分強硬，你縱有罡氣相護，也無法阻擋那尖細的毒針刺入。」

蕭翎心道：他要我鬆了玉簫，原是一片好意，那也不用和他論辯了，當下不再言語。

但聽玉簫郎君接道：「我已手下留情，閣下還不肯知難而退嗎？」

蕭翎暗道：我如果答應退出，此人必將大施毒手，造成一番殺劫，無論如何必得想個法子，把這玉簫郎君制服不可……

蕭翎緩緩拔出背上的長劍，道：「閣下玉簫招數，定然十分精妙，在下倒希望再領教閣下幾招精絕簫法。」

玉簫郎君冷笑一聲，道：「蕭翎，你可知道在下為什麼處處對你手下留情嗎？」

蕭翎道：「在下不知。」

玉簫郎君道：「為了一個人。」

蕭翎道：「什麼人？和在下有何關連？」

玉簫郎君臉上殺氣直透眉宇，冷冷說道：「我生平之中，從未對任何一個人，有過如此的忍耐，對你蕭翎，可算是例外的例外。」

蕭翎一皺眉頭，接道：「閣下不用有所顧慮，我蕭翎就是蕭翎，和任何人都無關連，你只管放手施為。」

玉簫郎君雙目神光一閃，冷冷說道：「你是要迫我出手嗎？」

蕭翎道：「在下並無逼迫閣下出手之意，但也不用閣下對我手下留情，咱們各憑武功，一決勝負就是。」

玉簫郎君向天打個哈哈，道：「好！小心了。」

陡然一簫，點了過去。

蕭翎口中雖然說得輕鬆，但他內心之中，卻是絲毫不敢有輕視對方之心，一吸氣，陡然間，向後退了三尺。

玉簫郎君冷笑一聲，玉簫揮動，連攻三簫。

雖只攻出三簫，但卻幻起了漫天簫影，分從四面八方襲來。

孫不邪回顧了無爲道長一眼，低聲說道：「此人招數奇異，老叫化生平僅見。」

無爲道長神色嚴肅，道：「這是一場勝負難測的凶險之戰……」

他似是言未盡意，但卻突然住口。

九 不堪回首

蕭翎被那幻起的漫天簫影，迫得又連連向後退出五步，才算把一輪急攻避開。

玉簫郎君冷笑一聲，道：「你能避開我這狂風三簫，倒是難得的很。」

口中說話，手中玉簫的攻勢，卻是未稍緩慢，一招快過一招，把蕭翎圈入一片簫影之中。

蕭翎自出道以來，從未遇上過今日的險惡之戰，玉簫郎君的攻勢，快速無比，快得竟使蕭翎沒有還手之力。

轉眼間，兩人已搏鬥十幾回合，蕭翎一直被逼得團團亂轉，無能還手。

孫不邪只看得心頭大爲焦急，低聲對無爲道長說道：「道長，我瞧情勢有些不對，他一直處在挨打形勢之中，如何能夠久撐下去，老叫化想去助一臂之力？」

無爲道長道：「老前輩請安下心來，蕭大俠處境有驚無險，此人簫招的奇奧怪異，貧道亦是初次見到，咱們出手助他，恐怕分散了他的心神，不如再候一會兒瞧瞧情勢，再作決定。」

他雖然出言安撫孫不邪，但自己心中，卻是震驚不已。

蕭翎在無力反擊的惡鬥中，一直受到那玉簫郎君的玉簫所困，始終無法還手。

又過了一杯熱茶工夫左右，蕭翎仍是被困在一場險惡的搏鬥之中。

玉簫郎君手中的簫招雖然厲害，但他卻無法擊落蕭翎的長劍。

突然間，聽得蕭翎大喝一聲，長劍由那重重的簫影中，攻了出來。

但聞一陣脆鳴之聲，長劍、玉簫，連連相接。

蕭翎好不容易，找出這麼一個破綻，借勢脫出那重重的簫影，豈肯隨便放過，長劍連出三記絕招，閃起一片劍芒，反擊過去。

剎那間，劍花簫影，打得激烈絕倫。

無為道長長長吁一口氣，歎道：「原來他並未迷失在那簫影之下……」

孫不邪接道：「的確凶險，比適才尤有過之。」

這時，那站在玉簫郎君身後的鐵手人，也看得悚然動容，雙目圓睜，望著兩人動手的情形，顯然，那玉簫郎君，也是用了全力。

只見兩人的惡鬥，愈來愈是激烈，玉簫、長劍，各極奇幻。

無為道長回顧了孫不邪一眼，低聲說道：「老前輩，怎生想個法子，不要讓他們再打下去了。」

孫不邪仔細看去，只見蕭翎的臉上，隱隱現出了汗水，顯然是已經用出了全力，再看玉簫郎君，眉宇間也流出了汗珠兒。

突然間，聽得一聲嬌呼傳了過來，道：「住手！」

玉簫郎君疾攻三簫，一擋蕭翎長劍，疾退五步。

蕭翎出道以來，也是第一次遇上了真正敵手，這一架，打得凶險百出，也使他對那玉簫郎君，生出了無限敬佩。

是以，玉簫郎君收簫而退之後，蕭翎亦未追擊。

轉臉望去，只見一個頭梳雙辮，身著青色長褲、短衫，腰繫黃色絲帶，年約十五、六歲的小姑娘，背插寶劍，滿臉肅然地站在大門之內。

蕭翎心中一動，暗道：這丫頭不是昨夜見到的那位姑娘嗎？她是小釵姊姊的貼身丫頭，只怕是奉了小釵姊姊之命而來。

只見那冷傲孤僻、氣焰不可一世的玉簫郎君，回頭望了那姑娘一眼，一抱拳道：「素文姑娘，別來無恙。」

那青衣少女一對圓圓大眼睛四下轉動，打量了場中群豪一眼，欠身說道：「小婢怎敢當玉簫郎君一禮。」

玉簫郎君道：「姑娘此來，不知有何見教？」說話時，神情十分緊張。

素文道：「我來告訴你一件事，姑娘要我來轉告相公，今夜之約她不想來了。」

玉簫郎君臉色大變，道：「為什麼？」

素文道：「為什麼？這我就不知道了。姑娘只說，要相公不用在此地等她了。」

玉簫郎君道：「今日不見，何日再見？」

218

素文道：「姑娘說，她如想和你見面時，隨時會派人找你。」

玉簫郎君臉色忽青忽白，顯然，內心中有著無比的激動，沉吟了一陣，突然一跺腳，舉手對那鐵手人一招，道：「咱們走啦！」一縱身，人已登上屋面，越屋而去。

那鐵手人緊隨身後，躍上屋面，兩人去如飄風，眨眼間，消失不見。

素文目注兩人去遠，緩步行到蕭翎身側，道：「蕭相公，你想見我家姑娘嗎？」

蕭翎淡然一笑，道：「如是你家姑娘很忙，見不見，都不要緊。」

素文一揚柳眉，道：「昨天夜裏，你還求我幫忙，要見我家姑娘一面，此刻，難道是已改了心意了嗎？」

蕭翎道：「姑娘不要誤會，如是那岳姑娘能見我，在下自當赴約。」

素文道：「不用赴約了，我帶你去見她如何？」

蕭翎道：「在下有一個不情之求，想問姑娘兩句話。」

素文道：「好，你說吧！」

蕭翎道：「那岳姑娘昨宵不肯見我，今日卻又差姑娘約我相晤，你可知道，現在那岳姑娘是為了什麼？」

素文道：「為了什麼？」

突然放低了聲音，說道：「岳姑娘和你蕭相公，何親何故，小婢是一點不知，只知她為了你，用了不少心機，我們兩姊妹疲於奔命，南海五凶的事，只不過是其中之一而已，她好像不

想讓你知道，她在暗中幫助你……」言未盡意，卻突然止口不言。

蕭翎等了片刻，不見那素文再接下去，忍不住問道：「姑娘說完了嗎？」

素文搖搖頭，道：「話是沒說完，但小婢不能再說，也不敢多說了。」

蕭翎回顧了孫不邪一眼，問道：「請教姑娘，在下這幾位朋友，可否能一同去呢？」

素文道：「小婢來時，姑娘並未吩咐什麼，不過就小婢所知，姑娘一向不願和生人相見。」

孫不邪道：「蕭兄不用為難，我等在此等候就是。」

蕭翎輕輕歎息一聲，道：「那岳姑娘現在何處？」

素文道：「就在這附近不遠處。」

蕭翎回頭對孫不邪等抱拳一揖，道：「諸位請在此稍候，在下去去就來。」

孫不邪道：「兄弟請便。」

素文轉過身去，道：「咱們可以走了。」當先舉步向前行去。

蕭翎緊隨在素文身後，緩步向前行去。

出了那高大的宅院，素文突然放腿奔去，口中喝道：「小婢帶路了。」

此女輕功極佳，蕭翎一怔神間，那素文已經奔出四、五丈遠，急急一提真氣，放腿向前追去。

兩人各逞輕功，放腿疾奔，片刻間已奔出十幾里路。

蕭翎全力追趕，已然追上了一丈左右，卻不料素文突然停下腳步，蕭翎猝不及防，幾乎撞到了素文的身上。

倉促間一吸真氣，收住了急衝之勢。

素文微微一笑，道：「蕭相公輕功果然高強。」

蕭翎緩緩吐出口氣，道：「怎麼不走了？」

素文手指著數丈外綠蔭深處，一座隱現的茅舍，道：「到了，就在那茅舍之中。」

說話之間，已然行近茅舍。

素文舉手在籬門上拍了兩掌。

但聞籬門呀然，一個全身紅衣，背插長劍的俏麗少女，當門而立。

素文低聲問道：「姑娘在嗎？」

那紅衣少女打量了蕭翎一眼，道：「姑娘在，蕭相公請進去吧！」

蕭翎聞聲緩步走了進去，只見室中佈設極為簡單，一張木桌，和四張竹椅之外，別無他物。

靠左面一面淡藍的粗布垂簾和一堵單牆，把茅舍分成了內、外兩間。

那素文留在茅屋外面未進來，那紅衣少女，卻緊隨蕭翎身後而入，低聲說道：「相公，我去稟告姑娘一聲。」

只聽那垂簾之內，傳出一個清脆的女子聲音，道：「你退出去。」

布簾啟動，緩步走出來一個玄色勁裝的少女。

那紅衣婢女欠身應了一聲，悄然退出室外。

蕭翎雙目投注到玄衣少女身上，果然是一別五年有餘的岳小釵，只是此刻的風韻，更爲動人一些。

岳小釵眉宇間，流現出一片憂鬱，但卻強展歡顏微微一笑，道：「瞧什麼？難道已不認識姊姊了嗎？」

蕭翎恭恭敬敬，抱拳一揖，道：「數年來，姊姊的音容笑貌，一直縈繞小弟心懷，豈有不認識的道理。」

岳小釵輕輕歎息一聲，道：「你卻是變得多了，如是我陡然見你，姊姊當真是無法認出。」

蕭翎道：「我變得強壯了……」

岳小釵接道：「也長大了，分手之時，你還是一個瘦弱多病的小孩子，現在，卻是一個風度翩翩的美少年了，唉！五年時光，不算短，也不算長，但卻是有太多的變化。」

蕭翎只見她一言一詞中，若有著無限的感傷，心中大爲奇怪，暗道：岳姊姊一向是豪放堅強，怎的此刻卻是這般的多愁善感。

抬頭看去，只見她一對明亮的眼睛中，閃動著濡濡淚光，心頭更是駭然，急急問道：「姊

姊你怎麼了？」

岳小釵微微一笑，道：「我很好啊！咱們多年不見，今天該好好談談才是。」

蕭翎想到她悲慘的際遇、經歷的痛苦，亦不禁有些黯然神傷，長歎一聲，道：「姊姊，這些年來，你受了很多的苦，是嗎？」

岳小釵道：「姊姊從小闖蕩江湖，吃些苦也算不得什麼，倒是你嬌生慣養，在父母餘蔭之下長大，那些苦難的日子，不知你如何度過。」

蕭翎道：「雖然吃點苦頭，但是都已過去，現在我不是很好嗎？」

岳小釵道：「你長大了很多，和昔年簡直是兩個人，如今你已揚名武林，譽滿江湖，那些苦總算是沒有白吃。」

蕭翎道：「小弟得有今日，全是姊姊相助之力……」

岳小釵道：「姊姊沒有好好照顧你，使你流落江湖吃苦，想起來姊姊就不安得很。」

蕭翎道：「往事已成過去，姊姊不用引咎了。」

岳小釵指著蕭翎身旁竹椅，說道：「坐下來，咱們好好談談。」

蕭翎依言坐了下去，道：「姊姊也請坐吧！」

岳小釵微微頷首，坐了下去，說道：「兄弟，告訴我這幾年你的經歷。」

蕭翎把幾年來自己的遭遇、經過，去繁從簡，說了一遍。

岳小釵很仔細地聽了一遍，道：「你一人得三位老前輩傾囊相授武功，也算得大大的造化

了。」

蕭翎忽然想起了昨夜之事，說道：「姊姊，小弟心有一件不解之疑，問了出來，還望姊姊不要生氣才好。」

岳小釵道：「可是因爲我昨夜不肯見你的事？」

蕭翎道：「正是此事，小弟實是想不通，何以姊姊竟不肯和我相見呢？」

岳小釵道：「過去的事，不用提它了，現在咱們不是相對而坐了嗎？」

蕭翎道：「這些日子，姊姊一向在暗中幫助於我，小弟心中是感激不盡……」

岳小釵道：「不要講這些了，這些說起來，豈不是太見外了嗎？」

蕭翎在這陣談話的時間中，一直留心著那岳小釵的神情，果然發覺她，雖然在說話之中，卻無法掩住那眉宇間重重憂苦，當下說道：「姊姊，你好像有著很多的心事，是嗎？」

岳小釵道：「唉！心事只有一件，但卻是剪不斷、理還亂，竟使我莫所適從。」

蕭翎道：「什麼心事呢？不知可否告訴小弟。」

岳小釵舉手理一下鬢邊的散髮，輕輕歎息一聲，道：「姊姊當真是不知從何開口。」

蕭翎怔了一怔，道：「什麼事如此嚴重？」

岳小釵一對明亮的雙目，盯注在蕭翎的臉上，緩緩說道：「兄弟，你認識一位百里姑娘，是嗎？」

蕭翎道：「那就是北天尊者之女，名叫百里冰，她對小弟有過數番相助之情。」

岳小釵道：「你可要報答她嗎？」

蕭翎道：「小弟豈是忘恩負義的人，自然是要報答她了。」

岳小釵道：「兄弟，那我問你，一個人如若受了人家的救命之恩，那應該如何報答？」

蕭翎呆了一呆，道：「這個麼！就很難說了，因為那要看他救人的動機何在，如若是出乎真心，別無所期，這恩情自然是其重如山、其深如海了。」

岳小釵道：「人之初行，完全是出乎於心，可是以後卻變得有所企圖，那又該當如何？」

蕭翎道：「只要他不是大奸巨惡，受人之恩，應該報答才是。」

岳小釵雙目中奇光閃動，打量了蕭翎一眼，道：「兄弟，不論他要些什麼，都應該答應他嗎？」

蕭翎道：「只要他不是為害人間，都應該……」忽然間，心有所感，住口不言。

岳小釵道：「為什麼不說了？」

蕭翎沉吟一陣，道：「姊姊，你有很多話，似都是有感而發。」

岳小釵輕輕歎息一聲，欲言又止。

突聽素文尖叫道：「不行，姑娘在和客人說話，如何能讓你進去！」

但聞砰的一聲大震，兩扇木門，被人一腳踢開，玉簫郎君手提玉簫，當門而立。

蕭翎抬頭望去，只見玉簫郎君的臉色白裏泛青，雙目中直似要噴出火來，緊緊盯注蕭翎的

臉上瞧了好一會兒，緩緩轉到岳小釵的臉上，仰天打個哈哈，道：「岳姑娘取消了在下之約，就是爲了要和蕭翎見面嗎？」

蕭翎看到他激憤的神色，心中既奇怪，又不安，忖道：這玉簫郎君武功高強，如是陡然出手施襲，激憤中必將是追魂奪命，凌厲無比。

急急提聚真氣，暗作戒備。

岳小釵初見玉簫郎君，亦是大爲吃驚，但不過一瞬之間，又恢復了鎮靜之容，淡淡一笑，道：「是又怎樣？」

蕭翎知道玉簫郎君脾氣躁急異常，岳小釵這等冷漠神態對他，說不定立時激起他的怒火，不覺行前一步，擋在了岳小釵的身前。

哪知事情完全出了蕭翎的意料之外，玉簫郎君不但未立時出手，反而怒火全熄，緩步行了進來，淡淡一笑，道：「驚擾你的談興了。」

蕭翎道：「不妨事。」

玉簫郎君也不用兩人讓座，伸手牽過一把木椅，坐了下來，說道：「適才在大宅之中，兄弟多有冒犯，還望蕭兄多多原宥。」

蕭翎心中大奇，暗道：這位冷傲之人，怎的忽然對我這般客氣起來。

心中念轉，口中連連應道：「言重了，言重了。」

玉簫郎君道：「蕭兄幾位貴友，都還在大宅院中等候嗎？」

此人無話找話，盡談些不著邊際的事，蕭翎又不能不答，只好應道：「不錯。」

玉簫郎君道：「岳姑娘不願見生人，如是你那貴友，全部追來，豈不是打擾了岳姑娘嗎？」

蕭翎想了一想，暗道：這話倒也不錯，孫不邪和無為道長，在武林之中，身分甚高，如追蹤至此，岳姑娘如不招呼他們，豈不是開罪他們嗎？

當下說道：「當該如何才是？」

玉簫郎君微微一笑，道：「蕭兄去和他們招呼一聲，別要他們追來就是。」

蕭翎心中暗道：去招呼他們一聲也好，舉步向室外行去。

只見素文站在窗外，以目示意，不要他離開。

蕭翎心中一動，行到門口，突然又停了下來。

回頭望去，只見岳小釵站在一側微垂臻首，愁鎖柳眉，心中似有著無限憂苦，心中奇道：岳姊姊好像不喜見玉簫郎君，又似是有些畏懼玉簫郎君，看來，這其間只怕別有內情。

心中念轉，人又走了回來。

玉簫郎君臉色一變，冷冷說道：「你怎麼不走了？」

蕭翎道：「我一直沒有說要走啊！」

玉簫郎君突然仰天打個哈哈，道：「蕭翎！你如不願和我作對，那就快離開此地。」

蕭翎越聽越覺奇怪，心中忖道：不知岳姊姊為何會對這個玉簫郎君，生有畏懼之情，難道

岳姊姊受了他什麼暗算，隨時都可被他置於死地，故而不敢反抗於他……果真如此，我是定得留此，保護岳姊姊了……

他只管用心推想，忘記了玉簫郎君的問話。

玉簫郎君不聞蕭翎回答之言，突然冷笑一聲，道：「蕭翎，你如真想和我為難，今日只有一途可循了。」

蕭翎道：「哪一途？」

玉簫郎君道：「咱們各憑武功，一決生死。」

蕭翎偷眼向岳小釵瞧去，只見她一雙星目之中，隱隱含著淚水，臉上是一片茫然無主的神色，顯然是心中正有著無法告人的痛苦。

但聞玉簫郎君說道：「蕭翎，你如不敢和我決一死戰，那就盡快離開此地，從今之後，不能再和岳小釵姑娘相見。」

蕭翎心中暗道：此人武功高強，如是各出全力相搏，鹿死誰手，實難預料，目下江湖上大亂正殷，我蕭翎要留下這有用的生命，為武林同道謀命，再者，此人孤傲不群，卻無惡跡，讓他一步，又有何妨？

當下說道：「閣下武功高強，蕭翎自知不敵，何況，彼此無怨無仇，為什麼一定要動手相拚呢？」

玉簫郎君接道：「你如不願和我動手，只要答允我從今之後，不再和岳小釵姑娘見面。」

蕭翎劍眉一聳，道：「閣下逼人過甚了，岳姊姊和蕭翎……」

玉簫郎君怒聲喝道：「住口！」

蕭翎再難忍耐，也厲聲以對，道：「閣下傲氣凌人，目空四海，需知我蕭翎是有心相讓，並非是怕你。」

玉簫郎君突然一振手中玉簫，道：「這茅舍之後，有一片空曠的草地，咱們此番動手，定當不死不休。」

蕭翎怒道：「閣下再三相逼，我蕭翎恭敬不如從命了。」

玉簫郎君道：「好！咱們走吧！」當先向外行去。

蕭翎回頭看去，只見岳小釵仍茫然而坐，似是正在思索著一件十分重大的事，對眼下發生的事情，似是渾如不覺。

蕭翎暗暗地歎息一聲，忖道：岳姊姊和玉簫郎君之間，似乎是有著一種很微妙的關係……

心中念轉，人卻隨著玉簫郎君走了出去。

素文呆呆地望著兩人，似是想出言阻止蕭翎，但卻終於忍了下去。

蕭翎緊隨在玉簫郎君的身後，到茅舍後面，果然見一片寬闊的草地。

玉簫郎君手橫玉簫，站在場中。

蕭翎不自覺地伸手摸了摸劍把，緩步行了過去。

玉簫郎君一振手中玉簫，道：「閣下亮劍吧！咱們這一戰，非同於平常的比武，儘管施下

毒手，不分生死，不許停手。」

蕭翎神色蕭然，緩緩說道：「閣下既然劃出道兒，在下一定奉陪，不過，在未動手前，在下心有幾點不明之處，很想問個明白出來。」

玉簫郎君道：「你說吧！不過要簡略扼要，我不想拖延太久時間。」

蕭翎道：「咱們彼此無仇無怨，為什麼一定要拚個你死我活？」

玉簫郎君仰天大笑三聲，道：「在下原和你勢不兩立之心，不過，此刻情勢不同了，你

蕭翎一日不死，在下就有寢難安枕，食不知味的感覺。」

蕭翎道：「蕭某也隱隱覺得閣下對我，似乎是積恨甚深，這就使在下不解了，何以閣下對我如此深恨？難道你是為了岳姑娘嗎？」

玉簫郎君道：「不錯，正是為了岳小釵……」

蕭翎接道：「岳姊姊和我五年前就相識，情若姊弟……」

玉簫郎君冷笑一聲，道：「就是你和她情意太深，所以，我非得殺你不可。」

蕭翎點點頭，道：「原來如此……」

話聲微微一頓，接道：「閣下只怕是誤會了。」

玉簫郎君冷然說道：「不用多費唇舌，亮出兵刃吧！」

玉簫一起，「金龍探爪」，直向蕭翎前胸點了過來。

蕭翎右手一抬，快速絕倫地拔出長劍，封住玉簫，道：「只為了我和岳小釵姑娘相識，閣

下就不容我蕭翎活在世上，這等霸道的事，倒是少見少見。」

玉簫郎君不答蕭翎之言，玉簫揮動，連攻八簫。

這八簫攻勢猛惡至極，幻起了一片簫影而下。

蕭翎心中大怒，暗道：這人如此的不可理喻，不給他一點顏色瞧瞧，看來難以使他停手了。

全神運劍，封開八簫之後，還擊八劍。

八簫來，八劍去，簫、劍相觸，響起了一片脆鳴之聲。

玉簫郎君擋開了蕭翎八劍之後，心中暗暗忖道：這人無怪在極短的時日之中，揚名於江湖之上，果然有著非常的本領，今日如想取他之命，非施下殺手不可了。

心念一轉，疾退五尺，緩緩舉起手中玉簫，道：「蕭翎，我這玉簫之中，藏有見血封喉的絕毒暗器，而且可從每一個簫孔之中，發射出來，你要小心了。」

蕭翎心中暗道：他急欲求勝，已到不擇手段之境，定然是想施展暗器了。

想到他這玉簫發射暗器之奇、之毒，亦不禁有些駭然，當下吸一口氣，道：「閣下既是非得和蕭某拚個生死出來不可，那也是無可奈何的事了，閣下有什麼驚人之技，儘管施展出來就是。」

口中說話，左手卻探入懷中，迅快地戴上了千年蛟皮手套，右手執劍，蓄勢待敵。

玉簫郎君緩緩舉起手中玉簫，雙目神光，逼注在蕭翎臉上。

雙方各自運氣，力貫兵刃，立時間，即將展開石破天驚的一搏。

兩人的神色，都顯得十分莊嚴凝重，顯然，兩人心中都沒有制勝的把握。

突然間，人影閃動，挾風而至，一身玄裝的岳小釵，已然站在兩人之間。

這時蕭翎和玉簫郎君，都已經提聚了十成功力，準備作孤注一擲的拚鬥。

岳小釵及時而至，阻止了兩人的搏鬥。

玉簫郎君緩緩垂下手中的玉簫，說道：「姑娘不覺得我們兩人之中，應該死去一個嗎？」

岳小釵星目中滿蘊淚光，柔和地說道：「何苦呢？你們本來無怨無仇啊！」

蕭翎滿臉迷惘地望了玉簫郎君一眼，惑然說道：「天地遼闊，河山綿長，為什麼不容我們兩個並存人間？」

玉簫郎君仰天大笑三聲，道：「蕭翎，你是當真的不知呢？還是在有意的裝糊塗？」

蕭翎道：「在下實在想不出，咱們何以不能並存於世！」

岳小釵歎息一聲，道：「小妹身受張兄之恩，必有一報，但此事和我蕭兄弟毫無關係，你不用遷怒於他了。」

玉簫郎君臉色一變，道：「依姑娘之見呢？」

岳小釵道：「尚望張兄能夠寬限小妹一點期限……」

玉簫郎君接道：「好！但至多不能超過三個月！」

岳小釵沉吟了一陣，道：「三個月……」

玉簫郎君道：「不錯，三個月在姑娘感覺當中，也許是彈指即過，可是在下感覺中，卻有著度日如年之感。」

岳小釵望了滿臉迷惘、茫然的蕭翎一眼，緩緩說道：「好吧！就是三個月，不過，我也有一件事奉求。」

玉簫郎君道：「但得力所能及，在下是無不答允。」

岳小釵道：「在三月之內，小妹不願再聽到幽幽簫聲，也不願張兄經常在我左近出現。」

玉簫郎君慘然一笑，道：「好！我答應你，但不知三月限滿，咱們在何處相見？」

岳小釵略一沉吟，道：「三月期滿，咱們在衡山斷魂崖底相見！」

玉簫郎君慘笑兩聲，道：「古往今來，從無一人下過斷魂崖。姑娘相約在斷魂崖底相見，倒是隱秘得很。」

岳小釵道：「你如害怕，咱們就不用見了！」

玉簫郎君道：「姑娘放心，在下自會先姑娘而到。」

岳小釵道：「約期已定，你可以走了吧！」

玉簫郎君道：「好！在下就此別過。」

轉身而去，眨眼間，消失在夜色之中不見。

蕭翎只覺重重疑問盤旋腦際，呆呆地站在當地。

岳小釵目注那玉簫郎君去遠，幽幽說道：「蕭兄弟，可知那一夜，我為什麼不肯見你

嗎？」

蕭翎心中似是有些明白，但仔細想去，卻又有些茫然不解，當下說道：「小弟有些知道，但仔細想去，又有些不明白了。」

但聞岳小釵黯然說道：「此事看來簡單，說來卻十分複雜，我今日請你來此，早已想了很久，與其讓事情拖下去，還不如早些告訴你好！唉！世上有很多事，不是憑仗武功能解決的……」

語聲微微一頓，接道：「此地不是談話所在，咱們回到茅舍中去吧！」轉身向前行去。

素文替兩人送上兩杯香茗之後，悄然退了出去。

蕭翎迫不及待地說道：「姊姊，小弟此刻滿腹疑惑，請姊姊快些說吧！」

岳小釵沉吟了一陣，道：「中州二賈想來已經告訴你了……」

蕭翎接道：「不錯，他們把姊姊囚禁在一座密室之中，被姊姊逃了去，為了此事，他們一直心下難安。」

岳小釵淡淡一笑，接道：「不用替他們求情，我如要殺中州二賈，就算他們有十條命，也難再活在世上了，我本無記恨他們之心，他們認你作了龍頭大哥之後，這筆小小的怨恨，早已在我的心中一筆勾去了……」

蕭翎道：「姊姊縱然大量包容，不再怪罪他們，但小弟也要他們到姊姊面前來負荊請

罪。」

岳小釵道：「不用了，他們並不是很壞的人……」

長長歎息一聲，接道：「那時姊姊的武功，自顧不暇，自然無能再顧到兄弟你了。唉！我帶你離家出走，使你這宦門公子，捲入江湖的恩怨之中，午夜夢迴，捫心自問，心中這一份不安，定非你能了然。」

蕭翎笑道：「我現在不是很好嗎？如不是姊姊帶我離家，小弟豈有今日這點成就，何況，當時是我纏住姊姊不放，要隨姊姊離家，姊姊何咎之有，小弟此刻，急欲知道的，是關於姊姊的事。」

岳小釵點點頭，道：「不錯，其人武功絕世，只是生性孤傲，目空四海，眼中無人，唯獨對我，愛護有加，一往情深……」

蕭翎自言自語地接道：「我有些明白了。」

岳小釵道：「姊姊被中州二賈關入那座密室之後，不久就被人救了出來……」

蕭翎心中一動，接道：「可是那玉簫郎君救了你？」

岳小釵淒涼一笑，繼續說道：「他救了姊姊之後，帶我去洗心茅舍……」

蕭翎突然想到岳雲姑的屍體，五年前一幕舊事，突然間展現腦際……那衡山腳下，修竹叢中的洗心茅舍，那骨瘦如柴，冷漠不近人情的白髮老嫗，岳小釵孤身一人，拒擋強敵的惡鬥……

當下說道：「雲姨的屍體，還在那洗心茅舍之中，姊姊可曾見到嗎？」

岳小釵點點頭，道：「故人情深，那洗心茅舍主人，雖然當初只允我等候七日，但我卻過了期限甚久，原想七日限滿之後，以她冷僻的性格，再也不會照顧家母的屍體，哪知她竟照得十分周到，家母屍體絲毫無損。」

蕭翎想到昔年雲姨對自己呵護惜愛，情意如海，想不到短短數月相處，一別竟成永訣，不禁黯然流下淚來，說道：「雲姨的屍體現在何處？小弟該去拜奠一番才是。」

岳小釵道：「我和玉簫郎君，趕去洗心茅舍，見家母遺體完好如初，才放下心來，本想遵照家母遺書，把她屍體送往沉燕谷，但卻為洗心茅舍主人所阻……」

蕭翎接道：「現在呢？雲姨屍體存放何處？」

岳小釵道：「仍在洗心茅舍之中。」

蕭翎道：「姊姊，為什麼不把雲姨屍體安葬起來？」

岳小釵道：「那時姊姊處境仍危，天下武林人物，仍在追捕於我，隨時會遇上強敵動手，擔心損傷到家母屍體，那洗心茅舍主人，既然無心逼我搬遷，也樂得留在那裏了。」

蕭翎道：「以後呢？」

岳小釵道：「姊姊又被幾批江湖人物發覺追蹤，但都為玉簫郎君所傷。」

蕭翎道：「那玉簫郎君對姊姊很好了。」

岳小釵歎息一聲，道：「平心而論，他對我呵護愛惜，無微不至，姊姊得他數度相救，如非有他保護，今日只怕難再見到蕭兄弟了。」

蕭翎望了岳小釵一眼，欲言又止，緩緩垂下頭去。

岳小釵接道：「那玉簫郎君發覺姊姊武功不高，在江湖之上走動，隨時有性命之危，就帶姊姊去求見一位息隱多年的老前輩，費盡了心機，苦求數日，才得到了那位老前輩的答允，把我收留門下……」

蕭翎道：「這就奇怪了，玉簫郎君那時武功強過姊姊甚多，為什麼不肯自行傳授姊姊的武功，卻要跑去求人？」

岳小釵道：「因他的武功路數，和我所學不同，學起來事倍功半，縱有所成，也有限度，他為我籌算，才去求那位老前輩收留於我……」

蕭翎道：「姊姊此刻的武功，似是尤在那玉簫郎君之上，想來傳授姊姊武功的那位高人，定然是超凡入聖的人物了。」

岳小釵道：「這個，恕姊姊不能告訴你了。」

蕭翎道：「為什麼呢？」

岳小釵道：「那人收留姊姊之時，曾經約法三章，第一是她只能傳我武功，但卻不准正式拜師，也不承認我是她門下弟子。」

蕭翎奇道：「第二件又是何約法？」

岳小釵道：「第二件是不許我說她的姓名、住址，第三件是，我不能把她傳授於我的幾種絕技，轉授給別人。」

蕭翎道：「江湖之上，各大門派，都望他本門武功，發揚光大，吸收人才，傳授絕技，那人不肯讓姊姊把她的絕技傳諸後人，當真使人費解。」

岳小釵道：「姊姊在初學之時，也是作此想法，但後來才知道不能怪她。」

蕭翎道：「那是爲了何故？」

岳小釵道：「因爲有幾種武功，手法太過惡毒，不能流傳於世，如是藝傳非人，流害極大，因此，那位老前輩才決心絕傳於世，不願它流毒於武林之中。」

蕭翎想到岳小釵懲制南海五凶的金針定腦手法，果是惡毒無比，從未聽聞，心中暗道：人心多變，那位老前輩的顧慮，倒也是不能算錯。

岳小釵長吁一口氣，又道：「我在那裏留住了四年不到，日夜苦求進境，幸有小成之際，那位老前輩突然逼我離開，不准我再留住那裏。」

蕭翎奇道：「這又是爲了什麼呢？」

岳小釵道：「至今仍然是爲了什麼？姊姊想了數日夜，用盡心機，也是猜它不透……」

舉手理一下垂鬢秀髮，接道：「姊姊重入江湖，第一件事，就是打聽你的下落，得知你落江而死，心中痛苦萬分，找到了你落江之處，設靈奠拜，痛哭三日夜，流盡血淚，如非想到，要替母親和你報仇，只怕早已投江而死……」

蕭翎歎息一聲，道：「姊姊如此情意，真使小弟不知如何報答才好。」

岳小釵接道：「半年之後，突然又聽你出現江湖的消息，姊姊驚喜若狂，天涯追蹤，哪知

竟然是藍玉棠假冒冒兄弟之名，一腔狂喜，又變得曇花一現……」

長長歎息一聲，接道：「我見那假冒你名的藍玉棠，心中十分氣怒，曾經狠狠教訓了他一頓，卻不料因此又招來一些麻煩。」

蕭翎道：「可是那藍玉棠爲姊姊……」

他本想說，可是那藍玉棠爲姊姊的容色所迷，苦苦追求於你，但下面之言，難於出口，只好住口不言。

只聽岳小釵接著說道：「姊姊稍微平靜的心情，又激起了一陣波瀾，既覺愧對母親遺言，又覺難向你父母交代，心中痛恨、愧疚，實非言語能夠形容，那夜，我獨自宿住在一座荒廟之中，悲痛過深，耳目也失去了靈敏，竟然依在壁上睡去，醒來時，發覺已爲人點了穴道……」

蕭翎怒道：「什麼人敢對姊姊如此無禮？」

岳小釵望了蕭翎一眼，看他激憤之情，形諸神色之間，好像親眼看到了自己被人捆起一般，當下接道：「百花山莊中人，兩個獐頭鼠目的小嘍囉，他們見我醒來，竟然敢出言戲汙，姊姊心中雖然急怒無比，但因穴道被點，一時竟是無能反抗，只好閉目不理他們……」突然垂下鳳目，住口不言。

蕭翎正聽得心中憂急，問道：「以後呢？」

岳小釵緩緩說道：「以後，兩人竟然對我無禮，當時情形，姊姊求生難得，求死不能，但那玉簫郎君卻及時趕到，出手擊斃兩人。」

蕭翎道：「這麼說來，玉簫郎君，又救了姊姊一次。」

岳小釵道：「不錯，正因他數番救了我，又帶我投入名師之門，學得絕技，對我可算得仁至義盡，恩如山高……」

她突然住口不言，抬起雙目，在蕭翎的臉上打量了一陣，道：「兄弟，你已經長大了，懂了很多的事，姊姊也不用對你保留，我要有一句，說一句了。」

蕭翎道：「小弟洗耳恭聽。」

岳小釵仍然猶豫了一陣，接道：「玉簫郎君救了我之後，又發覺我心中憂苦甚重，怕我再遇危險，不肯離開我，陪我悠遊名山勝水，他一支玉簫，早已吹得出神入化，姊姊我從小，就得母親授與彈琴之技，後來，投入那位隱名老前輩的門下，又得她指點彈琴之術……」

一頓語聲，回顧了蕭翎一眼，接道：「那時，玉簫郎君，對我雖然體貼入微，但他一直是發於情，止於禮，視我如手足妹妹。」

蕭翎道：「他終日陪姊姊遊山玩水，吹奏玉簫，為姊姊解悶，又無其他用心，也算得一位君子人物了。」

岳小釵道：「兄弟，你可記得一句名言嗎？」

蕭翎道：「什麼名言？」

岳小釵道：「日久情生！那玉簫郎君，終日裏陪著我遊山玩水，姊姊不覺之間，亦對他生出情愫，只是當時未曾想到罷了。」

蕭翎長長吁一口氣，欲言又止。

岳小釵接道：「在一個月華似水的晚上，玉簫郎君帶我在九華山頂賞月，他早已知曉，姊姊彈琴之技，不知何時，竟為我備了一張瑤琴，他對月吹簫，意興豪放，大有傲視九州、惟我獨尊之概，姊姊技癢，不自覺的取過瑤琴，彈奏起來，琴簫和奏，引動了百鳥夜鳴。」

蕭翎道：「看來那玉簫郎君頗有心機，他為姊姊備了瑤琴，卻從不求姊姊彈給他聽，用玉簫勾起姊姊的雅興，使姊姊情難自禁。」

岳小釵道：「唉！你當真是長大多了，知道了很多事……」

語聲微頓，接道：「不知何時，那玉簫郎君的簫聲，突然折轉，縷縷柔情，由那簫聲之中揚起，情如小橋流水、煙村人家，姊姊在他簫聲導引之下，琴音也為之一變，渾然忘我，浸沉在一片似水柔情之中。」

蕭翎道：「詩情畫意，陽春白雪，那境界的確是動人得很。」

十　霧鎖幽情

岳小釵道：「以後……」以後了半天，竟是接不下去。

蕭翎道：「以後怎麼了？」

岳小釵一咬牙，接道：「以後嗎？那琴音、簫聲，不知何時停下，姊姊清醒時，發覺偎依在玉簫郎君的懷中而坐。」

蕭翎突覺一股莫名的感傷，直泛心頭，頭重腳輕，幾乎一跤栽倒。

岳小釵道：「兄弟，你怎麼了？」

蕭翎一提氣，道：「我很好啊！那玉簫郎君可曾……」

岳小釵道：「他握著姊姊的手，求姊姊答允，終身和他爲侶，他自豪的說道，普天之下，只有他玉簫郎君一人，才配娶姊姊爲妻，也只有姊姊一人，才配嫁給他玉簫郎君。」

蕭翎道：「口氣很大，姊姊可曾答應了他？」

岳小釵道：「好像是答應了，不過，我曾經提了兩個條件。」

蕭翎道：「什麼條件？」

岳小釵道：「第一件，我要他助我復仇。」

蕭翎道：「第二件呢？」

岳小釵雙目凝注在蕭翎的臉上，一字一句地說道：「這第二件嗎？我要他等三年，如若三年中，仍然沒有兄弟你的消息，姊姊即將在玉簫郎君相助之下，仗劍復仇，報了大仇之後，再答允他的婚事。」

蕭翎道：「現在呢？我還好好的活在世上啊！」

岳小釵道：「只怪姊姊當時少說了兩句，如今很難辯說得清楚了。」

蕭翎道：「那不是說得很清楚嗎？你要他等三年，探我生死，可是現在還未滿一年期限，已證實了我還活在世上，姊姊要是不喜歡他，自然是前約不算了。」

岳小釵道：「當時，我只說要他等候三年，找尋兄弟，但我卻沒有說明，找到了兄弟之後，又該如何……」

蕭翎道：「自然是前約毀棄。」

岳小釵道：「姊姊正是作如是想，但那玉簫郎君，並不這樣想啊！」

蕭翎道：「想不到玉簫郎君那等人物，也會賴皮！」

岳小釵道：「不能怪他，他對姊姊施恩甚深……」

語聲微微一頓，接道：「兄弟，有一件事，放在我心中很久了，姊姊一直沒有給你說過。」

243

蕭翎道：「什麼事啊？」

岳小釵道：「你那雲姨遺書之中，曾經指明了姊姊終身大事，要姊姊……」突然泛起了兩頰羞紅，垂首不言。

蕭翎道：「雲姨對我愛護備至，在我心目中早已敬她如娘。」

岳小釵緩緩抬起頭來，閉上雙目，說道：「那遺書中說明了，要我嫁你為妻。」

蕭翎怔了一怔，道：「有這等事？」

岳小釵臉上的紅暈更見鮮明，但她仍然接著說道：「那遺書上不但限定姊姊要嫁你為妻，而且還指明了姊姊該如何去做……」

停了一停，接道：「這些話，姊姊雖羞於出口，但事到如今，我也只好直對你說了，但願兄弟不要笑姊姊語無倫次才好。」

蕭翎道：「在小弟心目之中，視姊姊有如天人一般，怎敢有絲毫輕貌姊姊之心。」

岳小釵輕歎一聲，又道：「反正這件事，不論早晚都得告訴你，此刻再不對你說明，也許以後就沒有機會了……」

這最後一句話，似是預藏凶機，只聽得蕭翎呆了一呆，正待追問，岳小釵又接口道：「家母在遺書中，說得很明白，她說兄弟你生具絕脈，縱然習練上乘內功，也未必就能把絕脈打通，能否過得二十歲，很難預料，因此，遺書中指明，要姊姊把她遺體送走之後，重返長碧湖畔丹桂村，暫不為她報仇，先和你結成夫婦……」

244

蕭翎只覺臉上一熱，垂下頭去，不敢再看岳小釵。

岳小釵長長歎息一聲，接道：「家母要我為你們蕭家，生上一對兒女、續了你蕭家的香火，然後，再給她報仇，她信中詳細的說明了為她報仇的方法。」

蕭翎抬起頭來，星目中滿含淚水，輕輕歎息一聲，道：「這中間，還有著如許內情，小弟如何能夠想到⋯⋯」

岳小釵臉色一整，緩緩接道：「如今情勢已有轉變，姊姊處境，已非昔比，兄弟你已經衝破了死亡之關，學得一身絕技，以兄弟瀟灑才貌，正是深閨中夢裏情人，家母遺命，已成往事，姊姊也不用恪守遺命了。」

蕭翎只覺心中一片紊亂，說不出是一股什麼樣的滋味，沉吟了一陣，道：「姊姊之命，小弟無不遵從。」

岳小釵抬起頭，望望天色，道：「兄弟，那玉簫郎君的武功如何？」

蕭翎初嘗滋味，正感覺心中惶惶，茫然無措，卻不料岳小釵突然間問了這麼一句，怔了一怔，道：「武功高強，世所罕見。」

岳小釵道：「你自信比他如何？」

蕭翎道：「很難料鹿死誰手！」

岳小釵道：「他待我情深似海，恩重如山，兄弟之見，姊姊應該如何？」

蕭翎呆了一呆，道：「這個，這個⋯⋯」

岳小釵道：「事到如今，你還有什麼顧慮，照實說出來吧！」

蕭翎星目中神光閃動，凝注在岳小釵的臉上，蕭然說道：「那要看姊姊對他如何了，姊姊如是心中喜愛於他，自然可委侍終身，如是不愛他，小弟未死，自是可毀棄前允。」

岳小釵秀眉輕蹙，緩緩說道：「如是毀棄前約，他對我也許不敢如何，但他一腔怨恨，定然會遷怒到你的身上，定會找你拚命。」

蕭翎一挺胸，道：「他武功雖然高強，但小弟並不怕他。」

岳小釵道：「你此刻已經是名滿江湖，怎能為一個女子拚命……」

蕭翎只覺胸中沸騰，沉聲接道：「如若小弟內心中，有一位紅粉知己，那人就是姊姊你了，但我對姊姊不只是依戀情深，而且也敬若天人，小弟年幼，少不更事，這些年來，只感到姊姊的音容笑貌，經常現我腦際，今日姊姊如不說明，小弟只覺著對姊姊有著一種依戀之心，一時間，還想不到情竇早生，就算小弟知道，也不敢說出口來，冒瀆姊姊。」

岳小釵道：「這些三年來，我何嘗不是也在想念著你，我對你有一份深深的愧疚，也有著一份憐惜……」

長歎一聲，接道：「只是，一個沈木風，已夠你對付了，如是再加個玉簫郎君，你怎能應付得了，解鈴還是繫鈴人，姊姊自己的事，只有自己去辦了。」

蕭翎道：「姊姊昔年，對我呵護愛惜，無微不至，如今我已經長大了，為什麼不讓我保護姊姊一次呢？」

岳小釵突然展開愁容，換上了一副笑臉，道：「兄弟你過來。」

蕭翎緩步走了過去，恭恭敬敬地說道：「姊姊有什麼吩咐嗎？」

岳小釵突然轉入室內，片刻之後，手中捧著一個三寸長、兩寸寬、半寸厚的檀木盒子，臉色嚴肅地說道：「兄弟，好好的收存這只木盒。」

蕭翎伸手接過，說道：「姊姊，這木盒之中，放的什麼？」

岳小釵道：「天下武林人物，人人醉心的禁宮之鑰！」

蕭翎吃了一驚，道：「禁宮之鑰？」

岳小釵道：「不錯，姊姊今日交給你，希望你能入禁宮一行。」

蕭翎搖搖頭，道：「這等珍貴之物，小弟如何有能力保存，還是姊姊收存著吧！」

岳小釵苦笑一下，道：「你記得我已和那玉簫郎君訂下之約嗎？」

蕭翎道：「言猶在耳，怎會忘記。」

岳小釵道：「這就是了，三個月的期限，彈指即屆，斷魂崖下之約，生死難以預卜，如若在三月之後，仍得不到消息，這禁宮之鑰就算兄弟你所有，設法到禁宮中一行吧！你如想勝那沈木風，只怕是非得進入禁宮一趟不可。」

蕭翎神色肅然地說道：「姊姊，告訴我一件事，不要騙我。」

岳小釵道：「什麼事？」

蕭翎道：「你和那玉簫郎君，定下三月後斷魂崖底相會之約，用心何在？」

岳小釵望了蕭翎一眼，沉吟不語。

蕭翎道：「姊姊答應讓小弟同去嗎？」

岳小釵道：「不成，你不能和玉簫郎君作對！」

蕭翎道：「爲什麼？」

岳小釵歎道：「在玉簫郎君身後，還有一股龐大的實力，那包括了傳我武功的師父，如果你殺了玉簫郎君，這些人決然不會和你善罷甘休，如是玉簫郎君傷了你，兄弟，那未免太不值得了。」

蕭翎道：「又是什麼事？」

岳小釵秀眉一皺，道：「兄弟別忘了一件事。」

蕭翎道：「爲了姊姊，粉身碎骨在所不惜。」

岳小釵道：「我已答應過了那玉簫郎君求婚，爲什麼不可以當真的嫁給他呢？」

蕭翎萬萬沒有想到，岳小釵突然下起了逐客令，呆了一呆，道：「姊姊要我走嗎？」

臉色一變，冷冷接道：「姊姊已把心中的話全部說完，你也該告別了。」

岳小釵道：「嗯！兄弟你已經大了，男女有別，不宜在此多留。」

蕭翎道：「既是如此，兄弟就此別過了。」言罷，抱拳一揖。

岳小釵欠身一禮，道：「恕姊姊不送了。」轉身直行入內室。

蕭翎看她突然間這般決定，心中既是奇怪，又是悲痛，胸中熱血沸騰，雙目中淚水湧出。

悲苦茫然中，不知過了多少時光。

只聽一個柔和的聲音，傳了過來，道：「相公。」

蕭翎如夢初醒一般，舉手拂拭一下臉上的淚痕，轉目望去，只見素文倚門而立，臉上亦是一片黯然的神色。

他鎮靜了一下精神，回顧了那分割大廳和內室的竹簾一眼，自言自語地說道：「我該走了。」舉步向外行去。

蕭翎心中充滿了悲傷，茫然中信步而行。

那高大的宅院，仍然屹立在環繞的竹林之中，但在蕭翎的心目中，卻似有著物是人非，不勝滄桑之感，短短幾個時辰中，一切事物，都變得那般陌生。

孫不邪背著雙手，正站在宅院之前，一見蕭翎踽踽行來，立時大步迎了上去，叫道：「兄弟，你回來了。」

蕭翎抬起頭來，望了孫不邪一眼，茫然一笑，道：「回來……」

孫不邪只覺蕭翎神色滄然，形貌也似有了很大的變化，短短幾個時辰的分別，竟有如過了幾年一般。

只見他一向開朗的眉宇間，卻被一種愁霧籠罩，清澈的雙目中，佈滿了紅色的血絲，似是經過了一場激烈絕倫的惡戰之後，有著極度的睏倦，平日流現於神色間的堅強，和那威武不屈

的氣度，此刻也完全消失，似乎是一種莫可言喻的神秘力量，在極短的時光中，把蕭翎完全改變。

孫不邪一皺眉頭，道：「兄弟，你很疲累，是嗎？」

蕭翎點點頭，淒苦一笑，道：「嗯！我很疲累。」

孫不邪目光轉動，突然發覺蕭翎衣袋之中，裝著一個檀木盒子，已然露出一半，西斜的陽光照射之下，可見那木盒上精緻的花紋。

心中一動，道：一向未見過這只木盒，此盒定然是剛剛收得之物了。

當下說道：「兄弟，你袋中那木盒，盛裝何物？」

蕭翎低頭取過木盒，瞧了一眼，道：「這個嗎？我沒見過啊！怎麼會放在我衣袋之中。」

原來，岳小釵下令逐客之時，蕭翎心頭大震，神智迷惘，竟然不知何時，岳小釵把木盒放入了衣袋之中。

孫不邪見聞是何等廣博，目光是何等銳利，看蕭翎頹廢的神情，再看他這等神不守舍之狀，心中已然明白，他在精神上受了巨大的刺激，使一個身負絕世武功的人物，在極短時間內，變了一個人般。

這時無爲道長、展葉青、司馬乾等，都圍攏了過來。

群豪似是已發覺了蕭翎的情形不對，一個個茫然無措。

無爲道長低聲說道：「孫老前輩，蕭大俠似是有些不對。」

孫不邪道：「不錯……」

只聽蕭翎緩緩說道：「我要送還給她。」轉身行去。

孫不邪低聲說道：「情形確有些不對。」

縱身一躍，搶在蕭翎前面，攔住了蕭翎的去路，道：「兄弟，你要到哪裏去？」

蕭翎道：「我要送還這只木盒。」

孫不邪道：「你要還給何人？」

蕭翎道：「岳小釵。唉！這盒中之物，太過珍貴，我蕭翎如何能夠承受呢？」

孫不邪道：「盒中放的何物？」

蕭翎道：「放的是禁宮之鑰。」

半晌說不出一句話來！

「禁宮之鑰」四個字，字字如巨雷下擊一般，只聽得孫不邪、無為道長等一齊呆在當地，

禁宮之鑰它關係著武林的命運，也是千萬武林人物視作重逾性命的奇寶，傳說每一次那禁宮之鑰出現江湖時，就將引起一連串的紛爭、慘殺！

蕭翎那雙失去神采的目光，緩緩地掃掠了群豪一眼，道：「諸位等我片刻，我去交還了這只木盒就來。」

孫不邪一伸手，攔住了蕭翎，道：「兄弟，岳姑娘給你這木盒時，可曾說過什麼話嗎？」

蕭翎仰起臉來，輕輕歎息一聲，道：「不錯，好像說了很多話。」

無為道長低聲向孫不邪道：「老前輩，蕭大俠的神智，好像有些錯亂，咱們要阻止他。」

孫不邪微微領首，道：「那岳姑娘講些什麼？兄弟，請說給我們聽聽如何？」

蕭翎黯然一笑，道：「她說了很多話，好像這禁宮之鑰對武林關係很大……似乎是又告訴

我說，我想勝那沈木風，必須進入禁宮一行。」

無為道長接道：「那岳姑娘既然把禁宮之鑰交給了你，自然是希望你蕭大俠能夠進入禁宮

一行了，你如再把此鑰交還給岳姑娘，豈不是有負了岳姑娘的用心嗎？」

蕭翎望著手中木盒，長長歎息一聲，道：「這木盒也許和那岳姑娘的性命有關。」

孫不邪道：「和那岳姑娘性命有關？」

蕭翎道：「不錯，她把這禁宮之鑰交給我手，心中再無牽掛，自然輕淡生死了。」

孫不邪心中暗道：滋事重大，關係著那岳姑娘的生死，倒叫老叫化不便插嘴了。

無為道長等，亦作如是之想，是以，誰也不便再多言接口。

蕭翎又是長歎道：「你們在此等候一會兒，我要去送還這木盒了。」

無為道長低聲對孫不邪道：「老前輩，蕭大俠實在有些不對，最好你能陪他一行。」

孫不邪點點頭，大行一步，道：「兄弟，老叫化陪你一行如何？」

蕭翎沉吟了一陣，道：「老前輩如願同行，那就一起去吧！」舉步向前行去。

見蕭翎放腿奔走，一口氣趕到那茅舍所在。

只見素文身上揹著簡單行李，背插長劍，站在茅舍門外。

蕭翎目睹素文那身裝束，立時為之一呆。

他心中雖然確想還送還木盒，但潛意識中，卻是更想見那岳小釵一面。

只聽素文嬌若銀鈴的聲音說道：「蕭相公，小姐已經走了。」

蕭翎道：「她走了多少時間，去向何處？」

孫不邪遙遙站在數丈之外，不再逼近。

素文歎道：「相公不用去追小姐了，她去時已經交代小婢，無論如何要勸阻相公不要追

她。」

蕭翎黯然歎息一聲，道：「姑娘，告訴我她的去向吧！我要追上她，還給她這只木盒。」

素文道：「不用還了！小姐還要我奉告相公，好好保管這只木盒，木盒中，除了禁宮之鑰

以外，還有那禁宮所在的形勢圖。」

蕭翎只覺一股莫可名狀的哀傷泛上了心頭，兩行淚水，奪眶而出。

素文道：「此刻，我家姑娘早已在數十里外，而且小婢決不會告訴你她的去向，相公還是

早些回去吧！」

蕭翎把手中木盒遞了過去，道：「這木盒有勞姑娘，轉給那岳小姐！」

素文搖搖頭，道：「這一切都在我家小姐的預料之中。」

蕭翎道：「為什麼？」

素文兩道清澈的星目齊注在蕭翎臉上，道：「相公，我家小姐說你為人間君子，定然要把禁宮之鑰送回，果然被她料中了。」

繼之神色一變，嚴肅地說道：「蕭相公，你可知我家姑娘把禁宮之鑰交到你手，用心是何等深刻，她不連累你，卻把命運託付於你……」

蕭翎呆了一呆，道：「岳姊姊武功強我甚多，那玉簫郎君武功，卻和我在伯仲之間，如若是她兩人動手相搏，岳姊姊決不致敗在那玉簫郎君手中，除非是岳姊姊心甘情願的束手就縛。」

素文道：「不錯，如若單以武功而論，我家姑娘確在那玉簫郎君之上，百回合之內，也許就能取他之命，可是你別忘了，那玉簫郎君乃是我家姑娘的救命恩人啊！」

沉吟了一陣，接道：「唉！說起來，這都是為了你啦。」

蕭翎道：「為了我嗎？」

素文道：「不錯啊！你未出現江湖之前，我家姑娘和那玉簫郎君常常相見，攜手遨遊於山水之間，那時，我家姑娘雖然也常常愁鎖眉頭，但亦有展顏歡笑之時……」

蕭翎接道：「聽到我出現江湖以後呢？」

素文道：「自從聽到你出現江湖的消息，情勢立刻大變，不但再也看不到我家姑娘臉上有過笑容，而且，也再三再四的拒絕了玉簫郎君的邀約，難道這不是為了你嗎？」

蕭翎皺起劍眉，沉吟了一陣，道：「姑娘適才曾經說過，岳姑娘把她的命運託付給我，不

254

知從何說起？」

素文道：「玉簫郎君已經證實了，我家姑娘不肯再理會他，是爲了你蕭翎，心中對你，自

然是視若眼中之釘，如是你們拚起命來，我家姑娘豈不是兩面爲難嗎……」

蕭翎道：「我不怕玉簫郎君。」

素文接道：「你雖然不怕他，可也未必一定能勝得他，二虎相鬥，必有一傷，傷的如若是

你蕭翎，豈不要我家姑娘痛斷肝腸，終生難安！如若是傷的玉簫郎君，立時將掀起一場滔天的

風波，他的家人，決不會看著玉簫郎君傷死在你的手中而置之不理，如若他的家人對你報復，

不但你個人無法抗拒，整個的武林都將掀起一場血雨腥風的惡戰……」

蕭翎接道：「在下聽岳姊姊說，連岳姊姊那授業的恩師，也將捲入這一場恩怨，不知爲了

何故？」

素文道：「因我家姑娘那授業恩師，和玉簫郎君有著很親近的關係。」

蕭翎道：「原來如此。」

素文道：「你，現在應該明白了吧！我家姑娘爲什麼把命運託付於你，玉簫郎君一家，都

避居在一處人跡罕至、山明水秀的所在，除了幾家至親之外，從不和外人來往，除了玉簫郎君

和藍玉棠，以及那位張姑娘，在江湖走動之外，其他的人，很少離開那居住之地。」

蕭翎點點頭，道：「多承姑娘指教。」

十一 禁宮之謎

素文道：「好！你了然我家姑娘的處境，自然知道該怎麼做了，但願你一路順風。」

蕭翎道：「是啦！岳姊姊交給我禁宮之鑰，是要我進入禁宮中去。」

素文接道：「不錯，進入禁宮，雖然未必就能學得絕技，勝過玉簫郎君的家人，但這是你唯一能夠勝過玉簫郎君家人的機會。」

蕭翎一抱拳，道：「在下明白了，有勞姑娘轉告我那岳姊姊，就說我蕭翎將全力以赴。」

素文欠身還了一禮，忙道：「還有一件事，小婢要告訴相公，令尊、令堂和那兩位姑娘，都已為我家姑娘安排在一處隱秘安全之地，相公但請安放寬心。」

蕭翎想到父母，年邁蒼蒼，為自己所牽累，受盡了風霜之苦，心中大是不安，黯然說道：「姑娘是否能夠告訴我，我那雙親現在的居住之處？」

素文沉吟了一陣，道：「現在不能告訴你，我家姑娘早已有了安排，等你該見之時，自會有人引你去見，相公放心就是。」

蕭翎道：「好！我蕭翎就此別過了。」

素文道：「相公記著，那玉簫郎君的祖父，名叫簫王張放。」

蕭翎道：「怎麼？那簫王張放，也在禁宮之中嗎？」

素文道：「不錯，相公去吧！小婢也該趕路了。」轉身快步而去。

蕭翎望著素文的背影消失之後，才長長歎息一聲，轉身而行。

孫不邪隱身在數丈之外，看兩人談起來沒有個完，早已等得不耐，好不容易等到那素文轉身而去，蕭翎走了回來，立時急急迎了過去，道：「蕭兄弟，那小丫頭說些什麼？」

蕭翎道：「她告訴我很多事，也使我蕭翎心靈上增加了很多負擔。」

孫不邪道：「什麼事？可否告訴老叫化子？」

蕭翎歎息一聲，道：「老前輩可知簫王張放其人嗎？」

孫不邪哈哈一笑，道：「自然是知道了，陷入禁宮的十大奇人之……」

蕭翎道：「那簫王張放的武功如何？」

孫不邪道：「陷入禁宮的十大奇人，武功各有專長，如若他們能分出高低，那巧手神工包一天，也不會設下那座禁宮，困住那十大高手了。」

蕭翎若有所思地沉吟了一陣，道：「老前輩，如若咱們放下沈木風的事情不管，江湖上是否立刻就有大變？」

孫不邪道：「沈木風原想收羅兄弟為他所用，事與願違，反而暴現了他謀霸武林的野心，因此，他不得不提前發動……」

話至此處，突然停下，似是在思索措詞一般，想了一陣，接道：「但他出師不利，連受大挫，而且每一次都和你有關，因此他早已把你視如眼中之釘，以他爲人的深沉，必將是謀定而後動，如若未殺你蕭翎之前，當不會立時間全面發動。」

蕭翎道：「這就好了。」

孫不邪道：「什麼事好了？」

蕭翎道：「我那岳姊姊曾經說過，我如想在武功上勝過那沈木風，必得入禁宮一行，因此，在下要先放下江湖中事，進入禁宮一行。」

無爲道長等一見兩人，立時迎了上來，說道：「蕭大俠見過那岳姑娘了嗎？」

蕭翎搖搖頭，道：「未曾見到……」

孫不邪接道：「那岳姑娘留下一個丫頭，說服了蕭兄弟，要他收了禁宮之鑰，立刻到禁宮一行。」

無爲道長歎道：「天下武林同道，人人都知有個禁宮，但也只知那禁宮在武夷山中，可是武夷山連綿千里，禁宮究在何處，那就無人知曉了。」

蕭翎道：「不要緊，這木盒之中，繪有那禁宮所在之地。」

孫不邪道：「老叫化擔心的是，蕭翎如若突然消失江湖，必將使江湖上剛剛萌生抗拒沈木

談話之間，已然走回到宅院之中。

風的一股氣氛，也隨之消失。」

無為道長點頭，道：「不錯，如若蕭大俠邈爾失蹤，必將是大有影響，必得想一個安全之策才行。」

語音微微一頓，接道：「對待敵人，講究運謀行略……」

展葉青接道：「大師兄說得是，既然有一個藍玉棠可假借蕭翎之名，我們為什麼不能再扮出一個蕭翎來。」

孫不邪道：「不錯，假扮一個蕭翎，經常在江湖之上出現，既可保住那抗拒沈木風的氣氛，亦可免去那沈木風的疑心，此乃一舉兩得之計。」

這時，杜九扶著商八，舉步行了過來。

蕭翎望了商八一眼，道：「商兄弟好一些嗎？」

商八道：「蛇頭追魂箭劇毒雖烈，但那解毒藥物，卻也是效驗如神，此刻，小弟已覺著大好了。」

蕭翎道：「那很好……」

無為道長道：「如依貧道之見，蕭大俠不必用人假扮。」

孫不邪接道：「這個倒值得請教了。」

無為道長道：「聽來有些玄虛，實則並非難事，咱們計畫周詳一些，蒙混幾月，尚無問題。」

孫不邪道：「願聞其詳。」

無為道長望了蕭翎一眼，道：「貧道主此，理由有二……」

語聲微微一頓，環顧了四周一眼，道：「蕭大俠每次遇上的困難、險惡，都是他自己度過，咱們有誰幫過了他，全靠他本身的才智、武功。」

孫不邪點點頭，道：「嗯！」

無為道長道：「如若換上一個別人來假扮蕭翎，咱們還得要保護他的安危，豈不是由主動轉作被動了嗎？」

孫不邪道：「亦有道理。」

無為道長道：「找一個人，假充蕭翎之名，一切都背道而馳，豈不是疲於奔命了。而理由之二，咱們也無法找出一個真正能夠冒充蕭翎的人物。」

孫不邪道：「如是那蕭翎只是一個空幻人，咱們又如何保護於他？」

無為道長道：「此事容易，貧道舉一個例子說吧。如若咱們護住一頂小轎，那轎中坐的蕭翎，有人圖謀行刺，把最為惡毒的暗器，全都打入了那頂小轎之中，如若那轎中，真的坐了一個假冒蕭翎的人，咱們救他無能，不是害了他嗎？」

孫不邪道：「道長高見，老叫化明白了。」

無為道長目光又轉到那蕭翎臉上，道：「蕭大俠準備幾時動身？」

蕭翎道：「在下自然是希望愈早愈好。」

無為道長道：「蕭大俠，可要準備帶人同行嗎？」

蕭翎道：「在下想帶兩人同往。」

無為道長回顧了中州二賈一眼，道：「可是要帶他們兩人？」

蕭翎道：「不錯。」

無為道長沉吟一陣，道：「那也只有這個辦法了。」

商八道：「道長有何良策？」

無為道長目光凝注在杜九的臉上，打量了一陣，道：「我們只要找一人假扮成杜九就成，好在杜兄一向是帽沿低垂，從來不讓人瞧出面目，只要那人能學得出杜大俠的味道就行了。」

東海神卜突然接口道：「道長，如若由在下來假扮杜九，不知像是不像？」

無為道長道：「那是最好不過，固所願也，不敢請爾。」

蕭翎道：「道長的智謀，孫老前輩的豪勇，再加上司馬兄、展兄相助，必然可使那個沈木風難測高深。」

無為道長道：「此乃無可奈何之事，還望蕭大俠早入禁宮，早日重現江湖。」

蕭翎一抱拳，道：「在下就此別過。」

言罷，帶著中州二賈，轉身而去。

孫不邪望著蕭翎逐漸遠去的背影，歎息一聲，道：「道長高見，此刻咱們又該如何？」

無為道長道：「暫留此地，隱秘行蹤，會過武林四大賢人之後，再定行止。」

孫不邪道：「不錯，如非道長提起，老叫化幾乎忘了那四大賢人之約。」

無爲道長歎道：「羅氏宗祠之會，還得一場舌劍之戰，但願能說服那四大賢人。」

且說蕭翎帶著中州二賈，一口氣行出了十餘里路，商八突然停下腳步，說道：「大哥，咱們休息一下如何？」

蕭翎抬頭看去，只見左面一片雜林，舉步行入林中，道：「怎麼，兄弟走不動了嗎？」

商八搖搖頭，道：「此行武夷山，迢迢數百里，難免要遇上那沈木風的耳目，如若咱們能夠改裝而行，豈不可減少很多麻煩。」

蕭翎道：「不錯，此行最好能風平浪靜，別遇麻煩。」

商八沉吟了一陣，道：「大哥裝上一點假鬚，扮作一位帳房先生，兄弟扮作一位驢夫，杜兄弟扮一位挑行李的漢子。」

蕭翎一心動手改扮，掩去本來面目，兼程而進，直奔武夷山。

蕭翎一心惦記著岳小釵和那玉簫郎君三月之約，雖然明知三月之期，決難出入禁宮趕往衡山，但心中又念念難忘此事，只有全力以赴。

這日中午時分，到了閩贛交界的武夷山下。

武夷山綿連千里，峰巒無數，三人帶了乾糧，深入山區。

翻越過幾座山嶺，天色已然入夜。

商八找了一處避風的山崖停下，說道：「大哥，咱們要瞧瞧那盒中圖案了，就小弟聽得傳聞，那禁宮雖在武夷山中，但卻不在主峰附近。」

原來，三人沿途上，爲了謹慎，一直未打開過那木盒。

蕭翎取出懷中木盒，打開盒蓋，只見一柄三寸長短的金色鑰匙，斜放在木盒之中。

在那金色的鑰匙之下，有一副摺疊整齊的白絹。

蕭翎取出金鑰，拿出白絹，展開一看，只見絹上畫著一隻飛鷹，鋼嘴鐵爪，形象十分威猛。

在那飛鷹之下，有一條昂起頭的巨蛇，口中蛇信，吐出了半尺多長。

這幅鷹蛇相搏畫得雖好，但卻和禁宮毫無關係。

蕭翎一皺眉頭，斜眼望去，只見商八、杜九，也是瞠目結舌，望著那圖畫出神。

只聽商八輕輕咳了一聲，道：「這幅圖畫，寓意深刻，咱們慢慢的求解就是。」

蕭翎閉上雙目，說道：「那禁宮之鑰，乃主宰天下命運之物，這圖案自然不是容易解得之物了。」

商八望了杜九一眼，低聲說道：「這幅白絹，已呈黃色，顯然是年代甚久，只可惜咱們智慧，無法解得其中之秘。」

忽見蕭翎睜開雙目，道：「是了，這一幅圖畫，定然代表著一種山勢形態，咱們只要看到這圖畫一般的山勢，那就是禁宮所在了。」

商八道：「大哥，小弟有幾句不當之言，說出口來，還望大哥不要見怪才好。」

蕭翎道：「好！你說吧！」

商八道：「這武夷山連綿千里，縱然確有一處所在，和這圖上一股，但咱們也不能找遍整個的武夷山脈啊！因此，小弟有一個主張，雖非上上之策，但卻比這等大海撈針的找法要好得多了。」

蕭翎道：「兄弟有何高見？」

商八道：「咱們找個樵子、獵戶，查問這樣一處山勢形態，或可問出一些內情。」

蕭翎想了一陣，道：「眼下既然想不出別的辦法，那也只好如此了。」

商八道：「大哥在此休息，小弟在左近找幾個樵子、獵戶問問。」

蕭翎道：「好吧！早去早回，免我掛慮。」

商八道：「至多一個時辰，即可趕回覆命。」

言罷，起身而去，片刻間，走得蹤影不見。

杜九站起身子，悄然行到三丈外一塊突立的大岩之上，四下打量了一陣，又悄然溜下大石，守在一處要道口上。

原來，他久歷江湖的險詐，生怕有人追蹤而來，故而處處留心。

蕭翎呆呆地望著那飛鷹出神，心中一直在暗暗低吟……岳姊姊如若未證實這金鑰確是可以啟開禁宮之門的真鑰，決然不會把金鑰給我，她相信我的才智，定然能夠解開這圖畫之秘，我如

不能解開此秘，不但難以進入禁宮，也無法娶得岳姊姊了。

想到煩惱之處，抓起圖畫，隨手摔在地上。

只見那飛鷹垂下的一條鷹爪，突然離了原位。

蕭翎心中一動，伸手抓起圖畫，用力向那鷹爪推去。

一推之下，陡然出現了奇蹟，那一隻鷹爪，竟然離開了原位。

敢情那下垂的鷹爪，竟然突出在白絹之上，可以移動。

只見那鷹爪之下寫道「鷹揚峰，盤蛇谷」六個細微的字。

這突然的發現，使蕭翎有些驚喜若狂，抱著那鷹蛇圖高聲叫道：「我發現了，我發現了。」

杜九眼看蕭翎突然間有如瘋狂一般，不禁大吃一驚，急急奔了過來，說道：「大哥，你怎麼了？」

蕭翎停下身子，說道：「我發現了禁宮所在了。」

杜九道：「在哪裏？」

蕭翎道：「就在這圖案之上，這圖畫之中，設有機關。」

伸手推開鷹爪。

杜九低聲唸道：「鷹揚峰，盤蛇谷。」

蕭翎道：「不錯，咱們只需要打聽出那鷹揚峰和盤蛇谷所在之地，那就找到禁宮了。」

杜九道：「大哥才智過人，一舉之間，竟然找出了這畫中之秘。」

說話之間，只見商八揹著一個老人，急步奔了過來。

他來勢甚快，片刻之間，已到了蕭翎停身之地。

原來，商八找到了一個老樵子，又覺他跑得太慢，只好把他揹著趕來。

商八放下那老樵子，說道：「這老人在這武夷山中，住了數十年，對山中形勢，極為熟悉，小弟特地帶他來此，讓他瞧瞧那鷹蛇圖。」

蕭翎望了那老人一眼，只見他白髯垂胸，臉上皺紋疊纍，看樣子大約有六十以上的年紀，當下說道：「老伯伯在這武夷山中，住了很久嗎？」

那老人點點頭，道：「老朽從小就在這武夷山中長大，算起來，住了七十多年了。」

蕭翎道：「這麼說來，老伯伯對這武夷山中形勢，一定十分熟悉了，請問老伯伯，那鷹揚峰在什麼地方？」

那老樵子口中低聲誦道：「鷹揚峰、鷹揚峰……」口中誦唸了半晌，仍是答不出來。

杜九冷冷說道：「盤蛇谷呢？」

那老樵子又複誦了兩聲盤蛇谷，突然抬頭說道：「老朽知道一處萬蛇谷，卻未聽過盤蛇谷。」

蕭翎道：「萬蛇谷？」

那老樵子道：「不錯，那是一個十分幽深的山谷，深谷中生滿了各色各樣的蛇，入谷之谷。」

後，萬蛇爬動，使人有著落足無地之感，縱然是世間第一流捕蛇能手，也不敢擅入那萬蛇谷中。」

蕭翎心中暗道：那鷹揚峰下，寫得明明白白，是盤蛇谷三個字，自然不是萬蛇谷了。

杜九冷冷接道：「老丈，咱們問的盤蛇谷，是盤坐的盤。」

那老樵子回目望了杜九一眼，搖搖頭，道：「不知道，老夫在此長大，從未聽說過有一處叫盤蛇谷的地方。」

蕭翎道：「鷹揚峰，盤蛇谷，應在一處，老丈不知鷹揚峰，自然是也不知道盤蛇谷了。」

那老人道：「老朽不知道的地方，只怕是很少有人知道了。」

蕭翎正待喝令商八送那老人回去，突見那老人一掌拍在大腿之上，道：「你說的什麼峰啊？」

蕭翎道：「鷹揚峰，飛鷹的鷹……」

那老樵子搖搖頭，道：「音同字不同，老朽又聽錯了。」

蕭翎心中泛起的一抹喜悅，又被澆下了一盆冷水，緩緩說道：「你說的什麼峰呢？」

那老樵子道：「姻緣峰，那峰名由來，是一對男女苦苦相戀，但卻不為雙方家長所允許，生生把他們拆散，但兩人情愛堅貞，至死不渝，暗中相約出走，卻又為家人發覺，隨後緊追，兩人逃到了那絕峰頂上……」

蕭翎輕輕歎息一聲，道：「以後呢？那山峰怎會改稱姻緣峰呢？」

老樵子道：「那對青年男女，在雙方族人苦追之下，無路可走，只好攜手跳下懸崖，那面峰壁，聳立如削，下臨絕壑，深達百丈，兩人攜手跳入懸崖，自然是非死不可，雙方族人，眼看這等情形，大都受了感動，分路奔入深谷之中，希望能找到兩人屍體安葬，哪知尋了半日，不但找不到兩人屍體，而且連一點痕跡也找不到……」

他仰起臉來，長長吁一口氣，道：「但雙方族人受了感動，合力在那山峰之上，建築一座廟宇，命名姻緣廟，此事傳出之後，廟中香火，十分鼎盛，凡是想求一個如意伴侶的少年男女，大都到那廟中去祈禱求助，據聞十分靈驗，那峰名也隨著那姻緣廟，改稱作姻緣峰。」

蕭翎心中暗道：鷹揚峰，姻緣峰，盤蛇谷，萬蛇谷，雖然字音有些相同，但卻不會錯得如此厲害，這老人講的，自然是和這圖畫上記載的不同地方了。

商八似是已瞧出了蕭翎的心意，不等他開口，自行接道：「想那武夷山連綿千里，這位老丈雖然在此住了數十年，但也未必就知千里山勢，小弟先把他送回去吧！」揹起那老人，急步而去。

蕭翎望了杜九一眼，道：「唉！咱們如想找到那鷹揚峰，只怕不是易事了。」

杜九道：「大哥不用焦慮，咱們細心查訪，決無找不到的道理，看圖畫、構意，想那鷹揚峰定是一座十分雄奇的山勢，咱們一路察看探問，是不難找到的。」

談話之間，商八已匆匆返回，望了蕭翎一眼，欲言又止。

蕭翎知他心中所疑，當下把發現畫中之秘的內情說了一遍。

268

商八道：「大哥，小弟有幾句話，說出口來，不知當是不當。」

蕭翎道：「你我兄弟，情同手足，不知什麼事，只管說吧！」

商八道：「那遺留禁宮之鑰的武林前輩，定然是一位極工心計的人，數十年來，不知有多

少武林高手，苦苦尋找那禁宮之鑰，都無所獲……」

蕭翎點點頭，道：「兄弟說得不錯。」

商八道：「因此，那遺下禁宮之鑰的人，不肯坦然說明那禁宮的所在之地，卻畫了這樣一

幅圖畫以作暗示，這其間，自然是別有用心了。」

蕭翎點點頭，道：「他用心何在呢？」

商八道：「考驗那取得禁宮之鑰人的才智，如若那人才智不夠，縱然取得禁宮之鑰，亦是

無法入得禁宮。」

蕭翎道：「不錯啊！」

商八道：「大哥才智，本是常人難及，但此刻，卻似心有所思，得失之心很重，而且心急

如焚，恨不得一步就踏入禁宮。」

蕭翎心中暗道：我擔心岳姊姊的安危，確實存有著很重的得失之心……」

但聞商八接道：「一個人，如若得失之心太重，那將會失去了判事的智能，所謂貪念一

動，靈智立封，大哥如若稍減得失之心，保持冷靜，以大哥的才慧，求解圖中含意，就不難踏

入禁宮之門了。」

蕭翎突然蕭容而立，抱拳一揖，道：「多謝兄弟良言指教。」

商八急急拜伏於地，道：「兄弟一得之愚，還是大哥所賜。」

蕭翎扶起商八，道：「此刻，最為要緊之事，先要設法找到禁宮。」

語聲微微一頓，又道：「蕭某何能何德，得兩位兄弟這般的愛顧……」

心念一轉，又把那幅飛鷹戲蛇圖攤在地面，說道：「兩位過來，咱們仔細的研商一下。」

商八仔細瞧了一陣，突然舉起手中圖畫，映著日光瞧了一陣，道：「小弟之見，決不會如此簡單，如若那鷹爪之下寫的地名，就是禁宮所在，那未免太簡單了。」

蕭翎道：「兄弟之意呢？」

商八道：「小弟的看法，不是這圖畫之中另行藏有隱秘，就是那六字之中，別有含意。」

蕭翎凝目思索一陣，道：「兄弟，再去把那老樵夫請來。」

商八道：「請他作甚？」

蕭翎道：「咱們先到姻緣峰上瞧瞧。」

商八道：「姻緣峰兩面都是絕壑，一面臨萬蛇谷，一面就是那年輕男女葬身懸崖了。」

蕭翎道：「怎麼？那萬蛇谷，就在姻緣峰下嗎？」

商八道：「不錯，兄弟已經問過了。」

蕭翎道：「不知距此有多遠行程？」

商八道：「不足百里。」

蕭翎道：「好！兄弟去請來那老丈帶路。」

商八道：「不用了，小弟已然問得十分明白，牢記於胸中。」

蕭翎心中暗道：不論那姻緣峰，是否就是那鷹揚峰，去瞧瞧總是無妨。

心念一轉，緩緩說道：「咱們急趕一陣，也許在天色入夜之前，可以趕到。」

商八道：「小弟帶路。」轉身向前奔去。

蕭翎、杜九緊隨商八身後而行。

商八似是已從那老樵子處，問得了極為詳盡的道路，一路上奔行如飛。

三人輕功，都是武林中第一流的身手，雖然山道崎嶇，但三人行來，卻如奔馬流矢一般。

半日急奔，到太陽下山時分，已到了一座高峰之下。

商八指著那矗立在眼前的高峰，說：「如若我沒有記錯，這就是姻緣峰了。」

這時，正是夕陽下山時分，西方天際，幻起了一片晚霞。

一抹落日餘暉照射在峰頂之上。

蕭翎凝聚目力望去，隱隱可見那峰頂之上，金碧輝映，似是一座建築得極為豪華的廟宇。

商八道：「據老樵子說，這姻緣廟的香火愈來愈是興盛，常有人在廟前徘徊終宵，不肯離去，因而有人在那姻緣廟的周圍搭蓋起了幾座雅室，以備留戀於姻緣廟周圍之人留宿之用。」

蕭翎道：「咱們上去瞧瞧吧！」

商八道：「咱們連日奔走，如果能在那姻緣峰上休息一夜，也好養養精神……」

他似乎是言未盡意，但卻突然住口不言，舉步向山峰之上奔去。

蕭翎、杜九，緊隨在商八身後，登上峰頂。

這是座突起孤立的山峰，三面都臨著深不可測的絕壑，只有來路一條通上此峰。

這時，落日已沉，餘暉未盡，蕭翎環顧了四周一眼，心中暗暗忖道：如若這座高峰前有去路，那一對青年男女也不會跳入深谷殉情而死，自然也不會有這一座姻緣廟了。

這座廟規模很小，除了一座大殿之外，兩側各有一間廂房，一個六十左右的香火道人，站在大殿神像一側。

供桌前拜墊上，跪伏著一個黑衣人。

整個的姻緣峰頂，也不過畝許大小，除了姻緣廟矗立在峰頂正中之外，在那山峰的四周，果然另有著兩座青石為壁、茅草作頂的房舍，酒招高挑，燈火高燒，看起來比這姻緣廟還要大上許多。

蕭翎打量四周峰面景物後，緩緩說道：「咱們既然來到這姻緣峰上，也該進去瞧瞧。」

也不待商八、杜九等答話，舉步向姻緣廟中行去。

商八挺著便便大腹，當先而入。

那香火道人望了商八一眼，迎了上來，笑道：「大老闆，這姻緣二神，不止是男女姻緣之事，諸凡求福求壽，無不靈驗。」

商八伸手從懷中摸出一片金葉子丟在供箱中，也不理那香火道人，抬頭打量那兩個神像。

這姻緣廟的神像，大異於普通的廟院，只有一男一女，兩座塑像。

那男的一身短裝，赤著雙足，面目英俊，女的身著綠色短衫，腰繫綠色長裙。

蕭翎點點頭，讚道：「這神像不知何人所塑，竟保存了山村間純樸面目。」

那跪在拜墊上的黑衣人，聽得幾人談話之聲，悄然站起，目光一掠蕭翎和商八，側身向外行去。

她如能從容而去，蕭翎不留心瞧她，也許她還可神不知鬼不覺地退出廟外，但她這慌張舉動，立時引起蕭翎的注意，也使中州二賈動了疑心。

杜九忽然一個跟蹌，向前一探身軀，正巧攔住了黑衣人的去路。

那黑衣人動作極快，陡然收住腳步。

橫跨三尺，繞過了杜九向廟外行去。

哪知商八早已有了戒備，看她繞過杜九的快速身法，立時右臂一伸，堵住那黑衣人去路。

這座廟門雖然很寬，但杜九擋了一半，商八挺著個大肚子，加上那伸出的右臂，又堵住另一半，那黑衣女子，除了出手逼開商八之外，只有停下腳步。

只見她右手一抬，食、中二指駢點而出，直指向商八脈門。

商八右腕一挫，避開一擊，五指一翻，疾向那黑衣女子右腕上反扣過去。

蕭翎低聲喝道：「快讓開路！」

原來，他已經瞧出來人，正是當初在歸州城中，看到的那位面目嚴肅的少女，此女一直追隨在八手神龍端木正的身側，寸步不離，想她決然不會一人在此，那八手神龍端木正定然也在這姻緣峰上了。

商八聽得蕭翎呼叫之言，立時縱身讓避開去，那黑衣女子行動矯健，借勢一側嬌軀，快速無倫地衝出了廟門。

這時，姻緣廟外，已爲夜色籠罩，只見她縱身兩個飛躍，人已消失不見。

商八站在廟門口處，四下瞧看，竟然未瞧到她奔向何處。

但聞蕭翎低聲說道：「不要瞧了！」

商八回過頭來，說道：「大哥認識她嗎？」

蕭翎道：「似是常和八手神龍端木正在一起的那位姑娘。」

商八一拍大腿，道：「不錯，正是那位姑娘！那丫頭既然會在此地出現，也許那八手神龍端木正也在這裏，咱們去找那八手神龍端木正說話去。」

杜九道：「昔年，他們對大哥有所誤會，認你已投靠百花山莊，此刻，大哥和沈木風作對，天下有誰不知，這丫頭對大哥毫不敬重，必得問那端木正一個教子不嚴之罪。」

蕭翎向杜九道：「算了，人家和咱們素無淵源，爲什麼要敬重咱們呢？」

杜九還待爭辯，卻被商八以目示意，阻止他再說下去。

那香火道人似是見慣了爭吵、打架的事，又似深知明哲保身之道，連望也不望三人一眼。

商八低聲說道：「咱們今宵可要留住在姻緣峰上？」

蕭翎正待答話，突聞一個清冷的聲音，應道：「留下最好。」

這話來得太過突然，蕭翎、中州二賈，全都聽得一怔。

杜九冷冷喝道：「什麼人？」

只聽那清冷的聲音應道：「我！」

一個面目姣好的矮瘦青衣少年緩步走了進來。

商八瞧了來人一眼，只覺他秀逸有餘，英挺不足，缺乏男子氣概。

當下說道：「咱們兄弟談話，和閣下無關，閣下爲何接口？」

那青衣少年不理商八的問話，兩道清澈的眼神，盯注在蕭翎臉上，說道：「你跑到這姻緣峰來，爲了什麼？」

「閣下是誰？」

這口氣儼如老友重逢，責問中充滿著關懷之意。

蕭翎打量了那青衣書生一眼，怎麼也想不起來，在哪裏見過這樣一位人物，當下說道：

那青衣少年，神態淒然，緩緩說道：「你當真不認識我了？」

忽然舉手一推，脫下了頭上的包頭青巾，露出了一頭秀髮。

蕭翎凝目望去，突然失聲叫道：「你是百里姑娘！」

來人突然用手掩面，低聲說道：「找得我好苦啊！」

商八、杜九相互望了一眼，悄然行出廟外。

那位老於世故的香火老人，突然一敲銅鐘，低聲吟道：「有緣千里來相見，無緣對面不相

逢，心誠則靈。」

蕭翎急步行了過去，道：「姑娘怎會到了此地？」

來人正是北天尊者之女，北海公主百里冰。

百里冰緩緩道：「我千里追蹤，尋你到此。」

蕭翎心中奇道：我到姻緣峰來，只是偶生動機，到了此地，你怎會料斷得如此正確？

心中念轉，口裏卻說道：「姑娘幾時到了此地？」

百里冰道：「正午時分……」

語聲微微一頓，接道：「我心中有很多事要問你。」

蕭翎道：「此地不是談話之處，咱們先找一處可容身之地。」

百里冰接道：「我已在這姻緣峰頂訂了一處客舍。」

蕭翎道：「咱們還有兩位兄弟同來。」

百里冰道：「不要緊，那店中還有空房，我替你帶路了。」轉過身去，戴上了包頭方巾。

蕭翎突然感覺到這位嬌生慣養的北海公主，似是成熟了很多，也長大了很多，短短數月，

有如長了幾年一般。

十二 倩女乍現

這百里冰已然舉步出廟，向前行去。

蕭翎緊隨出廟，流目四顧，哪裏還有中州二賈的影子，心中奇道：這兩人跑到哪裏去了？

待要出口呼叫，話到口邊，又突然嚥了下去。

百里冰步履快速，直行向正南方一座茅舍中去。

蕭翎只好加快腳步，隨她行入店中，這等客店，目的只在供客人一個可避風雨的所在，自然是談不上什麼良好招待。

蕭翎行入店中，也無人過來招待，隨著百里冰，直入店後一間客屋之中。

室中早已燃起了一支火燭，那面目嚴肅，難得一現笑容的黑衣女子，竟然已先在室中。

蕭翎心中大奇，忖道：好啊！這兩人怎會走在一起了？

百里冰回顧蕭翎一眼，道：「你們早認識了？」

蕭翎忖道：見是見過幾次，卻是未曾交談。

拱手一禮，說道：「端木老前輩沒有同來嗎？」

那黑衣女子低垂臻首，應道：「家師嗎？受了人的暗算，多虧這位百里姑娘搭救，得免於難。」

蕭翎忖道：原來，兩人是這樣相識的。

口中應道：「端木老前輩的傷勢如何？」

那黑衣女子仍是垂首，應道：「多謝蕭大俠的關懷，家師在百里姑娘的靈丹神效之下，已然不妨事了。」

她兩番和蕭翎對話，始終未曾抬頭。

百里冰突然接口說道：「那端木老前輩傷勢雖已無礙，但仍需靜養，他見我一人孤苦伶仃，奔走江湖，特地遣了端木姑娘陪我。」

蕭翎心中暗道：她口口聲聲稱那端木正為家師，怎麼自己也姓端木呢？

心中雖然懷疑，但卻沒有追問。

百里冰說完了幾句話之後，雙目一直望著蕭翎等他開口，哪知蕭翎只顧想心事，忘記開口。

百里冰久久不聞蕭翎回答之言，忍不住冷哼一聲，道：「你怎麼不說話呀？至少你也該問問我，這些日子是怎麼過的！」

蕭翎輕輕歎息一聲，道：「姑娘為了相救在下，不能見容於門規，但令尊為姑娘，悲慟萬分，目下正在苦苦追尋姑娘下落。」

百里冰望了黑衣女子一眼，欲語還休，緩緩坐了下去。

卧龍生 精品集

278

那黑衣女子十分聰慧，低聲說道：「兩位談談，我去替兩位準備點吃、喝之物。」話完，人已走得蹤影不見。

這時，室中只餘下百里冰和蕭翎兩個人。

百里冰兩道明亮的眼睛，一直盯注在蕭翎臉上，似是想在蕭翎的臉上，找尋些什麼出來。

蕭翎被她看得有些不安，正待出言相詢，突見那百里冰雙手蒙臉，撲倒木榻上，嗚嗚咽咽地哭了起來。

岳
小
釵

蕭翎呆了一呆，緩步走近木榻，沉聲說道：「姑娘，你為我蕭翎出走，在下並非不知……」

百里冰哭道：「我從小在冰宮之中長大，一呼百諾，從人無數，如今一個人在江湖之上奔走，孤苦伶仃，連一個照顧我的人也沒有了。」

她自小嬌生慣養，受盡寵愛，想到為追尋蕭翎，離開那僕從如雲、養尊處優的生活，孤騎千里，跋涉風塵，日日夜夜想見蕭翎，哪知見到了，也不過如此而已，只覺一陣傷心之情泛上心頭，不禁悲從中來。

蕭翎道：「姑娘所受之苦，在下亦曾想到，不過在下……」

百里冰突然坐了起來，一拭臉上淚痕，說道：「你到此地作什麼來？」

她稚氣未除，想哭就哭，要笑就笑，臉上淚痕未乾，嘴角間已見笑容。

蕭翎正想回答，那百里冰又搶先接道：「你到這姻緣峰來，可是找我嗎？」

279

蕭翎心中暗道：我怎會知道你在此地？

但見她臉上滿是渴望之色，只好硬著頭皮說道：「不錯，正是來找姑娘。」

百里冰嗤的一笑，道：「這麼說來，你是很想念我了？」

語聲微微一頓，又道：「我雖然吃了很多苦頭，但一個人在江湖上行走，為所欲為，也有快樂。」

蕭翎心中暗道：她誤認我找她而來，才會這般快樂，看來，是不能揭穿內情了。

心中念轉，口裏卻問道：「姑娘跑到此地作甚？」

百里冰笑道：「我聽人說，這姻緣峰頂姻緣廟專管人間姻緣大事，特地趕來，許個心願，果然在這裏遇上了你……」

她似是自知說得太過露骨，粉頰一紅，垂下頭去。

蕭翎心中一凜，暗道：我一句慰藉之言，能使她歡顏頓展，一句冷漠之言，能使她哭哭啼啼，這麼看來，她對我的情意，實是很深了，這將如何是好？

只覺一股煩惱泛上心頭，劍眉愁鎖，沉思不語。

百里冰緩步下榻，倒了一碗香茗，送了過來，柔聲說道：「我未見你之前，常常想見你之後，一定要噓寒問暖，讓你感覺到，只有和我在一起才有快樂，唉！想不到見你面後，竟然會和你賭起氣來，連茶也忘記給你倒了。」

說完，雙手捧碗，遞向蕭翎。

這一番話，天真未鑿，童心猶存，沒有矯柔做作，是那麼坦白真誠，動人心弦。

蕭翎只覺似被人在前胸之上，重重擊了一拳般，心神皆震，心中暗道：此女說話，如此露骨，毫無保留，日後要怎樣對她才好……

但聞百里冰嬌脆的聲音說道：「你翻山越嶺，跋涉千里而來，口中定然很渴了。」

蕭翎接過香茗，喝了一口，笑道：「姑娘……」

百里冰眨動了一下圓圓的眼睛，接道：「你叫我姑娘，感覺不好，這等稱呼，豈不是越叫越遠了嗎？」

百里冰凝目思索片刻，道：「我在北海之時，父王、母后，都喚我冰兒，你也這般叫我好嗎？」

蕭翎暗暗歎息一聲，忖道：我要設法勸她回去才好。

心中暗打主意，口裏卻叫道：「冰兒。」

百里冰嫣然一笑，道：「唉！你叫我冰兒，那我要如何稱呼你呢？你比我大兩歲，那我就叫你大哥吧！」

突然手舞足蹈，就在燭火下跳起舞來。

蕭翎看她高興之情，已入渾然忘我之境，不禁為之一呆。

百里冰跳了一陣後，突然停了下來，說道：「大哥！我想到一件事了，咱們去那姻緣廟中還個願吧！」

蕭翎道：「還什麼願？」

百里冰道：「我在那姻緣廟中許下了心願，能夠見到大哥之面，就再去廟中還願。」

蕭翎心中暗道：她許下的心願，難道要我一起去還嗎？

心中雖有此想，但卻不忍說出口來。

百里冰伸出纖纖玉手，拉著蕭翎，說道：「大哥陪我去吧！那姻緣廟中的神果然是靈驗得

很。」

百里冰滿臉歡笑，緊隨在蕭翎身後，向外行去。

蕭翎不忍拒絕，只好站起身子，說道：「好。」舉步向外行去。

兩人行到廟門之前，只見那香火道人，已然準備跨出廟外，眼看兩人並肩行來，又緩緩退

了回去。

百里冰首先奔到那神墊之上，雙膝跪了下去，口中喃喃自語，也不知她說些什麼？

蕭翎呆呆地站在一側，望著那一對村男、村女的神像出神。

百里冰祈禱已畢，回頭看去，只見蕭翎仍然站著不動。

伸手拉了一下，道：「大哥呀，你怎麼不跪下來謝謝這姻緣神呢？」

蕭翎本來不想跪下，但見那百里冰滿臉渴望之色，只好緩緩跪了下去。

百里冰滿臉歡喜，叩拜過神像，站起身來，伸手拉了蕭翎一把，道：「大哥，咱們回去

啦。」

蕭翎如夢初醒般，緩緩站起了身子，道：「咱們要回去嗎？」

百里冰臉上的歡愉之容突然間斂失不見，她舉手理一下散亂的長髮，輕輕地歎息一聲，接

道：「大哥！你可知道我剛在神前許下的是什麼心願嗎？」

蕭翎道：「不知道。」

百里冰道：「我在神前，許下心願，今後要追隨大哥身側，永不離開。」

蕭翎吃了一驚，道：「令尊盡出冰宮高手，追尋你的行蹤，你如和我常在一起，豈不叫令

尊焦慮、掛念嗎？」

百里冰雖然稚氣猶存，但為人卻十分聰慧，略一沉吟，道：「你可是怕我跟著你拖累了

你？」

蕭翎心中暗道：那北天尊者武功高強，手下高手甚多，現在，他已移恨於我，如若被他查

出你和我走在一起，那當真是跳入黃河也洗不清了。

他心裏一直惦念著那岳小釵的安危，念念想入禁宮，對百里冰那柔情蜜意，竟然是渾如不

覺。

百里冰看蕭翎一直沉吟不語，嬌媚一笑，道：「我明白了！」

蕭翎道：「你明白什麼？」

百里冰道：「你忌憚我爹爹知曉我和你走在一起，引起誤會，是嗎？」

283

卧龍生 精品集

蕭翎沉吟了一陣，道：「這雖是原因之一，但最重要的還是令尊、令堂，久不見你歸去，定然懷念甚切，姑娘豈不是成了不孝之人了嗎？」

百里冰一蹙柳眉兒，道：「大哥好像很討厭我，千方百計的要把我趕走，是嗎？」

蕭翎搖搖頭，歎道：「除了令尊、令堂懷念於你之外，為兄此次來這武夷山中另有所圖，實不便帶你同行。」

百里冰道：「什麼事，能講給我聽聽嗎？」

蕭翎看她神情淒傷，泫然欲泣，心中大感不忍，望了那香火道人一眼，低聲說道：「冰兒，咱們出去談吧！」舉步向外行去。

百里冰隨在蕭翎身後，出了姻緣廟，信步向前行去。

百里冰四下瞧了一陣，說道：「大哥可以說了，此地四外無人。」

蕭翎道：「冰兒，你聽到過禁宮的故事嗎？」

百里冰道：「好像聽我爹爹說過。」

蕭翎道：「這就是了，我不能帶你同行，是因為我要到禁宮中去……」

頓了一頓，接道：「中原武林中人，大都嚮往禁宮之秘，如果聽到此訊，必將群相來襲，未進禁宮之前，已然步步殺機，何況那禁宮之中又機關處處，凶險萬分，一個失錯，就有性命之憂，小兄此去生死難卜，如何能帶你同去。」

百里冰神色嚴肅，一字一句地說道：「這麼說來，我更不能離開你了！想那禁宮之中，既

284

是凶險百出，豈能讓你一人涉險，我要在身邊……」

蕭翎道：「冰兒，這事與你無干無涉，你為什麼要蹚這渾水？」

百里冰道：「可是大哥和我有關啊！」

清澈的雙目中滿含淚光，接道：「你想，我一個單身女孩，孤騎千里，天涯奔走，那是為了什麼？」

蕭翎道：「為了追尋於我。」

百里冰道：「這就是啦！我好不容易找到了你，你卻要攆我回去，我還有何顏見人，有何顏立足人世。」

蕭翎道：「這個……這個……」

百里冰接道：「我雖然生長在冰天雪地之中，但卻讀過很多中原經書，大哥一定要把我看

成低三下四的女子，瞧我不起……」

百里冰突然放腿向前奔去。

蕭翎還未來得及接口，百里冰突然放腿向前奔去。

蕭翎隨後急追，片刻間到了懸崖邊緣。

蕭翎看她奔行之勢，大有直撲下絕壑之概，不禁心中大驚，急道：「冰兒，不要胡鬧。」

百里冰叫道：「你先站住。」

蕭翎不敢再追，依言停下腳步。

百里冰站在懸崖邊緣，緩緩說道：「大哥，你可知道這姻緣廟的故事嗎？」

蕭翎道：「聽一位樵子談過。」

百里冰道：「這條絕谷，就是那一對情侶躍落葬身之地，我如撲入此谷一死，那姻緣廟中，也許加上我一座塑像，只不過沒有大哥在一旁相陪罷了。」

蕭翎心中大急，暗道：此女稚氣未除，羞急之下，也許會真的跳下懸崖，那可真是一樁終生大憾的事，此事萬萬大意不得。

當下說道：「冰兒，快回來，不要胡鬧了。」

百里冰搖搖頭，道：「我不是胡鬧，我對大哥講的話，每一句每一字都很認真，我已在神前許下了心願，如是大哥不肯帶我同行，我只有跳下懸崖以明心跡。」

聲音悽楚，聽得人黯然神傷。

蕭翎看她一腳懸空，夜風中衣袂飄飄，心中不禁大急，不假思索地說道：「快回來，我帶著你去就是。」

百里冰一躍而起，撲到蕭翎身前，破涕為笑，道：「當真嗎？」

她忽哭忽笑，變化迅快，一派天真無邪之態。

蕭翎話已出口，無法更改，只好點頭說道：「自然是當真了，不過我要和你約法三章，不許無故鬧事，處處要聽我之命，要是犯了約法，我就不再帶你同行。」

在蕭翎想來，她自幼在父母嬌寵之下長大，一呼百諾，平日裏頤指氣使慣了，這等約法，決是難以接受。

哪知事情竟然大出了蕭翎意料之外，百里冰竟是滿臉笑容地說道：「我自然要聽大哥的話了。」

語聲微微一頓，又道：「大哥要幾時動身？」

蕭翎道：「至遲明日清晨。」

百里冰嫣然一笑，道：「我先去整理行裝，大哥幾時動身，招呼我一聲就是。」不再多言，轉身直奔店中。

蕭翎目注百里冰背影消失之後，心中泛升起一股莫名的煩惱，仰天長歎一聲，信步行向懸崖邊緣，在一塊大石上坐了下來。

此時，夜色已深，絕峰上山風凜冽，探首一望，只見絕壑中一片黑暗，深不見底，心中暗暗忖道：這絕壑深不可測，縱然一身上乘輕功的人，跌了下去，也要粉身碎骨，何況那一對村男、村女了，兩人生前雖然不能結為夫婦，死後為人奉作神明，築廟塑像，香火不絕，且有人不辭千里來此進香，那也算死的值得了。

忖思之間，忽見那黑暗的深谷之中閃起一點綠光，在谷底移動，足足有一盞熱茶工夫之久，才消失不見。

如是平常，看到那浮動的綠光，一定以為自己看花了眼，或是認作山魅鬼火，但蕭翎目力過人，心中算計那綠光移動的速度，頗似一個人手執著燈籠，在谷底行走……

蕭翎心中警覺，故作不知，暗中提聚真氣，疾快地轉過身子。

只見商八、杜九，並肩行了過來。

蕭翎急道：「你們來得正好，我發現這峰下絕壑中，有一樁十分可疑的事。」

商八、杜九急急行了過來，探首向下望去，但見峰下絕壑一片黑暗，瞧不見一點可疑之處。

杜九暗裏一皺眉頭，道：「大哥，瞧到了什麼可疑的事，小弟眼拙，怎麼一點也瞧不出來。」

蕭翎道：「一點綠光，隱失不見了。」

商八道：「什麼綠光？」

蕭翎正待答話，那谷底綠光，又再出現，緩緩移動，急急說道：「兩位兄弟快些看吧！」

商八、杜九凝目望去，果見一點綠光在谷底移動，良久才消失不見。

蕭翎道：「瞧到了嗎？」

商八道：「瞧到了。」

蕭翎道：「兩位兄弟見多識廣，可知那是什麼緣故嗎？」

商八沉吟了一陣，道：「小弟一向不信神鬼之說，因而不信那谷底綠光就是傳說中的鬼火。」

蕭翎道：「小兄的恩師，胸羅奇博，曾經和小兄解說過磷火，不過，就那綠光穩定，和移動情形而論，決然不是磷火。」

商八道：「大哥之意，可是說那谷底綠光是人力所為嗎？」

蕭翎道：「如是一個人，執著綠綾糊製的燈籠在谷底行走，咱們站在百丈高峰之上，遙遙望去，也只能瞧到一點綠光。」

商八點點頭，道：「不錯，大哥卓見。」

杜九接著道：「也許那谷底住的有人？」

蕭翎道：「關鍵也就在此了，如若那絕壑住的有人，此事就不足為奇，如是未曾住人，其間就大有文章了。」

杜九道：「什麼文章呢？」

蕭翎道：「這面懸崖，就是那村男、村女攜手殉情的絕壑，兩位兄弟，如若還記得那老樵子的話，當時曾有多人下谷，尋找兩人的屍體，不但屍骨不見，而且連一點痕跡也未瞧到。」

商八道：「不錯，如說兩人摔得粉身碎骨，那也不會找出一點痕跡。」

杜九道：「會不會在兩人摔谷之時，為懸崖中的軟籐突樹所攔，未跌入谷底？」

蕭翎道：「那谷中就算住的有人，為何要執著綠色的燈籠呢？是否因為那綠色燈火，易為人誤為磷火，不致引起人的疑心。」

商八道：「大哥推論有理，有如抽絲剝繭，這確實是樁可疑事。」

杜九凝目望去，只見那谷底綠光突然停了下來，一刻工夫之後，又消失不見。

蕭翎低聲向杜九說道：「杜兄弟，像不像一個人，提著綠色的燈籠，在一座房舍前面停了

下來，叫開了房門，走了進去？

杜九道：「有些像。」

蕭翎道：「如若咱們今夜之中，能夠下入谷中瞧瞧，那就不耽誤明天趕路了。」

談話之間，商八已拖著那香火道人一齊趕來。

那香火道人，大約是在夢中被商八拖了起來，仍然是睡眼矇矓。

商八一直把他拖到蕭翎身前，停了下來。

蕭翎望了那香火道人一眼，緩緩說道：「兄台在這裏住了很久嗎？」

香火道人應道：「修這姻緣廟時，小的就在此地了。」

蕭翎道：「這麼說來，你對此地的一切事物，都很熟悉了。」

香火道人道：「一草一木，無不熟悉。」

蕭翎道：「那很好，我要請教兄台幾件事。」

探首望著懸崖，道：「這山谷之中，住的有人嗎？」

這人微微一怔，道：「諸位到這姻緣廟來，可曾聽到這姻緣廟的故事嗎？」

杜九冷冷說道：「咱們大哥問這山谷中是否住的有人，並沒有問你這姻緣廟的故事。」

那香火道人聽到杜九冰冷的聲音，心中就有點發毛，當下說道：「這谷底之中，陰濕酷寒，毒物出沒，自然是沒有人住了。」

蕭翎拱拱手，道：「多謝指教，驚擾兄台清夢，在下這裏謝罪了。」

那香火道人聽到蕭翎放他回去，那是如獲大赦一般，來不及對蕭翎道謝還禮，轉身而去。

蕭翎眼看那香火道人去遠，低聲對商八、杜九道：「兩位兄弟聽到了？我想入谷底瞧瞧，

也許咱們會有意外的發現。」

商八道：「好！待天亮之後，咱們就下谷底看看。」

蕭翎道：「小兄想現在就下去看看！也許這谷底沒有什麼可疑事物，那閃動的綠光，是堆

積的獸骨生出的磷火……」

他抬頭望望天色，接道：「如若咱們此刻下入谷底，天亮之前，當可重回峰頂，那就不耽

誤咱們的時間了。」

商八道：「大哥，不是小弟持重，這座深谷，十分險惡，咱們路徑不熟，深谷之中，要下

去只怕不大方便。」

蕭翎微微一笑，道：「不要緊，小兄已想到了一個下谷之法。」

商八道：「大哥想如何下去？」

蕭翎道：「適才小兄隨那百里姑娘進入一座客棧，看那客棧，堆積了甚多草繩，兩位兄弟

請在峰上執繩，小兄垂索而下，那就不用找下山之路了。」

商八怔了一怔，道：「這個，太冒險了！」

蕭翎道：「小兄心意已決，兩位兄弟不用勸了，我去取草繩。」說完便轉身而去。

中州二賈看蕭翎神色堅定，知他心意已定，萬難更改，只好默然不語。

蕭翎動作迅快，不大工夫，抱了兩大捆草繩行來，放下繩索，目光一掠中州二賈，道：

「小兄的看法，這兩捆草繩的長度，足以探到谷底。」

商八接道：「大哥乃目前江湖正義的標幟，豈可涉險，不如由小弟代大哥一行如何？」

蕭翎道：「不用了，還是小兄下去瞧瞧。」

一面說話，一面抖開草繩。

商八望了杜九一眼，道：「既是大哥決定了，小弟也不便多勸啦。」

蕭翎似是心中很急，把索繩繫在腰中，說道：「空谷傳音，如是小兄需要兩位兄弟下谷相助，那就長嘯三聲為號。」

也不待商八、杜九再行答話，縱身向谷底落去。

商八抓住繩索，緩緩向下放去，一面仔細查看繩索間有不牢之處，就重新接過，小心翼翼，謹慎無比。

且說蕭翎提聚真氣，雙手都戴上了千年蛟皮手套，沿著峭壁而下，只見石壁光滑，大都已長滿了苔綠，心中暗暗驚駭道：這峭壁如此光滑陡峭，縱有第一流的輕功，也是無法施展。

忙思之間，右足突然觸到了一個輕柔之物。

他此時江湖經驗大增，一觸之下，立時警覺到不是樹葉、草叢，當下雙手疾握繩索，疾快地上升三尺。

那商八更是經驗老到，覺出手中繩索突然一緊，心知蕭翎遇上了變故，不再下放繩索。

蕭翎升高數尺，探首向下望去，只見一個突出的大石之上，盤坐著一個人。

這意外的發現，使蕭翎心頭大震，呆了一呆，問道：「什麼人？」

哪知一連喝問了數聲，竟然不聞回應之言。

蕭翎心中感覺奇怪，暗道：難道這人死了嗎？但看他盤坐姿態，又不像死去。

當下接道：「閣下是死人還是活人？」

果然，這句話發生了很大的效用，只聽一個微帶怒意的聲音應道：「老夫如是死人，哪裏還會坐在這裏。」

蕭翎心中想道：你既是活人，怎麼我一連問你數聲，就不聞相應之言。

口中卻應道：「閣下在此作甚？」

那人說了一句話後，竟是不再接口。

蕭翎一皺眉頭，暗道：此人跑到這等上不靠天、下不著地的峭壁之間，盤膝坐在一塊突石之上，如無上乘武功，決難及此，這一份過人膽氣，也足以使人敬佩了。

輕輕咳了一聲，又道：「在下想借兄台盤坐的突石之上，停息一下，不知兄台是否應允？」

那人應道：「這山石又非我所有，願否停息，是你自己的事，與區何干？」

蕭翎心中暗道：這人答覆倒是乾脆得很。

一面暗中運氣，防人施襲，一面緩緩向下落去。

這塊突岩，不過四尺寬窄，突出在峭壁之間，那人盤坐中間，佔去三尺大小，左右兩側，各餘一尺左右，如若他突起施襲，極是難防，是以蕭翎落足十分小心，直待雙足在石上站穩之後，才鬆開手中索繩。

凝目望去，只見那人緊閉雙目，胸前起伏甚烈，似是在運氣療傷一般，心中奇道：這人怎會跑到這等所在，坐息療傷？當下說道：「朋友可是在療傷麼？」

這時，天上星光閃爍，可清晰的瞧見那人面貌。

只見他頭包青巾，方面大耳，頷下留著短鬚，根根見肉，神態極是威猛。

他療傷似是正值緊要關頭，蕭翎落上突岩，他一直未睜眼望過蕭翎一次。

突然間，那大漢全身開始劇烈的顫動，臉上汗水滾滾而下。

蕭翎一看，已知他面臨重要關頭，一股真氣無法衝過受傷的經脈，當下伸出右手，說道：「在下不知兄臺在此療傷，出言驚擾，理該相助一臂之力以便謝罪。」

右掌輕輕按在那大漢前胸之上。

他內功精深，掌勢一和那人前胸相觸，內力泉湧而出，一股熱流，攻入那人內腑，助他打通傷穴，只見那大漢顫動的身軀，逐漸停了下來，汗水也逐漸消去。

蕭翎知他傷穴已通，險關已過，緩緩拿開右手。

那大漢緩緩睜開眼睛，瞧了蕭翎一眼，道：「多謝相助。」

蕭翎微微一笑，道：「不用了，如非在下驚擾，也許兄臺早已療好傷勢，用不到在下相助了。」

他這段江湖歷練，雖然時日不長，但增長見聞甚多，心知武林中人，大都好名之心甚強，是以，不但不自居功，而且言來委婉至極。

那大漢雙目一瞪，上下打量了蕭翎一陣。

蕭翎應道：「在下發覺谷底中有些可疑事物，動了好奇之心，因此想入谷底瞧瞧。」

那大漢抬頭看了蕭翎垂下的繩索一眼，道：「朋友垂索而下，峰上還有同伴了？」

蕭翎道：「不錯，閣下只有一個人嗎？」

那大漢道：「兩個，不過，現在只有一個了。」

蕭翎道：「貴友呢？」

那大漢道：「死了！」

蕭翎道：「屍體呢？」

那大漢道：「棄在谷底，如是他們知道我還有活命之望，決然不會放過在下了！」

蕭翎心中暗道：看起來，這谷底之中，確實潛伏有武林高人，看樣子這人似是知曉不少內情，得想法子問出一些才成。

當下說道：「兄台貴姓啊？」

那大漢沉吟了一陣，道：「在下段文升。」

蕭翎一抱拳，道：「原來是段兄。」

段文升還了一禮，道：「請教兄台？」

蕭翎道：「在下蕭翎。」

段文升揉揉眼，道：「閣下就是那名揚武林的蕭大俠嗎？」

蕭翎道：「不敢當，區區蕭翎。」

段文升道：「蕭大俠來此荒山，定是為找尋禁宮。」

蕭翎聽得心中一動，道：「不錯，段兄怎知區區來意？」

段文升道：「蕭大俠血戰百花山莊，大破五龍陣，抵拒那沈木風，江湖正義，賴以為繼，天下武林同道，人人尊慕敬仰，武林中波譎雲詭，變化正大，如若不是為尋找禁宮這等大事，蕭大俠怎能抽暇到此！」

蕭翎心中暗道：話雖是說得不錯，不過，你一開口，就猜到了我要尋找禁宮，而且語氣肯定，毫無試探之意，豈是憑藉猜想作此斷言。

但覺腦際間靈光連閃，立時微笑說道：「段兄不錯啊！竟然比兄弟早到了一步。」

段文升搖搖頭，道：「可是有人比在下早到了數月之久。」

蕭翎心中忖道：難道那鷹揚峰、盤蛇谷都在這附近？難道那姻緣二字，就是這鷹揚的諧音不成？

心中念轉，口裏卻說道：「據在下所知，那禁宮之鑰，尚未出現江湖，怎麼會有人知道那

禁宮在此呢？」

段文升笑道：「蕭大俠又怎知禁宮在此呢？」

蕭翎忖道：此人的話語，倒是犀利得很。

段文升道：「在下受一位名人指教而來。」

略一沉吟，應道：「這就是了，那人既然可指教蕭大俠來此尋找禁宮，自然是也可以指示別人來此了，兄弟就是受人指教而來。」

蕭翎暗道：好啊！我不過是隨口編造一個理由，想不到竟然確有其事。

於是輕輕咳了一聲，接道：「段兄，可否告訴兄弟，受何人指教到此？」

段文升道：「如是別人問，在下決然不言，但你蕭大俠相問，在下是不能不說了……」

仰臉望天，思索了一陣，說道：「在下和一位義結金蘭的兄弟，三日前在十里外一道山澗旁，救了一個受傷的人，那時，傷者已經是奄奄待斃，在下和那位兄弟傾盡所帶靈丹，仍然沒救活他的性命，但他卻一度清醒……」

蕭翎道：「說的什麼？」

段文升道：「不錯，他傷勢太重，只說了一句話，就氣絕而逝了……」

蕭翎道：「那人告訴了你們，禁宮在此嗎？」

段文升雙目圓睜，盯注在蕭翎臉上，道：「你真是蕭大俠嗎？」

蕭翎道：「大丈夫行不更名，在下確是蕭翎。」

段文升道：「你真是蕭大俠，在下自然是可以直言奉告了，那人說，姻緣峰下是禁宮。」

蕭翎道：「那人還說了什麼？」

段文升道：「說完這一句話，人就氣絕而逝。」

蕭翎略一沉吟，道：「兩位可曾聽得清楚嗎？須知差之毫釐，謬之千里，譬如那人說鷹揚峰，兩位聽成了姻緣峰，音同字不同。」

段文升搖搖頭，道：「錯不了，在下和那義弟聽得清清楚楚，當時我們還有些不信，埋葬了那人屍體之後，突然想到，無論如何，趕來姻緣峰上瞧瞧，總是不會有錯。」

蕭翎又道：「又怎知是在這山谷之中呢？」

段文升道：「我們趕來此地，四下查看，始終覺不出有何可疑之處，直到天色入夜之後，發覺這谷底中有綠光閃動，如若沒有那人之言，在下兄弟，也不會想到可疑，聽了那人之話，心中早有準備，見到那綠色光焰，就引起心中之疑，天亮之後，就尋路下入谷底。」

蕭翎道：「兩位入谷之後，就被人暗施毒手打傷？」

段文升道：「不是，這絕谷連綿長達數十里，那下谷之路，亦遠在數十里外，我們費了近一日的工夫，才找到下谷之路，沿山谷行到這姻緣峰下，已經是暮色蒼茫時分，幽谷早暗，已然無法瞧清谷中景物了。」

蕭翎道：「那就是今天晚上了。」

段文升道：「不錯，就是今天晚上。」

蕭翎心中暗道：和他談了半天還未談入主題，此刻時光寸陰如金，不能和他多作閑言了。

心念轉動，緩緩問道：「段兄那位同來的兄弟怎麼死的？」

段文升道：「大概是死在一種淬毒的暗器之下，我只聽到了他一聲慘叫，趕過去，他已經是氣絕身亡！」

蕭翎道：「段兄沒有見到敵人嗎？」

段文升道：「那時谷中已暗，視線模糊不清，兄弟正在照看那位兄弟的屍體時，後背中了一擊，幸得在下練的童子混元氣功，又在運氣戒備之下，雖然受了一擊，還能承受得住，一躍避開，回頭卻不見敵蹤何在。」

蕭翎道：「他們在暗處藏著？」

段文升道：「大概是吧！但那一擊奇重，在下已自知難有再戰之能，既然不見敵人現身，最好是藉機逃命。」

蕭翎探首下視，只見那突岩下，壁如刀削，縱然是第一流的輕身功夫，也是難上此突岩，何況這段文升已經身受重傷。

段文升似是已經瞧出了蕭翎之疑心，不待他開口詢問，立時接道：「人不該死總有救，在下急欲逃命，只有冒險向峰上攀登，當時一鼓作氣，全力攀登，竟然攀上了四、五丈高，已然力氣用盡，而且峰壁更見陡削，別說區區了，就算是強我十倍的輕功，也無法向上登峰，幸得在下停身之處，生有一叢青草，只好暫時隱身那草叢之中，在下剛藏好身子，兩道強烈的燈

光，已照上峭壁，大約有一盞熱茶工夫之久，那燈光才消失不見……」

蕭翎接道：「段兄怎生上此懸崖？」

段文升道：「在下心想縱能避過一時，終是難逃大限，哪知一伸手，無意觸摸到一個鐵環，那環上本有一個鐵鎖，大約是年月過久，鐵鎖早已鏽壞，我稍運內力一拉，鐵鎖脫落，石壁掀起了一片，原來竟然是一座石門。」

蕭翎道：「一座石門，那是人工修築而成的了？」

段文升道：「自然是了！石壁之上，決然不會長出鐵環、鐵鎖來。」

蕭翎道：「石門之內呢？」

段文升道：「一道石梯直通這突岩所在，在下走到此處，無法再向上攀登，只好先行坐息療養傷勢了。」

蕭翎道：「這石岩後也有一道活門？」

段文升點點頭，道：「蕭大俠用手向後一推，就可以進入石道中了。」

蕭翎道：「你此刻傷勢如何？」

段文升道：「經這一陣調息，雖未好轉，亦未惡化。」

蕭翎道：「段兄請借這繩索之助登上峰頂，見著我峰上兩位兄弟，據實告訴他們內情。」

段文升道：「蕭大俠呢，還用不用這繩索？」

蕭領道：「不用了。」

光

當下把繩索繫在段文升的腰間，接道：「到峰上見著我那兄弟時，千萬不可虛言相欺。」

蕭翎抖動繩子，果然那繩索向上升去。

段文升腰繫繩索，以雙手作輔，登上峰頂。

且說蕭翎眼看那段文升離開突岩之後，立時揮手向岩後一推。

果然，那突岩後面一塊石壁，應手而開。

這些日子中，蕭翎在江湖之上走動，經驗大增，推開石壁之後，並未立刻進入，抬起頭來，仔細看那敞開的石門。

他目光過人，雖在暗夜之中，亦看得十分仔細。

卧龍生 精品集

十三 寒潭異象

這是天然石洞，又加上人工修築而成，那垂下石門，十分堅厚，原有鐵環緊扣的痕跡，但卻因年代久遠，鐵環鏽壞，若非如此，這座垂下的石門，決然無法打開。

蕭翎但覺腦際中靈光閃動，重重疑問湧上心頭，暗道：這雖是一座天然石洞，但卻分明是加了巨大的人工修築，那爲什麼要動用如此浩大的人力、財力，在這等荒涼的山谷中，修築這樣一個石道呢？其間，自然是有著用心了，也許在這方面和禁宮有關。

心中忖思，人卻沿級而下。

只覺這條石道修築得十分寬大，行來十分順暢，顯見這工程的確是浩大。

突然，向下延伸的石級，成了平道。

蕭翎心知已到了出口之處，伸手一推，果然應手啓開了一片石壁，星光隱隱透了進來。

他已聽那段文升說得十分詳細，知這石門之外，有一片亂草掩蔽，輕輕推開石門，縱身而出。

石門外草深及腰。

陡削的山勢，在這片青草處，大爲減緩。

蕭翎心中暗暗讚道：那人選擇了這樣一處斜度大減之地，開了石門，外面種上青草，以便遮掩，處處利用這天然的形勢，大見匠心。

輕輕合上石門，隱身草中，向下望去。

這時，星河耿耿，以蕭翎的目力，已隱隱可見谷底景物。

蕭翎顧盼良久，不見動靜，正待縱身下谷，突聞人聲傳來，道：「咱們不用等了，諒他無法爬上峭壁，也許此刻，早已死去多時了。」

另一個聲音應道：「說得是啊！咱們已然向那亂草之中射出了甚多的暗器，如若他是藏身在亂草之中，也該傷在那淬毒暗器之下了。」

蕭翎心中暗道：這兩人一定在說那段文升，我如冒冒失失的奔入谷中，定然要被他們發覺，這山谷之中，怎麼住著這許多武林人物呢？

但聞步履聲逐漸遠去，想是兩入等得不耐，已然撤走。

蕭翎又等了片刻，才施展壁虎功，背貼在山壁間，緩緩向下游去。

那草叢距石壁，只不過四丈多遠，片刻間已落谷底。

他一路小心而行，眼觀四面，耳聽八方，行約數十丈，竟仍然不見人蹤，適才峰上見到的那綠色的燈光，此刻竟也不再出現。

似是那些人突然間消失不見。

深夜幽谷，使人油然生出一種荒涼孤獨之感。

他沿谷搜尋，又行數十丈，仍是不見敵蹤。

耳際卻聽得泉水淙淙，如鳴珮環。

原來，行到了一處水潭旁邊。

這座水潭，縱橫十尺，緊靠山壁之下，壁間一道山泉，瀉入潭中，奇的是那泉水雖急，但卻十分細小，一線激射，直入潭心。

蕭翎抬頭打量那激射的泉水一眼。

心中暗道：看這股激泉的力道，有如高山重瀑，當是一瀉千里、如雷轟發之勢才對，何以竟然是細流如絲，難道這一股奔騰的泉水，被天然形勢所阻，只能噴出這一線泉水不成……

正推想間，忽聞一個清冷的聲音傳了過來，道：「這山谷之中，處處皆好，只是流泉太少，每次汲水，都要跑到這小潭中來。」

蕭翎一閃身，躲入了一塊大石之後。

凝目望去，只見兩個身著勁裝的大漢，一先一後地行了過來。

這兩人手中各自提著一個木桶，近潭之後，蹲下身子，各自汲了一桶水，重又站起身子。

蕭翎隱身在大石之後，看得十分明白，心中暗打主意道：這谷中住有很多武林人物，奇怪的是，竟然不知他們居住何地，眼下如果突然出手，當可一舉間制住兩人，但兩人夜半來此取水，必是用水甚急，如是兩人久出不歸，勢必使敵人產生疑竇不可。

心念轉動之間，兩個黑衣大漢已然提著水桶去遠。

蕭翎運足目力，希望能看清楚兩人的去處，但因夜色幽深，兩人行到了四丈之外，已然模糊難見。

經過一陣沉思，蕭翎決定在石後坐息，待天色大亮之後，先查看一下谷中形勢，然後再作主意。

天色漸明，金黃色的陽光，逐走了暗夜，爬越過峰頭，照射在水潭中。

一線激射而下的噴泉，在碧綠的潭水中，激起了連綿不絕的漣漪。

蕭翎緩緩站起身子，目光轉動，突然間，只見潭水中反映出一隻昂首張翅的飛鷹，和一條仰首盤臥的怪蛇。

水波蕩漾，那潭水中的盤蛇亦似在蠕蠕而動，那張著雙翼的飛鷹，亦似在凌空飛行。

這陡然的發現，頓使蕭翎有著一股強烈的興奮，和莫名的緊張，不自覺地低聲吟道：鷹揚峰，盤蛇谷，原來是潭中的映射啊！

他忘記了置身險地，殺機四伏，快步奔向那水潭旁邊。

仔細看去，只見水潭中，兩團模糊的黑影，即那飛鷹、盤蛇，陡然間消失不見。

蕭翎心中奇道：這是怎麼回事呢？明明看見潭水中飛鷹、盤蛇，何以會突然間消失不見？

正想退回那大石之後，再仔細瞧上一陣，突然左後肩上微微一痛，有如被人用針刺了一下。

經驗告訴他，自己已受了暗算，而且中的似是奇毒暗器，當下暗自運氣，閉住了左肩上的穴道。

冷冷說道：「閣下什麼人？爲何暗算在下？」

但聞一個冷厲的聲音應道：「你是誰，何以獨自闖入這死亡之谷？」

蕭翎憑藉傳來聲音的方向，判斷那人停身之處，陡然轉過身子。

凝目望去，只見一個髮鬚皆白的矮瘦老者，蕭立在一丈開外。

不待蕭翎開口，那老者已搶先說道：「你已經中了我子午透骨針，針上劇毒強烈，你如妄自行動，那只有促使毒性早發，提前死亡」。

蕭翎雙目神光閃動，仔細地打量了那老者一眼，道：「這區區毒針，只怕未必能真的要在下之命。」

矮瘦白鬚老者冷笑一聲，道：「老夫那毒針，經過了六種劇毒淬煉，不論武功何等高強之人，也無法解得針上之毒。」

蕭翎心中暗道：蕭翎啊！蕭翎，岳姊姊把生死託付於你，此時此刻，你決不能死。

他豪氣如雲，輕淡生死，只因心有所念，竟是豪氣大減。

但眼下的情勢，只有兩策可循，一個是突然出手，以迅雷不及掩耳之勢擊斃那老者，一個是求那老者賜贈解藥……

矮瘦白鬚老者心機似極敏，轉眼看蕭翎不動，立時冷冷說道：「閣下如是不畏死亡，不妨

306

蕭翎看那老者雙目中神光極是充足，兩面太陽穴高高突起，分明是一位內外兼修的高手，心中暗想道：看此人武功，決非平庸之輩，如若我一擊不中，只怕不易有下手殺他的機會了，看來是不得不用些心機對付他了。

心念一轉，緩緩說道：「閣下和在下素昧平生，自然是談不到恩怨二字，不知何以要對在下暗下毒手？」

白髯老者冷然一笑，道：「那要問你何以來此谷了。」

蕭翎目光轉動，除了這老人之外，不見他人，心中稍寬，緩行一步，道：「這山峰深谷，乃人人可來之地，在下何以不能來此呢！」

那老人冷冷說道：「你從何處而來，到此作甚？」

蕭翎緩緩向前行了一步，道：「在下久慕那姻緣峰之名，來此觀賞，可說是好奇而來，別無用心。」

白髯老人道：「閣下能夠在神不知鬼不覺下，進入這座山谷之中，老夫倒也不能不佩服你了！」

蕭翎心知此刻，只有趁他精神分散之時，才能突然施襲，一舉成功，當下說道：「在下有幸，能信步至此，在下不幸，竟然未遇到攔阻之人。」

白髯老人道：「這話怎麼說？」

蕭翎道：「如若在下遇上攔路之人，就不能進入此谷一飽谷中景色，那是無幸，但如有人阻攔在下，我不能進入此谷，此時，也不會中你暗算了，說來豈不是大大的不幸嘛！」

他藉著說話的工夫緩緩向前欺進，已然快近那老者身側。

那白髯老者似已警覺，一吸氣，陡然退出八尺，道：「站住！」

蕭翎淡淡一笑，道：「老丈很怕嗎？」

那白髯人冷冷說道：「那針之毒，即將發作，閣下感覺如何？」

原來，他看到蕭翎中針很久，仍然不見毒性發作，心中大為震駭。

他哪裏知曉，蕭翎服過千年石菌，體內抗毒之力已然強過常人很多，又習得獨門上乘內功，乾清罡氣，運氣封穴，嚴密異常，左肩後的劇毒，被他真氣逼住，延展很慢。

但那子午透骨針毒性，強烈無比，蕭翎雖有著上乘內功，但也只能逼使毒性發作稍緩，此刻，已然感覺劇毒在緩緩蔓延。

他心中明白，此時此刻，萬不會有援手趕來，只有憑仗自己的鎮靜機智，設法制服那老人，迫他交出解藥。

這是唯一的生機。

蕭翎正待奮身而起，孤注一擲，忽見那白髯老人身子一顫，臉色大變，似是陡然間，受了致命一擊。

白髯老人亦有過人的鎮靜，舉手一拂長髯，道：「什麼人？」

一個低微、清脆的聲音道：「我。」

白鬚老人道：「用的什麼暗器？」

那聲音應道：「北海冰魄針。」

蕭翎已然聽出了來人的聲音，道：「冰兒，你怎麼來了？」

百里冰迅快地行到那老人身後，嫣然笑道：「我先替大哥討過解藥，再細談不遲。」

目光轉注那老人臉上，接道：「你如是用毒能手，當已感覺到我那冰魄針上的劇毒之烈了。」

白鬚老人緩緩說道：「老夫縱然毒發死去，你們也難逃得性命！」

百里冰陡然伸出手去，一把扣住了那老人右腕脈穴，低聲說道：「你可以不死啊，咱們去那石頭後談談吧！」

白鬚老人驟不及防，被她一把扣著脈穴，拖入一塊大石之後。

蕭翎流目四顧一眼，不見人蹤，舉步跟了過去。

百里冰右手暗加勁力，那老人登時感覺到半身麻木，縱有捨命反擊之心，亦是力所不能。

蕭翎想到岳小釵和那玉簫郎君，斷魂崖底之約轉眼即屆，時日無多，此刻正是寸陰寸金，便即說道：「冰兒，迫他取出解藥。」

百里冰左手探入袋中，取出一粒藥丸，接道：「大哥，你先把這一粒丹丸吞下。」

蕭翎道：「這是什麼？」

百里冰道：「冰魄針的解藥，就算藥不對路，吃了也是無害，大哥快服下去。」

蕭翎不再多問，張口吞下藥丸。

百里冰道：「大哥快坐下運氣調息，我迫他拿出解藥。」

蕭翎依言盤膝坐下，運氣調息。

百里冰又從袋中摸出一枚冰魄針來，在那白髯老人手臂上刺了兩針，道：「你身上有毒針，當有解藥，就算你不願拿出來，我也能搜得。」

白髯老人道：「老夫如交出解藥呢？」

百里冰道：「彼此交換，你如救治了我大哥毒傷，我也給你解藥，放你而去。」

白髯老人道：「老夫如脫險而去，定然會傳出警訊，兩位還想生離此谷嗎？」

百里冰道：「我說放了你，決不食言，只要你交出解藥。」

白髯老人道：「婦女之言，豈能全信。」

蕭翎道：「冰兒，讓他取出解藥，不用和他多費唇舌了。」

白髯老人緩緩移動左手，取出一個小小玉瓶，道：「解藥在此。」

百里冰正待伸手去接，那老人突然把玉瓶投入口中，道：「姑娘如再相迫，在下咬碎玉瓶，和藥吞下……」

目光一掠蕭翎，接道：「老朽年過花甲，換你大哥一條命，那也是死而無憾了。」

百里冰道：「好！我先給你解藥。」

左手取過一粒解藥，送入那老人口中。

白髯老人正待吞下，百里冰突然一掌拍在那老人背心之上。

這一掌攻勢奇重，只打得那老人張嘴噴出一口鮮血。

連口中玉瓶也吐了出來。

那白髯老人正又待放聲喚叫，百里冰已快速絕倫地點了他的穴道，冷哼一聲，道：「敬酒不吃吃罰酒！」放倒白髯老人，伏身撿起玉瓶。

蕭翎已感覺到子午透骨針的毒性在緩緩發作，只好全神運氣，和劇毒抗拒，看她取得解藥之後，心中暗道：此女雖在嬌生慣養之中長大，倒是極富心機。

百里冰拔開瓶塞，倒出了兩粒白色的藥丸，送入蕭翎口中。

蕭翎吞下解藥，輕輕歎息一聲，道：「冰兒，如非你及時趕到，小兄只怕要葬身在絕壑中了。」

百里冰微微一笑，道：「你那兩位兄弟阻止不讓我來，氣得我和他們打了一架，他們打我不過，只好讓我來了。」

緩步行到蕭翎身前，柔聲問道：「大哥傷在何處？」

蕭翎道：「左後肩頭上。」

百里冰道：「脫下衣服，我替你取下身上毒針。」

蕭翎心中暗道：男女有別，豈能脫下衣服，說道：「不成，你用寶劍，挑開我肩後衣

服。」

百里冰亦有所覺，嫣然一笑，伸出纖纖玉指，暗運功力，扯開蕭翎左邊肩上的衣服，果見一枚藍色毒針，深入肌膚。

用右手大拇指和中指指甲箝住針尾，拔了出來，日光下，只見針上一片深藍，顯是淬毒甚重。

百里冰棄去毒針，笑道：「大哥好好養息，療好毒傷，咱們再慢慢的收拾他。」

蕭翎雖然服下解藥，但卻不知毒傷是否已癒，閉上雙目，運氣調息。

對症下藥，功效奇速，運氣相試，果覺毒性已退。

蕭翎起身行到那白鬚老人身側，冷冷說道：「你如不想死，那就不要呼叫。」

右手揮動，拍活了他兩處穴道。

那老人極工心計，暗中運氣相試，竟然毫無中毒之徵，心中大感奇怪，暗道：這女娃兒明明告訴我中了北海冰魄針，怎的竟然是毫無感覺。

蕭翎解開他兩處穴道之後，迅快地又點了他一處穴道，緩緩說道：「看來這山谷中，只有閣下一個人了？」

那白鬚老人心知此刻自己如大聲言語，必將招致殺身之禍，只好低聲說道：「何以見得？」

蕭翎心中暗道：如是正面問他，決然不肯吐露實言，迫他過緊，又怕他隨口捏造。

只有另走蹊徑旁敲側擊，問得一點是一點了，當下冷笑一聲，道：「如是這山谷中如你所

言，守衛森嚴，高手甚多，何以這久時間，還無人趕來救你？」

白髯老人一皺眉頭，道：「兩位如何混入谷中，老夫是百思不解，如論這兩面谷口處防守的森嚴，那確實飛鳥難度，兩位已入谷中，我等就該接到資訊。」

蕭翎冷然說道：「老丈滿口胡言……」

百里冰道：「大哥，不用和他多費唇舌了，用他的毒針刺他一針，看他還敢胡言亂語不敢！」伸手往那老人袋中，找出毒針，疾向左臂刺下。

任那老人閱歷豐富，見聞廣博，遇上這位刁蠻的姑娘，也是膽戰心驚，無計可施，急急說道：「姑娘且慢，姑娘要問什麼？」

百里冰怔了一怔，道：「大哥，咱們要問他什麼？你快些問吧。」

蕭翎當下說道：「老丈留心聽了，這谷中荒涼異常，老丈等在此谷中，有何用心？」

白髯老人沉吟不答，顯然，蕭翎這一問，問得他大費思考。

百里冰右手一沉，在那老人手背刺了一針，道：「說啊！」

這子午透骨針，毒性奇重，中毒處立時一片紫紅。

白髯老人臉色大變，雙目圓睜，望著百里冰，雙目充滿仇恨怨忿。

蕭翎迅速地拔開瓶塞，倒出一粒解藥，投入那老人口中。

白髯老人被毒針刺中之後，心知自己穴道被點，無法運氣和劇毒抗拒，立刻之間，即將毒發身死，油生拼命之心，但服下解藥之後，保住了性命，登時又生出惜命之心。

但聞百里冰接道：「快說啊！」又揚起手中毒針。

嬌豔如花的百里冰，在那老人的眼中，比蛇蠍更為可怖，看她揚起毒針，急急說道：「在

下來此尋找一處寶藏。」

蕭翎道：「什麼寶藏？」

白髯老人道：「說起來，也不算什麼寶藏，只是幾件武林前輩的遺物。」

蕭翎暗道：此人果然狡猾，說得既非虛言，也非實話，冷笑一聲，道：「幾件武林前輩的

遺物，那是尋找禁宮了。」

白髯老人怔了一怔，道：「不錯。」

蕭翎自見那水中飛鷹、盤蛇的映射之後，已知此地正是自己苦苦尋找的禁宮，但那禁宮之

鑰和圖案都在自己身上，何人竟然有此能耐，不用圖案，尋到此地？

心中念轉，口中卻緩緩問道：「老丈在這谷中，留住了很久嗎？」

白髯老人道：「五年左右。」

蕭翎吃了一驚，道：「五年時光，定然已尋到了禁宮所在。」

白髯老人道：「只知在這縱橫數十里的山谷之中，卻不知位置何在。」

蕭翎道：「聽老丈之言，好像說這山谷之中，住了很多人？」

白髯老人道：「正是如此！」

蕭翎淡然一笑，道：「老丈在這山谷之中，只怕也非首領人物。」

314

白髯老人道：「老夫乃四大監工之一……」他似是自知說漏了嘴，突然住口不言。

百里冰冷冷接道：「你在這山谷中，監的什麼工？」

對這位花枝人樣的俏姑娘，他卻有著一種深深的畏懼，聽她問話，竟然是不敢不答，當下應道：「咱們在這山谷之中，尋找一處寶藏。」

百里冰道：「你是四個監工之一，雇用多少工人呢？」

白髯老人道：「山谷之中，有兩百餘人，但此刻，只餘一百餘人了。」

但聞百里冰問道：「那些人呢？」

白髯老人道：「死了。」

蕭翎暗暗施傳音之術，道：「問問他的姓名。」

百里冰望著蕭翎嫣然一笑，目光轉到那白髯老人臉上，冷冷說道：「你叫什麼名字，在江湖之上，有何綽號？」

白髯老人只覺臉上一麻，竟又挨了一針，急道：「老夫潘龍，江湖上稱號子午判。」

百里冰把手中一粒解藥，投入了潘龍口中，卻把另外兩粒，隨手拋去，說道：「這太麻煩了，你最好別再挨最後一針……」

語聲一變，冷漠地接道：「谷中既有一百餘人，何以不見人蹤，你們在此動工有多少日子，挖出了什麼寶藏，如有一句虛言，那就別想活了。」

潘龍看她手中毒針，在日光下藍芒閃動，急急應道：「在此動工，已四年有餘，凡是入

谷做工之人，除非死亡之外，別想再離開此地，爲避人耳目，所有之人，白日進入山洞之中休息，晚間工作。」

百里冰道：「另外三大監工的武功如何？」

潘龍道：「個個武功高強。」

百里冰道：「主腦人物是誰？」

潘龍道：「沈木風。」

蕭翎只聽得心頭一凜，暗道：那沈木風果然厲害，竟然被他尋得禁宮！

百里冰望望蕭翎，道：「大哥，還問什麼呢？」

蕭翎道：「問問他這谷中之人，住在何處？三個監工現在哪裏？」

潘龍道：「不用叫她轉問了，在下說出就是……」

語聲微微一頓，接道：「這兩側山壁，已被我等打了甚多山洞，白晝之間，全都隱住山洞之中了！」

蕭翎道：「那三大監工居住之處，還有那些工人，都從何處請來？」

潘龍道：「因這山谷中的工程，十分艱巨，所以，在此谷中的工人，大都是武林中的人物，必得有些武功基礎，才能應付，所以死亡之後，很難補充，至於另外三位監工，都住在三號石洞之中。」

蕭翎道：「用什麼方法，才能混入工人群中，不會讓人發覺？」

潘龍道：「辦法只有一個，但說出來，只怕兩位不肯相信。」

蕭翎道：「你先說來聽聽？」

潘龍道：「這谷中工人共分為四組工作，四大監工各帶一組，老夫名下還有三十一人，這三十一人，老夫一眼之間，就可以認出他們，如想魚目混珠，決不可能，其他三大監工，和老夫情形相同，屬下之人，個個都熟悉異常，但對別組中人，因接觸很少，印象模糊。

「兩位如想在谷中停留不為發覺，只有混入老夫這組工人群中，此刻，放了老夫，由老夫去取兩套舊衣，兩位易容改扮，在老夫默許之下，就不會被人發覺了。」

蕭翎道：「我們如何能夠信得過你？」

潘龍道：「這是唯一能使你們在谷中停留不為人發覺之策，除此之外，再無良法，再說，老夫一諾千金，既然答應了，決不會再生陰謀陷害你們。」

百里冰低聲對蕭翎說道：「大哥，我有一個辦法，如若他要陷害我們，他也不能再活。」

蕭翎道：「什麼辦法？」

百里冰道：「爹爹傳我一種武功，近乎點穴，但和點穴卻大不相同，如若點他一處穴道，必須要推開另一處穴道才能解救，爹爹曾經告訴我，這是我們北海獨門手法，江湖上決無一派人知曉，但如那點傷的穴道在十二個時辰內不經解救，傷穴的積血就凝結成傷，七日後潰爛而死，雖然死得很慢，但卻死得很痛苦。」

蕭翎心想為了要早日查出禁宮所在，只好行險求成了，當下便說道：「冰兒，就依你之

卧龍生 精品集

見，放了他吧！」

百里冰出手施展獨門手法，暗傷了潘龍一處穴道，又拍活他兩處被點穴道，道：「我們在此等你，半個時辰不來，你就算自食諾言不會來了。」

潘龍站起身子，一語不發地舉步而去。

蕭翎一心惦念著岳小釵的安危，心中愁苦，靜坐不言。

大約過有半炷香的工夫，潘龍果然如約而至，拿著兩套破爛的衣服和半碗炭灰，說道：「兩位換過衣服之後，最好把身上的皮膚塗黑，這位姑娘還得盤起頭髮，易作男裝。」

蕭翎拿起衣服換過，百里冰卻躲入大石之後，易釵而弁。

百里冰身材嬌小，但衣服卻很大，穿在身上，十分難看，再加臉上、手上，塗上炭灰，看上去像極了一個小叫化子。

潘龍道：「兩位跟我來吧！」轉身向外行去。

蕭翎暗中戴上千年蛟皮手套，以備緊急應變，快行兩步，緊追在那潘龍的身後而行。

潘龍帶著兩人，行約十餘丈，到了一處崖壁之下，伸手在壁間一推，一扇石門應手而開。

一股濃重的汗臭氣，隨著那開啓的石門沖了出來。

蕭翎江湖閱歷大增，並未立時衝入室內，目光轉動，四顧一眼，只見那石室地上，鋪著棉被，上面橫躺著幾十條大漢，鼾聲交作，此落彼起，不禁一皺眉頭，暗道：我蕭某堂堂男子

318

漢，和這些人混在一起也還罷了，但那百里冰姑娘，乃是千金之軀，豈可和這些人雜居一起。

潘龍已瞧出蕭翎面有為難之色，緩緩說道：「此地就是這樣，唉，數年來，我們都一直住在這深谷之中，除了死亡之外，每天都有著很沉重的工作，直累到精疲力竭才得休息，一躺下去，個個都和死人一般……」

蕭翎油生同情之心，心中暗暗想道：那沈木風派遣這麼多人前來尋找禁宮，而且連續數年之久，大有尋不到禁宮，就永不休止的用心，此人的惡毒、堅毅，確非常人能及。

但聞百里冰柔聲說道：「和大哥在一起，就是再苦一些，我也不怕，大哥不用為我愁苦。」

蕭翎道：「冰兒，委屈你了。」

百里冰伸出手去，拉起蕭翎左腕，行到一面靠壁之處，坐了下去，臉上笑容隱隱，果是不見愁苦之色。

潘龍道：「兩位好坐，老朽去了。」轉身而去，隨手帶上室門。

那石地之上，雖然鋪著棉被，但年日甚久，早已腐朽，百里冰一伸腿，嗤的一聲，棉被撕破了一個大洞。

蕭翎低聲微微說道：「冰兒，咱們先忍受一日，了然全盤內情再說。」

百里冰微微一笑不再多言，閉上雙目，依壁而坐。

不知道過去了多少時間，石門突然被人推開，一陣涼風吹了進來。

岳小釵

319

蕭翎微啓一目望去，只見潘龍手執著一盞綠色燈，帶著兩個人行了進來。

左面一人身著天藍長衫，黑髯及腹，臉色紅潤，有如童子，手中提著一個三尺長、兩尺寬的描金箱子，正是璇璣書廬主人，宇文寒濤。

右面一人身著華服，竟是百花山莊二莊主周兆龍。

蕭翎一拉百里冰，暗施傳音之術，道：「冰兒，慢慢躺下。」

百里冰倒是聽話得很，依言躺了下去。

宇文寒濤和周兆龍緩步而入，一面低聲交談，也未留心到兩人。

蕭翎凝神聽去，但聞那周兆龍說道：「宇文兄，大莊主對此事寄望甚深，且經過他再三考證之後，證明那禁宮確然就在此地，大莊主亦曾親自到此勘查數次，但始終無法找出一點線索。」

宇文寒濤微微一笑，接道：「在下雖只匆匆一瞥，但已瞧出這幾座山峰，都是極爲堅牢的花崗岩，別說區區數百人力，就是積聚上萬兒、八千勞工，也難在數年之中把這山勢改變，個中機巧，學問甚大。」

周兆龍接道：「不錯，大莊主請宇文兄來此，就是要借仗大力，找出那禁宮所在。」

宇文寒濤目光轉動，望了橫臥石室中數十大漢一眼，目光轉注潘龍的臉上，問道：「目下你手下還有多少工人？」

潘龍道：「三十三個。」

宇文寒濤道：「你就他們之中選出兩個武功較好之人，我要帶他們同去勘查四周山勢。」

只見潘龍就地上橫臥之中，推醒兩人。

宇文寒濤一皺眉，道：「可否找兩個清秀一點的人？」

周兆龍目光一轉，望著蕭翎和百里冰道：「這兩人衣服比較乾淨，叫他們起來瞧瞧。」

蕭翎和百里冰，雖然也是穿的舊衣，但兩人衣服，乃餘下舊衣，收存很久，看將起來，自

是較其他之人的衣著清潔多了。

潘龍無可奈何地行到蕭翎身側，推了兩人一把，道：「起來。」

原來，他不知兩人姓名，無法呼叫兩人。

蕭翎硬著頭皮，拉起了百里冰。

周兆龍作夢也想不到，蕭翎會混在這工人群中，望了兩人一眼，笑道：「這兩個人生得倒

還靈巧，只是髒了一些，洗去臉上汙灰，換上新衣，大概還可使喚。」

宇文寒濤道：「也只好將就一些了。」

蕭翎擔心被那周兆龍看出身分，雖不畏懼，但卻盡棄前功，木然而立，不敢和那周兆龍目

光相觸。

哪知周兆龍並未注意兩人，低聲對宇文寒濤道：「宇文兄，大莊主於啓開禁宮之心，焦急

如焚，面告兄弟，三日之後將親自趕來，希望宇文兄，能在三日之中，勘查出一些眉目，大莊

主到此之後，也好有個交代。」

岳小釵

卧龍生 精品集

宇文寒濤道：「此刻天色入夜，明日天亮，才能工作⋯⋯」

目光一掠潘龍，接道：「你傳周二莊主之令，今宵工作暫停。」

潘龍欠身應道：「屬下遵命。」

宇文寒濤望了蕭翎和百里冰一眼，接道：「你要他們洗去臉上油污，再換過一身衣服，好

好休息一夜，明晨帶他們去見我。」

言罷，和周兆龍連袂退出石室。

潘龍送兩人到石門口，目睹兩人去遠，返身對蕭翎道：「兩位跟我來。」

蕭翎、百里冰出得石室，抬頭看去，但見滿天星斗，已然是深夜時分。

潘龍執燈帶路，引兩人進入了另一座石室之中，低聲說道：「適才兩位見到那手提箱子的

長髯人，乃江湖中大有名望的璇璣書廬主人⋯⋯」

蕭翎道：「宇文寒濤。」

潘龍道：「你認識？」

蕭翎道：「那身著華服的少年，是百花山莊二莊主周兆龍，對嗎？」

潘龍臉色一變，道：「閣下是何身分？」

蕭翎道：「你在這深谷之中，居住甚久，不知江湖情勢正有著劇烈的轉變，天下英雄都已

奮起和百花山莊為敵，沈木風急於要開啟禁宮，也是為了此事，至於在下的姓名，說了潘兄也

未必知曉，不說也罷。」

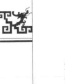

潘龍道：「這麼說來，你也是爲禁宮來了？」

蕭翎道：「不錯。」

潘龍緩緩說道：「你既然認識那周二莊主和宇文寒濤，想來兩人也認識你了。」

蕭翎道：「正是如此。」

潘龍道：「那明日兩位去見那周二莊主和宇文寒濤，豈不要當面拆穿內情嗎？」

蕭翎道：「這要潘兄設法了。」

潘龍沉吟了一陣，道：「兩位如被發覺是混入這山谷中別有所圖，不但兩位要被立刻處死，就是在下亦要身受牽累……」

蕭翎道：「處死！只怕那周兆龍還無此能耐，但在下此刻，還不願暴露身分。」

潘龍道：「唯一之策，就是兩位要設法隱去本來面目，小心應付，不讓他們發覺。」

蕭翎道：「潘兄如能相助，在下日後必有一報。」

潘龍口齒啓動，欲言又止，良久之後，才緩緩接道：「在下昔年在江湖上走動時，爲了隱秘行蹤，有一副人皮面具，進入此谷之後，面具尚未棄去，可惜只有一副，無法分配兩人目，那就成了。」

蕭翎接道：「有得一副，已夠用了，在下這位妹妹，他們從未見過，只要能掩去女兒面……」

潘龍探手從貼身內衣中，取出一副人皮面具交給蕭翎，道：「這面具戴上之後，面色青

323

黃，若有病容，戴上之後，就不可輕易取下，在下已經盡力相助，兩位能否逃過他們的觀察，要看你們的機智，時光不早，在下送兩位回去休息。」拿起燈籠，當先向前行去。

蕭翎突然說道：「潘兄止步，在下忘了一件事。」

潘龍手已觸及石門，聞聲止步，回頭說道：「什麼事？」

蕭翎回顧百里冰一眼，道：「冰兒，解了他的穴道。」

百里冰怔了一怔，但仍依言而行，走近潘龍，解了他身上穴道，問道：「可要再點他一處？」

蕭翎搖頭說道：「不用了……」

目注潘龍一抱拳，道：「潘兄盛情，兄弟領受，彼此以誠相待，用不著再動用手段了。」

潘龍輕輕歎息一聲，道：「閣下果然是君子人物。」

蕭翎微微一笑，道：「江湖之上，道義當先，潘兄既然把在下看作朋友，在下敢不以誠相見。」

潘龍不再多言，打開室門，送回兩人。

一夜匆匆，次日天色一亮，潘龍就趕來石室，並且替那百里冰帶來了易容之物。

百里冰一面動手易容，一面低聲對蕭翎說道：「大哥，咱們當真去聽那人使喚嗎？」

蕭翎點點頭，應道：「不錯。」

潘龍眼看很多工人醒來，這時重重咳了一聲，道：「快些走了，周二莊主已在等候兩位。」

這時，天色已亮，東方天際泛現出一片金色的雲彩。

潘龍低聲說道：「兩位如能從容應付，當不致露出馬腳。」

蕭翎道：「多承指教。」

抬頭看去，只見兩個身著勁裝，年約五旬左右的大漢，和另一個身著青色長袍，缺少一耳的白鬚老者，並肩站在路中等候。

潘龍一抱拳，道：「有勞三位等候。」

兩個身著勁裝的大漢，突然齊聲說道：「趕快走吧！那周二莊主恐已候駕甚久，等得不耐了！」當先轉身行去。

蕭翎心中暗道：這三人衣著整齊，大約是另三大監工了。

潘龍和缺耳老者齊齊舉步而行，緊追在兩個勁裝大漢之後。

蕭翎回顧了百里冰一眼，低聲說道：「冰兒，要多多忍耐，不可輕易出手。」

百里冰點點頭，道：「我瞧著大哥舉動就是。」

岳小釵

325

卧龍生 精品集

蕭翎暗中留神打量著谷中形勢，盡其所能地記憶著各處草叢和岩石，他心中明白，此刻的

十四 蛛絲馬跡

處境，險惡無比，如能多熟記著一處地形山勢，就可能多一分生存的機會。

忽聞得水聲潺潺，又到了小潭旁邊。

抬眼望去，那一線噴泉，仍然是激射而出，清澈的潭水中，蕩起了波波漣漪。

宇文寒濤站在小潭旁邊一塊丈餘高的巨岩上，手中拿著筆、紙，不知畫些什麼。

周兆龍背著雙手，呆呆地望著潭水出神。

蕭翎突然想起，那水底中泛現的飛鷹和盤蛇，莫非被周兆龍發覺了不成？

他誤服千年石菌，目力的敏銳，超越常人甚多，凝目望去，只見那周兆龍凝注潭水中，似

有一片紅色的影子，在碧綠的潭水中微微晃動，因為相距過遠，蕭翎無法清晰地看出，那紅色

影子是何物聚於水中。

潘龍等四大監工，亦是不敢出言驚擾，一排橫立，站立巨岩之後。

足足等了有半個時辰之久，宇文寒濤收了紙、筆，躍下石岩，潘龍等才齊齊抱拳作揖，

道：「見過宇文先生。」

這時，周兆龍也回過頭來，望了潘龍等四人一眼，道：「大莊主一、兩天內就要趕來，爾等可要小心佈置，別讓敵人混入谷中。」

那缺耳老者道：「二莊主但請放心，谷中防守，森嚴無比，別說人了，就是一隻飛鳥，飛入谷中，也難逃我等布下的耳目監視。」

周兆龍神色嚴肅地說道：「此刻的形勢和往昔不同，近日江湖出現了一個人，專門和咱們作對，而且武林中亦有很多高手，任他驅使……」

那缺耳老者接道：「什麼人這麼大膽子，竟敢和咱們百花山莊爲敵？」

周兆龍道：「爾等久居幽谷，不知江湖中事，那人姓蕭名翎，年紀很輕，但武功卻是高得出奇，連大莊主都對他有些忌憚……」

大約周兆龍心知再說下去，難免有傷沈木風的尊嚴，話風一轉，接道：「據本莊的眼線傳報，那蕭翎也進入了武夷山中，爾等要特別小心就是。」

四大監工齊齊抱拳作禮，應道：「屬下遵命。」

潘龍心中一動，轉臉望了蕭翎一眼。

周兆龍舉手一揮，道：「你們不用留在此地，小心防守入谷之路。」

潘龍欠身一禮，道：「二莊主選的兩位聽差之人，已經帶到了。」

周兆龍目光一瞥蕭翎和百里冰，道：「那人有病嗎？」

潘龍道：「大病初癒不久。」

周兆龍點點頭，道：「好！你們去吧！」

四大監工應了一聲，轉身而去。

潘龍剛剛轉身行了兩步，突又聞周兆龍道：「潘龍，你留下來。」

潘龍應了一聲，又轉身行了回來。

周兆龍不再理會幾人，卻轉臉望著宇文寒濤，道：「宇文兄，可曾找出一點眉目嗎？」

宇文寒濤道：「這道幽谷雖然很長，但講雄奇幽深卻在小潭附近，沈大莊主能夠找出重心

所在，足見才智過人，不過……」

周兆龍道：「不過什麼？」

宇文寒濤道：「不過這一線噴泉，有些奇怪。」

周兆龍道：「哪裏奇怪？」

宇文寒濤道：「如論這水勢的強大，這噴泉應該是一個大瀑才是，這山地水脈，似是在此

匯聚，何以只有一線噴出？」

周兆龍道：「宇文兄之意，可是說這一線泉水，是被人工限制嗎？」

宇文寒濤道：「目下只能說有此可能，難作斷論！」

語聲微頓，接道：「在下有一事不解，要請教二莊主，請問那沈大莊主，是否已得到禁宮

之鑰？」

周兆龍微微一沉吟，道：「如若大莊主已得到禁宮之鑰，那也不用在這山谷中摸索數年了。」

宇文寒濤道：「如若沈大莊主，未得到禁宮之鑰，何以能知禁宮在此？」

周兆龍道：「詳細內情，在下亦不清楚，好像是大莊主從一個人的口中聽到一點內情，說那禁宮就在此地，那時大莊主還在練功期間，但卻親自趕來勘查兩次⋯⋯」

宇文寒濤點點頭，道：「這深谷形勢，表面看去，並無什麼奇怪之處，但卻雄奇暗藏，龍脈隱伏，如非行家，卻是不易瞧出，大莊主派遣工人來此，足見已看出此谷形勢了。」

周兆龍四顧了一眼，道：「在下怎的瞧不出來呢？」

宇文寒濤微微一笑，道：「如若區區能指說一、兩點特異之處，二莊主就不難覺其怪異了。」

蕭翎站在一側，凝神傾聽兩人談話，心中暗道：這宇文寒濤自號璇璣書廬主人，看來倒非是不學無術的人，只可惜文人無行，竟然和沈木風等為伍，自甘淪入魔道。

心中念轉，雙目卻瞧著那宇文寒濤舉動。

只見宇文寒濤揚起右手，指著那一線噴泉上面的崖壁，道：「二莊主請仔細看，那泉山崖壁有何奇異之處？」

蕭翎順宇文寒濤的右手望去，只見上面一片光滑的崖壁，色呈暗紅，極是悅目，除此之外，再也瞧不出有何不同之點。

但聞周兆龍說道：「宇文兄，那崖壁除了色澤悅目之外，在下實在看不出有何可疑之處？」

蕭翎心中暗道：好啊！原來他也瞧不出來。

宇文寒濤道：「二莊主稍微留心一些，當可瞧出那一片山壁，和這深谷中其他的石壁都不相同，是嗎？」

周兆龍嗯了一聲，道：「除此之外呢？」

言下之意，顯是對宇文寒濤的解說不大滿意。

蕭翎心中一動，暗道：我怎生這樣無用，這樣簡單的事，竟然是瞧不出來。

只聽宇文寒濤接道：「這事看來簡單，事實上卻是重要得很，在下雖還未登上石壁細看，但大致不會錯，那片崖壁的外層，有著巨大的變化⋯⋯」

周兆龍道：「什麼變化呢？」

宇文寒濤道：「這又是學問了，這谷中石岩，多屬花崗，雖然堅硬如鐵，但如能找出紋脈，卻又極易採取，只可惜辨認紋脈不是易事，非此能手，很難找得出來⋯⋯」

語聲微微一頓，道：「如若在下的料斷不錯，若干年前，那一片斷崖，並非是如此光滑，而是巨岩突立，和其他之處的崖壁一般⋯⋯」

周兆龍自作聰明地接道：「是了，宇文兄之意，可是說那壁上突出巨岩被人工鑿去，是嗎？」

卧龍生　精品集

宇文寒濤沉吟了一陣，道：「如若那崖壁上有兩處突岩斷去，稍有閱歷之人，就不難瞧出，但如把那一片崖壁上的突崖用人工鏟去，反不易被人發覺了……」

語聲微微一頓，伸手指著那簷崖下一片巨石，接道：「如若那壁上突岩是人工鏟落，那被鏟落的一片突岩，就會落在岩下小潭旁邊，不過，在下無法斷言鏟落突岩之人，是有意還是無意，也無法料定那人鏟下突岩的用心何在。」

周兆龍喜道：「照宇文兄這麼說來，那禁宮就在這附近了。」

宇文寒濤道：「這個，在下就不敢斷言了，這深谷之中，如若真有禁宮，在下自信在十天半月之內，就可能找出建築之處。」

周兆龍點點頭，道：「宇文兄說得是。」

顯然，周兆龍已為宇文寒濤胸中所羅博廣學問折服。

宇文寒濤突然回顧了百里冰一眼，舉手一招，道：「你過來！」

百里冰依言行了過去，閉口不言。

蕭翎一提真氣，暗作戒備，生恐百里冰一開口，露出馬腳。

哪知百里冰直行到宇文寒濤身前數尺，竟是不發一言。

宇文寒濤伸手指著那一線噴泉，道：「你到那噴泉旁側，敲一塊石頭下來。」

百里冰神色木然地轉身向崖壁行去。

蕭翎暗暗吁一口氣，道：這冰兒果然聰明，她心中知曉很難學得男子口音，索性就不說

話。

周兆龍突然把目光轉注到蕭翎身上，道：「這兩人以後不用做工了，聽候宇文先生差遣。」

潘龍欠身應道：「屬下遵命。」

那一線噴泉，距地雖有四丈多高，但其間岩石突立，攀登並非難事，以百里冰輕功而言，不需兩個飛躍即可登上，但她卻手足並用，緩緩攀登而上。

蕭翎心中大悅，暗道：看來，冰兒應變的智慧，實不在我之下。

留神看去，只見宇文寒濤雙目神凝，一直瞧著百里冰，不禁心中一動，暗道：宇文寒濤已對冰兒動了懷疑不成？此人果非是不好對付的人物。

百里冰爬到那一線噴泉旁側，就地取了一塊山石，敲下一片突岩，又緩緩爬了下來。

她舉動沉著，始終是不慌不忙，宇文寒濤雖然全神全意地察看，也是瞧不出一點可疑。

百里冰手執一片岩石，回到宇文寒濤身側，恭恭敬敬地遞了過去。

宇文寒濤伸手接過，把在掌心之上，在日光下仔細瞧著。

小小一片岩石，但那宇文寒濤卻如鑑賞明珠、珍畫，翻來覆去地看，足足有頓飯工夫之後，才轉眼望著周兆龍，道：「沈大莊主一定會來嗎？」

周兆龍道：「一定會來，而且就在一、兩天內。」

宇文寒濤道：「在下心中還有幾點可疑，如若能夠求證明白，或可不負周兄和大莊主的厚

望了，兄弟此刻在山谷走動一陣。」

蕭翎心中暗道：聽他口氣，似是已成竹在胸了。

宇文寒濤目光一掠蕭翎和百里冰，道：「你們兩位跟我來吧！」

潘龍突然一橫身，攔住去路，道：「這兩人在谷中都是工人身分，那守護谷口之人，不會

認識他們，再則他們也不知道聯絡的暗號……」

宇文寒濤道：「這麼說來，那是非帶路不可了？」

潘龍道：「不錯，如若二莊主不和先生同行，只有在下替先生帶路了。」

宇文寒濤笑道：「那你就留下吧！」

潘龍目注周兆龍，不敢作主接言。

周兆龍微微一笑，道：「宇文先生是咱們百花山莊的貴賓，此番深入荒谷，亦是爲了咱們

百花山莊的事，你們要好好的侍候。」

潘龍一抱拳，道：「屬下遵命。」

周兆龍微微一笑，道：「宇文兄勘查谷中形勢，兄弟不奉陪了。」

宇文寒濤道：「周兄請便。」

目光轉注到潘龍的臉上，接道：「我們由東面入谷，已經大約的瞧過了來路形勢，你現在

先帶我瞧瞧西面情形。」

潘龍道：「在下帶路。」當先向前行去。

宇文寒濤提起描金箱子，緊隨在潘龍身後而行。

蕭翎以目示意，讓百里冰走在宇文寒濤的身後，自己卻落後一丈隨行。

他一臉病容，別人只道他身體不適，落後而行，自是不會引起他人的疑心。

蕭翎心中最擔心之事，就是怕那潘龍中途變卦，毀去承諾，暗中把內情告訴周兆龍和宇文寒濤，是以，時時刻刻留心著潘龍的舉動。

哪知潘龍在舉動、言詞之間，竟是有意地替自己遮掩。

潘龍帶路而行，走約數十丈，沿山谷折向北去。

轉過一個彎子，谷底形勢，忽然一變。

極目荒草，深及腰際，連綿數十丈，又折向西面轉去。

蕭翎心中一動，暗道：好一處隱身之地，今宵設法招來中州二賈，隱身在此荒草之中，也好多兩個接應的人。

但聞潘龍說道：「宇文先生，這山谷地質很是奇怪，似是每一段都不相同，轉過前面那處宇文寒濤放下手中的描金箱子，道：「好地方啊！看來是不會錯了。」

他有感而發，自言自語，但蕭翎卻聽出他言中之意，心中暗道：看來這人果然是讀書不少，尤其對地質方面胸羅甚博。

小彎，谷底成了一片沙石之地，寸草不生。」

但這座幽谷，確也是怪異得很，似是每一段都有著不同的地質，那巧手神工包一天選擇此地，建築禁宮實非無目的了。

只見宇文寒濤放下手中木箱，盤膝坐了下來，打開箱子，取出了紙、筆，以箱作案畫了起來。

蕭翎很想瞧瞧他畫的什麼，但恐怕行得過近，引起他的疑心，只得遠遠站著望去。

隱約可見，宇文寒濤在那紙上，畫了一個小峰，下面是很多數字。

足足過了一個時辰之久，宇文寒濤才站起身子，道：「這深草之中，有路可以通行嗎？」

潘龍道：「這亂草雖深，但卻不生蟲蛇，毫無危險。」

宇文寒濤道：「好，你走在前面帶路。」

穿過了數丈深草，景物果又一變。

但見黃沙一片，蔓延開去。

這情景，有如大漠景色，只是具體而微。

蕭翎心中暗道：想不到，這座山谷之中，景物如此多變。

但見宇文寒濤取出一個布袋，抓起兩把黃沙，放入袋中，道：「過去這黃沙路，是何景物？」

潘龍道：「走完黃沙，是一片白色卵石。」

宇文寒濤道：「走完那卵石呢？」

335

潘龍道：「又是一番景色，綠草如茵，山花芬芳。」

宇文寒濤道：「再往前走呢？」

潘龍道：「草色漸枯，直達盡處。」

宇文寒濤道：「那盡處又是何等景物？」

潘龍道：「一道絕壁攔路，把山谷截作兩斷，那一面就是武夷山中有名的萬蛇谷了。」

宇文寒濤沉吟了一陣，道：「你去替我取兩塊白卵石來，再替我探一些小花、枯草。」

言罷，放下木箱，盤膝閉目而坐。

他似是十分疲累，片刻間，已然進入禪定之境。

潘龍回顧蕭翎和百里冰一眼，道：「兩位好好的侍候宇文先生。」轉身急奔而去。

等候了半個時辰之久，潘龍才急奔回，手中分執著山花、枯草，和一塊白色山石。

蕭翎見他停下身子之後，仍然喘息不停，顯然是這一段路，並非很近。

潘龍看那宇文寒濤，閉目而坐，也不敢出言驚擾，只好在一旁等候。

又過了半個時辰左右，宇文寒濤才緩緩睜開雙目，望了潘龍一眼，道：「辛苦了。」

伸手接過白石、山花、枯草，放入木箱之中。

只聽宇文寒濤說道：「潘兄，在下有數事請教，不知潘兄是否願意相告？」

潘龍有些受寵若驚，急急欠身，說道：「不敢當，宇文先生下問，在下是知無不言。」

宇文寒濤道：「諸位在這谷中數年之久，一半工人累死，那工程定然很艱苦了。」

他問得十分技巧，意圖難明，不露痕跡。

潘龍道：「我等一切遵照大莊主的指示施工。」

宇文寒濤道：「大莊主如何指示？」

潘龍道：「大莊主的意向，選擇四處山壁，分頭動工，進入山腹，而且不許外人瞧到。」

宇文寒濤道：「各位工程進度如何？」

潘龍道：「動工時，尚稱順利，但山壁越來越是堅硬，有如銅澆鐵鑄一般，鐵錘鋼釺，擊在岩石上，火花亂冒，擊落的不過是拳頭大小一塊……」

宇文寒濤微微一笑，接道：「這幾座山峰，都是堅硬無比的花崗岩石，如是不諳地質，自是不易擊破堅岩。」

潘龍道：「所以，我等工作了數年之久，仍是無大進展。」

宇文寒濤緩緩站起了身子，道：「好，咱們今日就談到此處為止，以後在下想到什麼，再行請教潘兄。」提起木箱，轉身向來路行去。

潘龍緊跟在宇文寒濤身後，蕭翎和百里冰卻故意落後了一丈多遠。

行入草叢中時，蕭翎利用傳音入密之術，低聲對百里冰道：「冰兒，那中州二賈現在何處？」

百里冰道：「在我住的店房之中。」

蕭翎道：「今夜之中，你仍從密道登上峰頂，要他們改著工作裝束，潛入谷中，藏入這片

337

草地之中。」

百里冰道：「那位段文升呢？」

蕭翎道：「處理那人，倒是有點困難，咱們不能殺他滅口，但留在姻緣峰上，只怕要被沈木風的屬下抓去，他如受刑不過招出咱們行蹤，那就壞事了。」

百里冰正待接口，突然一陣尖厲哨聲傳了過來。

宇文寒濤突然停下腳步，道：「這是什麼聲音？」

潘龍道：「傳警哨聲。」

宇文寒濤道：「傳警哨聲，是這谷中來了敵人？」

潘龍道：「不錯。」

但聞那哨聲長鳴三聲之後，突然停了下來。

潘龍低聲說道：「三聲哨聲，是緊急傳警，來人已經進入了山谷之中。」

宇文寒濤略一沉吟，道：「但願來的不是蕭翎。」

突然放開腳步，向外行去。

潘龍回顧了蕭翎等一眼，緊隨宇文寒濤身後向前行去。

百里冰暗施傳音之術，道：「大哥，他們似是都很怕你，希望來人不是你，如若他們知道，蕭翎就隨在他身後而行，必然要嚇得驚魂離體不可。」

蕭翎心中正在憂慮來人如是中州二賈，萬一被人生擒，自己勢必要出手相救，那可是前功

盡棄，壞了大局。

聽得百里冰傳音之言，心中一動，萬一情勢迫人，我們兩人之中，只有一人留在此地，一人出手。

心中念轉，口中卻說道：「冰兒，那宇文寒濤警覺之心甚高，不可大意暴露了身分。」

說話之時，人已穿過了及胸草叢。

宇文寒濤陡然停下腳步，凝神傾聽了一陣，目注潘龍問道：「哨音已住，情勢如何？」

潘龍道：「大約強敵已被制服。」

宇文寒濤道：「這麼看來，這座幽谷，已然稱不上隱秘了！」

潘龍道：「數年來，從未發生過事故，近日卻連連出事……」

宇文寒濤接口問道：「怎麼？已經有人混來谷中了嗎？」

潘龍說道：「前夜二更，兩個名不見經傳的江湖盜匪，混入谷中，但已全被我們擊斃。」

宇文寒濤道：「只要來人不是蕭翎，那就不難對付了。」

潘龍口齒啟動似想問話，但話到口邊，忽然想到了自己身分，輕輕咳了一聲，忍下未言。

宇文寒濤道：「你有話說？」

潘龍道：「只不知當不當問了！」

宇文寒濤道：「不妨事！」

潘龍道：「聽宇文先生的口氣，似是那蕭翎是一位很難纏的人物？」

宇文寒濤微微一笑，道：「何止是難纏，簡直是厲害得很，沈大莊主，是何等英雄人物，但遇上蕭翎，亦不禁有些心頭發毛，百花山莊，在江湖上所建立的威望、分舵，大都被那蕭翎挑去，目下武林中各方豪雄，敢與百花山莊為敵，大都是受了蕭翎的行動鼓勵，斯人也，已成了武林中反抗百花山莊的主帥人物。」

潘龍道：「宇文先生可曾見過那蕭翎本人嗎？」

宇文寒濤道：「自然見過。」

潘龍道：「宇文先生可否說出那蕭翎形貌、模樣，在下日後見過，也好小心一些。」

宇文寒濤道：「說了，你也不信⋯⋯」

語聲微微一頓，接道：「不止是你了，就是區區，如非親見親歷那諸般事蹟，別人說來，在下亦是不信。」

潘龍奇道：「為什麼呢？宇文先生一言九鼎，出自先生之口，在下豈有不信之理？」

宇文寒濤道：「好！咱們不用早回去了，索性在這裏聊聊吧！」

放下木箱坐了上去，接道：「那蕭翎今年尚不足二十歲，但其武功之高，連那大莊主也對他有些頭疼⋯⋯」

頓了一頓，接道：「大概是在一年前，蕭翎剛出現於江湖之上，那小子不但劍術精絕，而且武功博雜，拳掌、輕功、暗器、指風，無不卓絕，最奇的是，他先和百花山莊為友，一度當了百花山莊的三莊主，但很快的，卻又變成百花山莊的對頭，甚至沈大莊主費心搜羅的江湖高

手，也被他打得七零八落，短短半年間，百花山莊的威名大受挫折，也由於那蕭翎的出現，激起了江湖上抗拒百花山莊的風潮。」

潘龍道：「說了半天，先生還未說出那蕭翎模樣？」

宇文寒濤淡淡一笑，道：「年不過弱冠，儒雅俊美，風度翩翩，論形貌，為當今深閨少女夢寐以求的情郎化身，不識他的人，決然想不到，那樣一位俊雅少年，竟然是身懷絕技、名動江湖的人物。」

潘龍聽得心中怦怦亂跳，不自覺地望了蕭翎一眼。

但聞宇文寒濤接道：「潘兄，這些事，你如問那周二莊主，他決然不會給你說了。」

潘龍道：「先生折節下交，潘某人不勝榮寵之至。」

宇文寒濤道：「區區早已把潘兄看成一位朋友了。」

蕭翎心中一動，暗道：此人一向陰險，最善心機，這番大費口舌，籠絡潘龍，必有用意。

潘龍欠身說道：「潘某得宇文先生垂青，何幸如之。」

宇文寒濤道：「言重了，咱們平行平坐，道義論交……」

語聲一停，接道：「兄弟也有一件事，想請教潘兄。」

潘龍道：「在下知無不言，言無不盡。」

宇文寒濤道：「那很好，區區之意，是請教潘兄在這谷中數年之久，有些什麼發現？」

潘龍道：「這倒是有幾樁可疑的奇事。」

宇文寒濤道：「潘兄請說，兄弟洗耳恭聽。」

潘龍道：「大約是一年前吧，在下等在一座小洞之中，發現了一柄形式很古怪的短劍

……」

宇文寒濤接道：「那短劍現在何處？」

潘龍道：「已由沈大莊主取回。」

宇文寒濤無可奈何地說道：「好吧……你說那短劍的形式吧！」

潘龍閉目沉思，似在搜尋記憶中那短劍的形式，良久之後才睜開眼睛，說道：「一年多

了，在下已然記憶不清，約略而言，那短劍大約有一尺二寸左右，三指寬窄，劍鞘色呈深紫，

不知是何物鑄成，堅硬無比。」

宇文寒濤低聲誦吟，道：「紫色劍鞘，天下名劍中……」

抬頭望了潘龍一眼，自轉話題，接道：「那鞘中之劍，是何形式？」

潘龍道：「在下只瞧到那帶鞘的短劍，而未見過鞘內劍式，因為那劍身和劍鞘連結得堅牢

無比，在下無法打開。」

宇文寒濤道：「那劍柄之處，可有機簧？」

潘龍道：「在下找得很仔細，整個的短劍，都已找過，但卻未找到那開啓劍鞘的機簧，生

似那劍鞘和劍身連鑄在一起般。」

蕭翎心中暗自奇怪，道：一柄短劍，有何出奇之處，這宇文寒濤何以會苦苦追問呢？

但聞宇文寒濤說道：「潘兄可曾在那劍鞘之上發現什麼，諸如字跡與花紋。」

潘龍道：「如非這一問，在下真還忘了，那劍鞘之上，刻著一個似龍非龍的圖畫，在下孤陋寡聞，也不知那花紋代表什麼。」

宇文寒濤眉目間閃掠過一抹驚異之色，道：「在那似龍非龍的圖畫之中，可刻有一人像嗎？」

潘龍沉吟了一陣，道：「似是個人首形狀……」

宇文寒濤接道：「沈大莊主看到那短劍之後，說些什麼？」

潘龍道：「把玩一陣之後，就收入懷中。」

宇文寒濤不再多問，流目四顧了一眼，道：「久久不聞傳警哨聲，想是那入谷之人，已經為我們所傷了。」

潘龍搖搖頭，道：「沒有。」

宇文寒濤已然站起身子，舉步欲行，聞言突又停了下來，道：「潘兄怎知來人尚未授首呢？」

潘龍道：「咱們這谷中訂有信號，如是那人早已授首，或是被擒，另有信號傳出，免得谷中之人，仍在到處找覓。」

宇文寒濤道：「目前的情況呢？」

潘龍道：「敵蹤雖已發現，卻又為他兔脫，仍未搜尋出來。」

宇文寒濤道：「這道山谷，雖然遙長，但就在下入谷所見，形勢並非複雜，何以竟搜尋不出敵蹤來呢？」

潘龍道：「不論來人武功如何高強，但也無法逃過我們精密的搜查，大約再過片刻，定會有消息傳來。」

宇文寒濤突然回望了蕭翎和百里冰一眼，道：「如若來人混入那些工人群中，豈不是很難搜查出來嗎？」

蕭翎吃了一驚，暗道：這人果然厲害，此後要對他留心一些才是。

潘龍似是心中甚為不安，輕輕咳了一聲，道：「咱們到前面看看如何？必要時，也好幫他們搜查入谷之人的行蹤。」

宇文寒濤心中本無意進入谷中相助搜尋強敵，但潘龍這麼直截了當地說，自是不好再行推託，只好提起箱子，道：「潘兄說得不錯。」大步向前行去。

潘龍搶前一步，道：「在下給先生帶路。」

蕭翎快行兩步，追隨在百里冰身後，施展傳音之術，道：「冰兒，不知何人進入了谷中，如是被咱們碰上，你要沉得住氣才行。」

百里冰回眸一笑，點點頭，快步向前行去。

幾人行不過六、七丈遠，突然鏘鏘三聲金鐵相擊之聲傳來。

宇文寒濤一皺眉頭，道：「這是什麼信號？」

潘龍道：「緊急應變之訊，來人十分棘手，已然傷了谷中之人，已有三人受傷或是死亡。」

但聞金鐵相擊之聲，聲聲相接，傳了開去。

宇文寒濤道：「那金鐵相擊之聲，就由左近傳出，那是說傷者或屍體，就在左近發現了。」

潘龍道：「不錯，就在二十丈內。」

說著話，人已放腿向前奔去。

轉過一個山彎，果見三個黑衣勁裝大漢，手中執著兵刃，環繞著三具屍體而立。

潘龍、宇文寒濤，加快腳步，奔了過去。

蕭翎不敢過於逼近，遙站在七、八尺遠，凝目望去，想瞧出三人死傷在什麼兵刃之下。

哪知宇文寒濤所站的位置，正好擋住了蕭翎的視線，竟無法瞧到。

但聞宇文寒濤問道：「發現了敵蹤嗎？」

三個黑衣大漢中，有一個欠身應道：「敵人入谷時，被我們埋伏的暗樁發現，傳出警訊，我等立刻追趕，但敵蹤已失，大約已被這三位兄弟發現，來人才施下毒手傷了三人。」

宇文寒濤蹲下身子，仔細地瞧過三具屍體一眼，道：「兩個傷在暗器之下，一個傷在內家重手法之下……」

目光轉到那答話的黑衣大漢臉上，道：「你瞧到了來人沒有？」

那大漢神情尷尬地說道：「在下聞警追趕，但卻晚了一步，只瞧到兩點人影，未能瞧出面貌。」

宇文寒濤道：「那周二莊主呢？」

那黑衣大漢應道：「帶著三大監工追查敵蹤去了。」

宇文寒濤不再多問，舉步向前行去。

潘龍低聲說道：「三位請把三具屍體埋了。」

不再理會三人，舉步追上宇文寒濤，緊隨身後而行。

蕭翎、百里冰，他兩人始終保持著六尺以上的距離隨行。

只見宇文寒濤突然加快腳步，直向來路奔去。

十五　秘谷傳警

不大工夫，已到那一線噴泉潭的側旁。

蕭翎一路上流目四顧，竟然未再見到一個人影。

小潭旁側，出奇的寂靜，毫無搜尋敵人混亂情景。

只聽宇文寒濤說道：「潘兄，那混入谷中的強敵還在嗎？」

潘龍道：「在下一直未聽到強敵離谷的信號。」

宇文寒濤目光轉動，四顧一眼，道：「如若那敵人還在谷中，自是躲起來了，咱們由西方而來，一路未見敵蹤，卻見自己人的死亡屍體，看來，這谷中的佈置，十分馬虎，根本談不上嚴密二字。」

兩人談話之間，瞥見周兆龍急步奔了過來。

宇文寒濤緩緩站起身子，道：「二莊主，找到混入谷中的人了嗎？」

周兆龍搖搖頭，道：「仍在搜尋之中⋯⋯」

語聲微微一頓，道：「看來，山中隱秘，已然外洩，唉！但望大莊主能夠早些趕到。」

蕭翎心中暗道：沈木風才智武功，無不過人，反使屬下一個個都顯得怯弱無能。

但聞周兆龍接道：「宇文兄，可曾找出一些頭緒嗎？」

宇文寒濤道：「在下已然算出了點眉目，這山谷中的形勢、地質，十分奇怪，堅岩、黃沙、肥土、水脈，無一不備，綜觀這數十里山谷地質，如同行千萬里路，絕無僅有的奇蹟，在這片山谷短短數十里中，卻有著千萬里般的地質變化。」

周兆龍目光轉動，一觸水潭，失聲而叫道：「那是什麼？」

宇文寒濤凝目望去，只見那小潭中，碧綠的水波內，有一點晃動的紅影，載沉載浮。

蕭翎遠站在七、八尺外，無法瞧見水潭中的情形，聽到周兆龍呼叫之聲，心中大爲焦急，但卻不便行上前去瞧，只有從他們談話中，聽出一點眉目了。

但聞宇文寒濤道：「似條久年的鯉魚。」

周兆龍目光轉注到潘龍的身上，道：「平常之日，可見過潭中的紅影嗎？」

潘龍道：「屬下從未見過。」

周兆龍點點頭，道：「宇文兄……」

只見宇文寒濤雙目凝神，注視著潭中紅影，竟未聽到自己之言。

突然間，碧波中翻起一個水花，那晃動的紅影，隨著消失不見。

宇文寒濤忽的伏下身子，左耳著地，閉上雙目，很用心地聽著。

足足過了一盞熱茶工夫之久，才站起身子，雙手拍了一拍，道：「這小潭有些奇怪，這

348

潭前地下，似是有一股地下水脈，那是應該和這潭中之水關連一起，但聽起來，卻是漠不相關

……」

只聽一陣沉重的步履之聲，傳了過來。

回頭望去，只見那缺了一耳的老者，步履緩慢地行了過來。

任何人一眼間，都可瞧出情形不對，那老者似是受了很重的內傷。

周兆龍一揮手，道：「潘龍快去扶他過來。」

潘龍應聲奔了過去，抱起那白鬚老人，奔回到周兆龍的身側。

宇文寒濤沉聲說道：「不要說話。」

右手揮動，連點了那老者身上兩處穴道，才伸手打開了描金箱子，取出兩粒藥物，讓那老者服下，道：「待藥行開，穩住傷勢之後，再說話不遲。」

那白鬚老者瞪了宇文寒濤一眼，閉上雙目。

蕭翎暗道：不知是否是中州二賈，這一來，恐怕要壞了事了。

但聞周兆龍低聲說道：「宇文兄，他能夠撐得過來嗎？」

言下之意，大有不顧惜其人的生死，先問明內情要緊。

宇文寒濤神情蕭然地說道：「他強運內力，支持著行到此處，已經是將要力盡氣竭，如不早把他傷勢穩住，他很難支持著說明經過。」

蕭翎暗中觀察，發覺那周兆龍神色十分惶急，但卻盡力矜持，保持著鎮靜。

約等一頓飯工夫之久，宇文寒濤才伸手拍活了那老者身上兩處穴道，道：「二莊主可以問

話了。」

周兆龍早已等得不耐，急急接道：「你遇了敵人嗎？」

那白髯老人應道：「來人是一男一女……」

周兆龍怔了一怔，道：「一男一女，那八成是蕭翎了。」

宇文寒濤對蕭翎亦是有著很深的畏懼，臉色一變，道：「那男子是何模樣？」

白髯老人道：「二十左右，身著藍色勁裝，身插寶劍，武功奇高……」他一連說了幾句，

累得喘息不停。

宇文寒濤待他喘過氣，才接著問道：「那女的呢？」

白髯老者道：「綠衫、綠褲、綠巾包頭，生得十分美豔，也是用一柄長劍。」

宇文寒濤望了周兆龍一眼，欲言又止。

周兆龍輕輕咳了一聲，鬆弛一下緊張的神情，道：「你們在何處和他相遇？」

白髯老者道：「距此不過數十丈。」

宇文寒濤和周兆龍都不覺地流目四顧了一眼，周兆龍才重重咳了一聲，道：「怎不聞你們

動手和求救呼叫之聲？」

白髯老者道：「可以算沒有動手……」

周兆龍接道：「沒有動手，你怎會受了如此重傷？」

白髯老者道：「兩人出手太快了，那女的長劍一閃，王、顏二位監工，已然雙雙死在劍下，在下抽出兵刃，還未及出手，卻被那男的拍中一掌。」

周兆龍道：「他為什麼不殺你？」

白髯老者道：「屬下中掌之後，倒臥地上，大約他已認為我死了，就未再管我。」

周兆龍道：「你瞧到他們行向何處？」

白髯老者道：「似向西方行去，屬下重傷後，雙目昏花，已瞧不清楚。」

周兆龍長吁一口氣，道：「這麼看將起來，果然是蕭翎了！」

宇文寒濤道：「他怎會知曉此地呢？」

周兆龍打了一個寒噤說道：「也許是追蹤咱們而來。」

宇文寒濤道：「女的呢？能在拔劍一擊之下，殺死兩大監工，絕不是隨那蕭翎私奔的金蘭、玉蘭兩個丫頭了。」

不可有絲毫大意。」

蕭翎看她神態不對，生恐露出了馬腳，急施傳音之術，道：「冰兒，咱們身處敵群之中，

百里冰聽他說蕭翎和兩個丫頭私奔，不禁白了蕭翎一眼。

但聞周兆龍道：「不錯，不是那個丫頭會是誰呢，四大監工，都非弱手，她能在拔劍一擊之下，傷了兩大監工，那是第一流高手了。」

宇文寒濤道：「嗯！這麼看來，來人又不像蕭翎了。」

周兆龍道：「但望宇文兄料斷不錯……」

目光轉注到潘龍臉上，道：「這谷中還有好手嗎？」

潘龍道：「如論武功，谷中以四大監工最好，屬下等四人中，又屬這位鄧兄最好了。」

那白髯老人道：「潘兄過獎了，咱們四人中，不但是潘兄武功最好，而且潘兄的毒針暗器，也是人所難及。」

周兆龍道：「潘龍，可否速速再招集來幾位高手，咱們向西面搜查……」

潘龍道：「谷中的高手，除了四大監工之外，只有那些二分守在各地的衛隊了，他們各有專司，如若下令調動，有強敵入侵谷內，可能要逃過監視。」

周兆龍道：「這麼說來，不能輕易調動人手了？」

潘龍道：「此地伏卡、暗樁，都是由大莊主親自安排的，二莊主如要調動，屬下立刻傳下二莊主的令諭。」

周兆龍道：「如此說來，不用調動了……」

目光轉注到潘龍的臉上，道：「你在這谷中，時日甚久，對谷中佈置，十分了然，以你之見，咱們是否該追去搜尋？」

他雖然覺著來人不是蕭翎，但心中仍是有些害怕，擔心那人萬一是蕭翎時，絕不會放過自己，是以急於自找臺階，也好和宇文寒濤守在一起，蕭翎找上來時，也多個幫手。

要知那宇文寒濤乃客卿身分，周兆龍自是不便下令他，同去追尋蕭翎。

潘龍乃久在江湖上走動之人，稍一思索，已知曉周兆龍的用心，當下說道：「屬下之意，不可擾亂全域，暫時不用搜尋兩人。」

宇文寒濤輕輕咳了一聲，道：「區區亦有同感，搜尋兩人，勢必要調動暗樁和伏卡中高手，那是自亂章法了，這谷中既無珍貴之物，也不怕他們偷走什麼⋯⋯」

略一沉吟，道：「兄弟已然繪製了山中幾處重要所在的形勢，採集了部分沙石，尚得仔細研究一下，才能向沈大莊主覆命，二莊主既不調集谷中高手，立時追索混入谷中之人，兄弟也好借這些時刻，仔細查看一下搜得之物。」

周兆龍道：「那很好⋯⋯」

目光轉到潘龍臉上，道：「替宇文先生選一處門戶堅牢的石室。」

潘龍道：「二莊主住宿之室，最爲堅牢，室中還有大莊主設計的幾處機關。」

周兆龍點點頭，目光轉到那姓鄧的老人身上，接道：「你的傷勢得宇文先生靈丹妙手療治，已然大見好轉，你去休息吧！」那老者應了一聲，轉身自去。

周兆龍目光又轉到潘龍的臉上，說道：「你就現有工人群中，選出一些武功較高之人，守住谷中要地。」

潘龍欠身應道：「屬下遵命。」

周兆龍道：「宇文兄，咱們去吧！」

兩人並肩而行，進入周兆龍住宿的石洞之中。

蕭翎流目四顧，日光下，只見整個的山谷，寂靜之中，除了自己和百里冰、潘龍之外，再也不見人影。

潘龍目注周兆龍、宇文寒濤的背影消失之後，才緩緩說道：「兩位跟我來吧，暫請到在下的住宿之地坐息，那就可減少甚多露出破綻的機會了。」

百里冰道：「你帶路吧！我們隨後跟著。」

蕭翎回顧了那石門一眼，只見石門關閉甚嚴，不見一點日光透入，外邊縱然站的有人，也是不易聽到。

潘龍與兩人，行入了一座石洞之中，回手關上了石門，低聲說道：「兩位之中，可有一位是蕭翎大俠嗎？」

心念一轉，緩緩說道：「閣下自己想吧！你想在下是蕭翎也好，不是蕭翎也好，但閣下只要不出賣我等，在下等絕不會傷到閣下。」

這座石洞，不過三丈多深，說了兩句，已到盡處。

只見這座石洞中放著一張竹榻，壁間掛著兩柄長劍，和兩把單刀。

潘龍伸手由壁上取過一把長劍，道：「兩位請在此室小息一會兒，在下要去安排一下，至多一個時辰，就可以回來了。」說完舉步而去。

百里冰低聲問道：「可要防他一著嗎？」

蕭翎搖搖頭，道：「不用了。」

只見潘龍打開石門，出了石洞。

百里冰低聲問道：「這谷中形勢、地質，和別的山谷，確是大不相同，那周兆龍說禁宮在此，不知是真是假？」

蕭翎點點頭，道：「大概不會錯了。」

百里冰道：「大哥怎生知道？」

蕭翎道：「我有尋找禁宮的圖案，只要再行求證，就可確定禁宮是否在此，不過，還得設法找到入宮之門，才能進入禁宮。」

百里冰道：「那禁宮有什麼寶貝，為什麼武林中人，都想進入禁宮瞧瞧呢？」

蕭翎道：「詳細的情形我也不很了然，大約的傳說是，數十年前，中原武林道上，人才濟濟。有十個武功最為高強的人，彼此比武，爭那武功第一之譽，但交鋒數千手後，仍然無法分出勝負，各人所學武功雖然不同，但都到了登峰造極之頂，剛則蘊柔，柔亦蘊剛，而且每人都已面臨體能極限，也無法超越這一境界，因此都別走蹊徑，希望能有一技之長，勝過群豪……」

頓了一頓，接道：「其中有一人，名叫巧手神工包一天，擅長建築之學，不知他花費了多少時間，建築了一座禁宮，天下十大才子，相約在禁宮比武，但入宮之後，全數被困禁宮之中，無一人再在武林中出現過。」

百里冰聽得大爲神往，幽幽說道：「他們困入禁宮中很多年了，不知是否還活在世上？」

蕭翎道：「這就是要探測的隱秘，如論那十大高人的內功成就，活到現在，並非難事，但禁宮深在山腹，能否適人生存，實難預料。」

百里冰接道：「就算找到了那禁宮之門，我們又怎能進去呢？」

蕭翎道：「那巧手神工包一天，在把十大才子引入禁宮之前，似是早有預感，此入禁宮，難再生還，故而留下了一枚禁宮之鑰，只要咱們能夠找到那禁宮之門，了解那禁宮之鑰的用法，那就不難進入禁宮了。」

百里冰道：「那禁宮之鑰現在何處？」

蕭翎正待答話，突聞石門呀然，那關閉的石門大開。

潘龍神色緊張地急急奔了進來。

蕭翎轉眼望去，只見潘龍右臂上鮮血淋漓，濕了半個衣油，右手中的寶劍，早已不見，奔入石門，伸手又從壁上取下一把刀。

這不過是一瞬間的工夫，潘龍剛剛取下壁上單刀，一條人影已挾著衣袂飄風之聲而至。

蕭翎轉目望去，只見室門口，站著一個手執長劍的藍衫少年。

來人面目英俊、瀟灑，正是那假冒自己姓名的藍玉棠。

藍玉棠目光一掠蕭翎和百里冰，轉注到潘龍的臉上，冷冷說道：「你沒有機會拔出鞘中單刀，我如要殺你，就算你手中有刀，也難接我一劍。」

潘龍手握刀柄，冷冷說道：「你是蕭翎？」

藍玉棠冷漠地說道：「你不用管我是誰，想活命，就要據實回答我的問話！」

潘龍口齒啓動，欲言又止。

但聞藍玉棠冷冷地說道：「此地可是『禁宮』所在嗎？」

潘龍點點頭，沒有答話。

藍玉棠道：「你們找到了『禁宮』沒有？」

潘龍搖搖頭，道：「沒有。但閣下究是何人？」

藍玉棠仰天打個哈哈，道：「你認爲我是蕭翎，那就叫我蕭翎也是一樣。」

百里冰暗暗罵道：這人好不要臉，當著我和大哥之面，竟然還要假冒大哥之名。

這本是她心中之言，但到最後幾個字時，卻不小心發出聲來。

藍玉棠耳目是何等靈敏，百里冰說話的聲音雖小，但藍玉棠已經聽得聲息，冷冷地回頭瞧了百里冰一眼，道：「你說什麼？」

百里冰心中大怒，暗道：好啊！你耀武揚威的欺侮到我的頭上來了。

當下說道：「說你這人不要臉，爲什麼要冒用蕭翎之名？」

藍玉棠臉色一變，冷冷說道：「你認識蕭翎嗎？」

百里冰道：「認不認識，與你何關？」

藍玉棠道：「自然與我有關了。」

突然一揮長劍，寒光一閃，人已欺入室中，劍尖寒芒，分刺向百里冰前胸兩處穴道。

他出手劍勢奇快，尤如驚雷閃電一般。

百里冰就地一個翻身，借勢一躍，避開了兩劍。

藍玉棠一見那百里冰閃避劍勢的身法，已知遇上了勁敵，手腕一挫，收回劍勢，冷冷說道：「閣下武功不弱，決非工人身分，請教真實姓名？」

百里冰被他一劍逼的連退了兩、三步遠，心中有氣，當下說道：「你不用管我是誰，但我知道你是冒牌蕭翎。」

藍玉棠聽他聲音清脆，分明是女子口音，不禁一皺眉頭，道：「在下確非蕭翎，但不知姑娘是何來歷，女扮男裝，混入這工人群中？」

百里冰伸手入懷，摸出了一把匕首，冷冷說道：「你不用管我是男是女，咱們還是從武功上分勝負吧！」

蕭翎心知那藍玉棠的武功，非同小可，百里冰真要和他動起手來，未必是那藍玉棠的敵手，自己如若下手干預，恐將暴露身分，驚動了周兆龍等，更是大為不安……

當下急施展傳音之術，說道：「冰兒，不要和他動手，最好能想個法子，和他訂個暫時互不相犯之約，此時此刻，咱們不能暴露身分。」

百里冰已準備出手還擊，聽得蕭翎之言，只好忍耐下去，眨動了兩下眼睛，道：「你想知道我是誰嗎？」

藍玉棠道：「不錯，在下想來，你可能是那岳姑娘屬下？」

百里冰心中暗道：岳姑娘是誰啊！但他既然提起那岳姑娘，自然對那岳姑娘十分敬畏了，只好暫時冒充一下了。

心念一轉，當下說道：「你猜的不錯啊……」

藍玉棠突然抱拳一揖，道：「在下開罪姑娘，還望姑娘原諒。」

百里冰忖道：好厲害的岳姑娘啊！連她的屬下，都這般受了尊重。

欠身還了一禮，道：「不用客氣了。」

藍玉棠道：「姑娘追隨那岳姑娘很久了嗎？」

百里冰暗道：我見也沒見過那岳姑娘！

口中卻應道：「我跟那岳姑娘一年有餘了。」

藍玉棠聞言，輕輕咳了一聲，當下問道：「姑娘經常追隨那岳姑娘身側，可曾聽那岳姑娘提過在下嗎？」

百里冰道：「你叫什麼名字？」

藍玉棠道：「在下藍玉棠。」

百里冰道：「藍玉棠？好像聽那岳姑娘談過。」

藍玉棠道：「唉！那岳姑娘對在下的評斷如何？」

百里冰心中正在為難之間，突然耳邊響起了蕭翎低低的聲音，說道：「冰兒，告訴他，就

說對他的評斷還算不壞。」

百里冰略一沉吟，道：「我想起來了，我家姑娘對你的評斷不算很壞。」

藍玉棠正待接言，突聞一陣長嘯之聲，傳了過來。

急急說道：「在下有位同伴隨來，最好別讓她知曉了你的身分……」

目光一掠潘龍，道：「這人是百花山莊中人，可是要把他殺了？」

百里冰搖搖頭，道：「不用了，此時，他已和我們合作，掩護我的身分。」

藍玉棠道：「那岳姑娘一共派來幾個人？」

百里冰一望蕭翎，道：「只有我們兩個。」

藍玉棠道：「好！在下問清楚了，也好免去甚多誤會……」

語聲微微一頓，接道：「在下去攔住那位同伴，不讓她衝入此地，姑娘多多保重了，如有

需在下效勞之處，但請吩咐一聲。」

他不待百里冰和蕭翎的答話，轉身一躍，飛奔出石洞而去。

眼看那藍玉棠奔出石門後，蕭翎轉眼望著潘龍，道：「有勞潘兄先把石門關起，在下有幾

句話，想和潘兄坦然一談了！」

潘龍略一沉吟，行到那石洞處，關上石門，又加上鐵栓，才大步行了回來，望著蕭翎道：

「閣下究竟是何人？」

蕭翎微微一笑，道：「在下姓名，暫時還不能相告，不過，總有一日會奉告潘兄，此刻，

蕭翎道：「在下先想問潘兄幾件事。」

蕭翎道：「那沈木風待你如何？」

潘龍道：「很難說，但百花山莊中人，提起大莊主來，都無不敬畏。」

蕭翎道：「如若此刻，要你背叛於他，你是否有此豪氣？」

潘龍略一沉吟，道：「在下救助兩位，已然是違犯了百花山莊的規戒，罪將亂劍分屍。」

蕭翎道：「這麼說來，閣下已經算背叛了百花山莊。」

潘龍道：「正是如此，兩位身分如被發覺，在下隨時將被處死。」

蕭翎道：「既是如此，潘兄何不棄暗投明，索性背棄百花山莊呢？」

潘龍道：「在下想不出何處有明可投。」

蕭翎微微一笑，道：「只要潘兄有此心，那就行了……」

只聽砰砰兩聲大震，傳了過來，緊接著傳入周兆龍的聲音，道：「有人在嗎？」

潘龍一面點頭，答應蕭翎，一面放腿奔了過去，打開石門。

只見周兆龍和宇文寒濤，連袂行了進來。

周兆龍隨手關上石門，加了鐵栓，道：「你見過來人了？」

潘龍道：「見過了，屬下和他動手，被他長劍所傷。」

宇文寒濤目光一掠潘龍的傷勢，道：「傷得很重嗎？」

潘龍道：「有勞宇文先生下問，在下還可支持。」

周兆龍道：「那人是何模樣？」

潘龍道：「那人年紀甚輕，面目英俊，但手中劍勢卻是凌厲無匹，屬下和他動手，不過兩回合，已傷在了他的劍下。」

周兆龍對潘龍的答覆，似甚滿意，神情嚴肅地說道：「那人曾冒蕭翎之名，在江湖上闖蕩，在不足一年的時光中，揚名武林，以後不知何故，突然失蹤，很少再在江湖之上出現，直待那真的蕭翎出現，江湖很少再見到他。」

說話之間，已然行入石室。

這時，蕭翎和百里冰，早已退在一處壁角，席地而坐。

但聞潘龍說道：「屬下無能，汙了百花山莊的聲譽，恭候二莊主賜罰。」

周兆龍道：「不能怪你，此人武功過高，就是我和宇文先生一齊出手，也未必是此人之敵。」

潘龍道：「多謝二莊主。」伸手拉過兩張木椅。

周兆龍和宇文寒濤，也不客氣，大剌剌地對面坐下，似是有事相商。

但聞周兆龍道：「宇文兄已經算出來了嗎？」

宇文寒濤道：「兄弟已經算出一個大概，不過，困難的是那一股地下水脈，如是一個不好，觸動水脈，洪流湧出，必若排山倒海一般，谷中之人，只怕很難逃出那洪流沒頂之厄。」

周兆龍道：「難道沒有克制的辦法嗎？」

卧龍生　精品集

宇文寒濤沉吟了一陣，道：「也許那巧手神工包一天，把禁宮修建於此，就是為了那道水脈，不解地質奇門之人，很難找到重要所在，了然地質的人，看到那一道水脈之後，不敢別生妄念，生怕觸動了水脈之人，遭洪流沒頂之厄，遂不敢隨便動手，啓探禁宮之秘。」

目光轉到潘龍臉上，道：「谷中工人之中，可有武功高強之人嗎？」

潘龍應道：「初入此谷之時，工人之中，的確有幾位身手不凡的人物，如今連做了數年苦工，縱然是真有武功，那也被折磨得不成樣子了。」

但聞宇文寒濤說道：「據兄弟研判所得，啓開那禁宮之門，並不要很多人力，這其間，必有著重要的機關，如是憑仗人多力大，一味蠻幹，勢必破壞水脈不可，如若那水脈遭受破壞，整個的山谷，都將為洪流淹沒，那時，將永無啓開禁宮之望了。」

周兆龍道：「照宇文兄之言，那是說，必得尋得那禁宮之鑰，才有開啓禁宮之望嗎？」

宇文寒濤道：「如若能尋得禁宮之鑰，那是最好不過，無法弄得禁宮之鑰，亦必得有巧工探測，兄弟之意，是說這開啓禁宮之事，是一件十分細巧的工作，憑仗蠻力，絕難有成。」

周兆龍點點頭，道：「好在大莊主即可趕到，宇文兄如若有把握開啓禁宮之門，大莊主必將會全力防守此谷。」

宇文寒濤道：「把握倒談不上，不過，未得到『禁宮之鑰』以前，兄弟只有一個辦法，可以進入禁宮了。」

只聽砰砰三聲大震，傳了進來。

宇文寒濤道：「什麼人？」

潘龍起身說道：「自己人。」大步行去，開啓石門。

只見一個身著黑衣，背插單刀的黑衣大漢，行了進來，正是谷中的守衛之人。

那黑衣大漢快步行到周兆龍的身側，欠身一禮，道：「見過二莊主。」

周兆龍哼了一聲，道：「強敵怎麼樣了？」

黑衣大漢道：「一男一女，武功高強，縱橫全谷，無人能夠抵拒，谷中守衛之人，已被他們殺傷了十之七、八。」

周兆龍道：「現在呢？」

黑衣大漢道：「兩人突然停止了殺伐，自行退出了谷去。」

周兆龍道：「走了嗎？」

黑衣人道：「此刻已然出谷去了。」

周兆龍道：「那好！你去吧！小心防守，防他們捲土重來。」

那黑衣大漢應了一聲，出室而去。

宇文寒濤目注那大漢背影出室之後，才回顧了周兆龍一眼，道：「二莊主，那假冒蕭翎之人，可是叫藍玉棠？」

周兆龍道：「不錯。」

宇文寒濤道：「那人的武功如何？」

周兆龍道：「拔劍奇快，武功高強。」

宇文寒濤道：「這麼說來，那藍玉棠也是一位極難應付的人物了。」

周兆龍道：「宇文兄不是外人，在下也不必隱瞞了，就今日情勢而言，咱們絕無抗拒來人之能，一個藍玉棠，咱們就未必能夠對付得了，何況他還帶有一位幫手到此，奇怪的是，他們何以會突然由此撤走，這倒使在下有些思解不透了。」

宇文寒濤道：「這等重要之地，沈大莊主何以不派高手來守衛此地？」

周兆龍道：「這數年來，一直未有任何新奇進展，大莊主對此已然有些灰心，故而未再派遣高手來此！」

語聲微微一頓，接道：「此番請宇文兄來此，大莊主用心，也不過想一盡人事，如是宇文兄此番未能查出內情，大莊主亦不再費心血，準備棄置此谷，不再存發覺禁宮之想，卻不料宇文兄此番來到後，竟然是大有收穫，大莊主到此之後，自會審度情勢，再遣高手來守衛此谷。」

宇文寒濤道：「原來如此。」

周兆龍似是突然想到了件重大之事，回顧了潘龍一眼，道：「此地有幾條入谷之路？」

潘龍道：「就在下所知，只有一條。」

周兆龍道：「如若堵死了那一條路，就無人能再衝入谷中來了？」

潘龍道：「是的，兩面削壁千尋，光滑異常，當世第一流的輕功高手，也是不敢涉險而

下。」

周兆龍點頭，道：「好！你傳令下去，要那些沒有死的衛士，全部集中在谷口之處，拒擋強敵入谷。」

潘龍應了一聲，轉身向外行去。

周兆龍目注潘龍出了石門，才回顧宇文寒濤一眼，道：「宇文兄，如若事情順利，幾時可以進入『禁宮』？」

宇文寒濤道：「這很難說，也許要三個月，也許碰巧了，只要片刻時光。」

蕭翎坐在石屋的一角，心中暗忖思：此刻我和冰兒突然出手施襲，那是不難一舉把兩人擊斃，或是點中他們穴道，予以生擒，迫那宇文寒濤助我打開『禁宮』，但怕的是那沈木風及時率領高手趕到……

心念及此，暗暗後悔。

此番如若有孫不邪和無爲道長等偕行來此，以幾人的武功，守衛入谷要隘，足可抵抗沈木風等，憑仗禁宮之鑰，或可很快地打開禁宮之門，但此刻卻是不便冒險了。

一時間，心中念頭回轉，既覺良機不再，卻又感不能冒險，只好一個人悶在心中。

只聽周兆龍歎息一聲，道：「如是大莊主能夠早日請宇文兄來，也許此刻，早已揭穿『禁宮』之秘了！」

宇文寒濤微微一笑，道：「就在下觀察山狀形勢所得，這道山谷，確已經過人工改變，不

過，那是鬼斧神工的巧妙手段，不諳地質之人，也很難看得出來。」

周兆龍道：「強敵隨時可能重返谷中，大莊主未到之前，宇文兄也無法實地試驗，何不借

此時光坐息一會兒……」

宇文寒濤接道：「二莊主請便，在下還要仔細研究一下谷中地質。」

說完，打開描金箱子，取出些石塊、青草、黃土、細沙、花崗岩，排列面前，一面用手敲

打，一面用筆記載，全神貫注，極是用心。

突見宇文寒濤抬起頭來，舉手一招百里冰，道：「你過來。」

百里冰心中一震，暗中運功戒備，直對宇文寒濤行去。

宇文寒濤舉起手中一塊花崗岩，說道：「到那小潭附近，再去取一塊花崗岩來。」

說完重又低下頭去，揮筆在紙上寫著。

請續看 《岳小釵》之二

367

臥龍生武俠經典珍藏版 25

岳小釵（一）

作者：臥龍生
發行人：陳曉林
出版所：風雲時代出版股份有限公司
地址：10576台北市民生東路五段178號7樓之3
電話：(02) 2756-0949　　傳真：(02) 2765-3799
執行主編：劉宇青
美術設計：許惠芳
行銷企劃：林安莉
業務總監：張瑋鳳
出版日期：臥龍生60週年珍藏版 2023年2月
版權授權：春秋出版社呂秦書
ISBN ：978-986-5589-90-5
風雲書網：http://www.eastbooks.com.tw
官方部落格：http://eastbooks.pixnet.net/blog
Facebook：http://www.facebook.com/h7560949
E-mail：h7560949@ms15.hinet.net
劃撥帳號：12043291
戶名：風雲時代出版股份有限公司

風雲發行所：33373桃園市龜山區公西村2鄰復興街304巷96號
電話：(03) 318-1378　　傳真：(03) 318-1378
法律顧問：永然法律事務所 李永然律師
　　　　　北辰著作權事務所 蕭雄淋律師

行政院新聞局局版台業字第3595號 營利事業統一編號22759935

定價：320元　　**版權所有　翻印必究**

國家圖書館出版品預行編目資料

岳小釵／臥龍生 著. -- 臺北市：風雲時代出版股份有限公司，2021.06- 冊；公分（臥龍生武俠經典珍藏版）
　　ISBN：978-986-5589-90-5（第1冊：平裝）
　　ISBN：978-986-5589-91-2（第2冊：平裝）
　　ISBN：978-986-5589-92-9（第3冊：平裝）
　　ISBN：978-986-5589-93-6（第4冊：平裝）

863.57　　　　　　　　　　　　　　　110007335